AIMER C'EST PARDONNER

L'appel au mariage
solide, mystique et réaliste

JACQUES MARIN

AIMER C'EST PARDONNER

L'Appel au mariage solide mystique et réaliste

Préface de Monseigneur A.-M. Hardy
Evêque de Beauvais, Noyon et Senlis

Editions du Lion de Juda

Du même auteur :
Vous recevrez le centuple, Journal de la fidélité de Dieu, Editions du Lion de Juda, 1987

ISBN 2-905480-66-1
© Editions du Lion de Juda
Société des Oeuvres Communautaires, 1990

Illustration de couverture : Christine Raffara, Communauté du Verbe de Vie

A mon père que j'ai à peine connu,
A ma mère, veuve cinquante années,
et qui m'a enseigné la beauté du mariage.
A mes frères et soeurs,
qui ont tant apporté à la famille.

A vous, qui avez travaillé avec coeur à ce livre :
Jean-Louis et Monique
Jean et Elisabeth,
et pour vos enfants :
Anne, Benoît, François et Matthieu.

Aux communautés du Lion de Juda
et du Verbe de Vie,
berceaux de la Parole de Dieu,
qui convertit les coeurs.

A vous tous, témoins de l'Amour du Seigneur
dans votre couple, et sans lesquels,
ces pages n'auraient pas pu être écrites.

Préface

Le titre est plus que jamais actuel. Beaucoup de couples qui se séparent actuellement, n'ont pas su, à un moment ou à un autre, renouveler leur amour dans et par le pardon.

Il est vrai qu'il n'est pas, naturellement et spontanément facile de pardonner. Entre deux êtres les obstacles peuvent rapidement s'accumuler, presque à leur insu. Les caractères s'affrontent ; la diversité des formations se révèle ; les anciennes habitudes reviennent.

Si l'on veut vivre ensemble, il faut apprendre à dépasser sans cesse ces obstacles. Avec les fiancés que j'ai eu la grâce de préparer au mariage, j'ai toujours repris le conseil de l'Ecclésiaste : "Ne laisse pas le soleil se coucher sur ta colère". Ce qui veut dire en clair, pour les époux : ne jamais se coucher et s'endormir sur une dispute, avant de s'être réconciliés.

Mais les blessures restent ; elles sont parfois profondes. On se sent alors faible, voire totalement désarmé. Effectivement : je pense, qu'abandonnés à nos seules forces, il ne nous est pas possible de pardonner. Il nous faut l'Amour de Dieu, sa miséricorde infinie, pour renouveler sans cesse notre amour humain au sein de ses vicissitudes.

Il nous suffirait peut-être de nous rappeler ce que nous dit le livre de la Sagesse (au chapitre II) : "Seigneur, Tu as pitié de tous, parce que Tu peux tout ; Tu fermes les yeux sur les péchés des hommes, pour qu'ils se repentent".

Mais en Jésus-Christ nous avons plus. Nous avons, à notre portée, en sa mort et en sa résurrection, la Victoire de l'Amour. En nous, cette victoire est présente depuis notre baptême. Et tout sacrement la renouvelle pour les circonstances concrètes de notre vie.

Merci au Père Jacques Marin de nous montrer que cela est particulièrement vrai pour le mariage. A travers de nombreux témoignages nous découvrons cette victoire de l'amour, au travail, au milieu de beaucoup de courants et de forces contradictoires.

Le chapitre sur les "divorcés-remariés" me semble particulièrement bien venu. Il s'inspire très judicieusement de l'exhortation apostolique de Jean-Paul II : "Familiaris Consortio". Il peut aider à comprendre qu'aucune situation n'est désespérée, et que, pour l'amour, rien n'est jamais définitivement perdu.

Le rappel continuel de l'écriture, fait comme retentir en ces pages la Parole de Dieu, source de toute Espérance.

C'est pourquoi, ce livre fait d'abord pour les époux, peut aider plus largement toute personne engagée au nom de sa Foi. Il peut l'aider à la rendre plus vivante, témoin d'une victoire de l'Amour toujours possible.

† Adolphe-Marie Hardy
Evêque de Beauvais, Noyon et Senlis

Avant-propos

"Aimer c'est pardonner" : Le mariage est si justement un appel au bonheur que ce titre peut surprendre.

Mais de quel amour et de quel bonheur s'agit-il ? Parlons du véritable bonheur, celui qui est durable, pour autant qu'il est réellement vécu en Dieu : "Dieu est Amour".

Dieu est là au coeur des époux : c'est du "sacré", c'est un sacrement. Dieu est là, et la fidélité également, car Dieu est absolu dans sa fidélité.

Nourris de mystique et de réalisme, les époux vont pouvoir correspondre au don de Dieu qui est "mystérieux et vrai"...

Oui, mais à une condition, et qui sera toujours le point de départ de toute vie d'amour, sur cette terre : si la force et la beauté de tout amour, c'est qu'il soit avant tout fidèle, l'homme devra aussi se souvenir que Dieu, seul, est fidèle dans l'absolu. La créature ne sera jamais fidèle que dans la relativité, à laquelle s'ajouteront sa faiblesse et son péché. S'imaginer le contraire, c'est, pour l'homme, se faire inconsciemment l'égal de Dieu, et courir droit à sa perte en amour. Ce sera l'orgueil, la brisure en amour et la déception. Ce sera la mort de l'amour, la seule perdition qui existe : la révolte et l'enfer.

Mais **Dieu est fidèle jusque dans sa miséricorde**. Grâce à elle, le couple cheminera de fidélité en fidélité, l'un envers l'autre et envers Dieu. Aussi, l'homme a t-il ce besoin absolu de miséricorde, celle qui lui vient de son Sauveur, et celle qu'il est appelé à partager avec ses frères. Par elle, il va sauver l'amour de fidèlité qu'il a promis un jour; c'est là qu'est pour lui l'assurance du bonheur. Mais si voulant faire l'impasse de la miséricorde, il n'a rien voulu promettre en fidélité absolue, il se verra encore plus malheureux : cette fois, contraint de rester aux portes de l'amour.

Le bonheur des époux résidera donc dans ce contrat de fidélité, avec le secours de la grâce de Dieu. Et c'est le sacrement de mariage, que les époux se donnent en Dieu.

Le couple solide et durable sera donc "mystique", et combien ! Par sa relation à Dieu, dans son union à lui de tous les instants, il attend, - et avec quel bonheur ! - la miséricorde salvatrice. Trés "réaliste" aussi, parce que libéré de toute illusion et de toute utopie, il sera de ce fait, à l'abri du mensonge de l'élan amoureux d'un jour, sans lendemain.

Finalement, si la clef de l'amour est bien la fidélité et la fidélité éternelle, constatons que celle des époux n'est possible que dans la miséricorde. Aussi, est-il juste de dire : **"Aimer, c'est pardonner".**

Effectivement, la clef absolue de l'amour conjugal est bien là. Nous en sommes intimement persuadés, autant par la Sainte-Ecriture, que par l'expérience des couples, qui livrent ici leurs témoignages.

Le saint curé d'Ars, expert en amour et en sainteté, disait : "Nous pouvons devenir des Saints : si ce n'est pas par l'innocence, ce sera au moins par la pénitence"[1]. Alors, au départ de ce livre ne peut-on pas dire à sa suite et comme clef pour le développement qui va suivre sur l'amour conjugal : "si les époux ne peuvent plus s'aimer dans le **don,** du moins, peuvent-ils encore, et toujours, le faire dans le **pardon".**

Finalement, envisager un mariage qui ne soit pas mystique, c'est manquer de réalisme puisqu'il n'y a pas de véritable amour qui ne trouve d'abord sa source en Dieu, mystère d'amour. Et puisque sans réalisme, il n'y a rien de solide, alors, allons à l'essentiel ! et au présent ! Car l'amour chrétien se vit au présent. Et **seul, l'amour au présent peut donner le bonheur.** Et n'est-ce pas le désir de tous ?

---

1. Bernard Nodet, *J.-M. Vianney, curé d'Ars, sa pensée, son coeur*, Ed. Xavier Mappus, p. 189.

INTRODUCTION

Déjà, les noces de l'Agneau

Le mariage au quotidien selon le coeur de Dieu

Les époux peuvent penser : Au coeur de notre amour, au présent, ce sont **déjà les noces de l'Agneau**..., pourquoi pas ?

Trop mystique, un tel idéal pour le couple que Dieu a appelé à faire une seule chair ? Une ambition démesurée et réservée à une élite ? Une doctrine qui ferait dangereusement "décoller" du réel et du quotidien, et qui télescoperait les bienfaits de cette terre, voulus par Dieu dans le mariage, en transportant déjà le couple dans l'éternité ? Pas du tout !

Au contraire même : pour le couple et la famille, vivre déjà les *"Noces de l'Agneau"* sera la clef d'un amour solide et fidèle, vécu jusque dans l'intimité de la chair, le plus libre et le plus chaste à la fois. Dieu Lui-même se fait partie prenante, là où Il est bien chez Lui, au coeur-même de l'amour.

Alors s'accomplit la parole : *"Ils seront une seule chair"*. Mais une seule âme et un seul coeur, également. C'est de l'ordre de l'indicible : Dieu est là.

> *Maris, aimez vos femmes comme le Christ a aimé l'Eglise : Il s'est livré pour Elle...* (Ep 5, 25).

Les noces de l'Agneau ne sont-elles pas déjà commencées ? Dieu a parlé : *"une seule chair"* - c'est de l'ordre de la foi, mais non pas de l'irréel. Ce n'est donc pas un idéal à suivre, ni une doctrine à observer, encore moins une ambition, si noble soit-elle. C'est de l'ordre de la foi, et "la foi n'est pas une opinion, mais une certitude" dit saint Bernard (*Lettre 190 au Pape Innocent II*). Ce n'est surtout pas de l'héroïsme, mais un appel à la sainteté, et ensemble.

C'est démesuré ? oui, évidemment ! Et heureusement aussi, pour ceux qui ont cette soif de vivre d'amour. L'amour "mesuré", laissons-le aux sages de ce monde, ou encore aux "craintifs" qui envisagent deux amours successifs : celui de cette terre, et l'autre d'éternité. Comme si notre Dieu n'avait pas de suite dans les idées, lui qui est un, et qui est amour !

> *Il n'y a pas de crainte dans l'amour; au contraire, le parfait amour bannit la crainte* (1 Jn 4, 18),

nous dit saint Jean, comme pour guérir cette peur inavouée d'être plongé tout entier dans l'amour de Dieu. Et pourtant Dieu sait (et nous aussi...) si nous avons besoin d'être plongés tout entiers dans sa miséricorde, pour quitter la peur de nous-mêmes, la peur d'aimer.

Donc, **un amour démesuré**, et dès cette terre ! puisque dans l'éternité, ce sera l'amour infini, mais que déjà nous vivons de Vie éternelle. Bien intelligent celui qui parviendrait à mesurer et raisonner la part d'amour que chacun doit vivre maintenant. Et s'il y parvenait, quel désastre pour les vrais amoureux ! Mais pas n'importe lesquels : certainement pas ceux d'un jour ou d'une petite semaine, ou d'une petite vie de 7 à 77 ans, mais ceux qui, en un instant, ont été "séduits" par cette vision des noces de l'Agneau : ceux qui "en veulent" vraiment de l'amour, et pour toujours.

Celui qui a entrevu la vérité ne peut pas ne pas en vivre déjà : il est des retours en arrière impossibles pour le disciple qui *a mis la main à la charrue* (Lc 9, 62). Bien sûr, il faudra labourer, mais pour des semailles, et semer, mais pour la moisson. *Un ange sortit du temple.., et la terre fut moissonnée* (Ap 14, 15-16).

Comme la vie du couple et de la famille s'inscrit bien dans ce parcours ! Au coeur même des noces humaines de l'époux et de l'épouse, voici les noces de l'Agneau, un agneau **immolé mais déjà dans sa victoire**. *Digne est l'Agneau égorgé de recevoir la puissance, la richesse, la sagesse, la force, l'honneur, la gloire et la louange* (Ap 5, 12).

L'amour conjugal, c'est de l'amour livré, sacrifié et immolé. *Ceux qui sèment dans les larmes, moissonnent en chantant* (Ps 126, 5). Et au champ du Seigneur qui est déjà *blanc pour la moisson*, le semeur se réjouit avec le moissonneur (Jn 4, 36). Toute la richesse et toute la beauté de la famille sont là, en prise directe avec l'éternité. D'où l'importance pour les prédicateurs de partir du ciel, de prêcher l'amour du ciel, pour comprendre et vivre le bonheur de la terre !

C'est vrai que tout homme a été racheté pour vivre de la joie des noces de l'Agneau, là où *Dieu essuie toutes larmes de leurs yeux* (Ap 7, 17). Mais n'est-il pas racheté dès cette terre ? Et pour en vivre dès maintenant ? Telle est l'espérance et la consolation de l'époux qui voit partir sa compagne avant lui vers cette éternité qui les réunira pour toujours.

Les époux ont cette grâce toute particulière de vivre le sacrement de mariage dans cette profondeur **mystique**, au coeur du vécu **concret** de chaque jour. Grâce suréminente pour la sanctification réciproque, où l'un devine l'autre dans la communion voulue et créée par Dieu : *"Pour le coup, c'est l'os de mes os et la chair de ma chair !"* (Gn 2, 23)

Quelle connivence pour la **sainteté** ! Et quelle grâce pour les époux dans ce vis-à-vis sur lequel Dieu a voulu mettre le sceau du sacrement, pour que sa présence soit bien là, ciment de leur amour : *Pose-moi comme un sceau sur ton coeur* (Ct 8, 6). Dieu seul est maître en Amour, et dans sa Trinité Sainte, capable d'engendrer la communion, et de donner à son humanité cette ressemblance pour laquelle elle fut créée. L'Eucharistie scelle cette alliance "nouvelle et éternelle" au coeur même des époux offerts sur l'autel du sacrifice.

Heureux les invités aux noces de l'Agneau ! (Ap 19, 9)

Heureux époux qui d'un même coeur et par deux sacrements à la fois vivent de la même alliance sur la terre comme au ciel. Ils vivent déjà le triomphe de l'Agneau qui ne saurait attendre l'éternité, et qui se manifeste avec éclat dans ceux qu'il a choisis pour en faire *une royauté de prêtres régnant sur la terre* (Ap 5, 10). Avec le prêtre à l'autel, ils célèbrent l'alliance inaltérable et infrangible, pour être témoins, dans la vie, de l'amour fidèle *par Jésus-Christ, le témoin fidèle, le Premier-né d'entre les morts, le Prince des rois de la terre !* (Ap 1, 5)

"L'eucharistie est la source et le sommet de toute évangélisation" nous dit le concile Vatican II[1]. Le second sacrement de l'alliance qu'est le mariage sera aussi sacrement privilégié d'évangélisation. Parmi les "fidèles laïcs", les époux chrétiens sont particulièrement désignés pour vivre et signifier cette alliance indestructible de Dieu avec les hommes. Après l'avoir vécu dans une eucharistie fervente, ils sont appelés à vivre ce même amour de Dieu en pleine pâte humaine :

---

1. *Décret sur le ministère et la vie des prêtres*, n°5, paragraphe 2.

"Vous êtes la lumière du monde, vous êtes le sel de la terre" (Mt 5, 13-14), *le royaume des cieux est semblable à du levain...* (Mt 13, 33).

Suite au concile Vatican II, notre Pape Jean-Paul II a voulu nous redire cette mission indispensable du "sacrement de mariage dans l'Eglise et dans la société, pour éclairer et inspirer toutes les relations entre l'homme et la femme", en précisant bien :

> "Le sacrement du mariage qui consacre cette relation dans sa forme conjugale, et la révèle comme signe de la relation du Christ avec son Eglise, contient un enseignement de grande importance pour la vie de l'Eglise ; cet enseignement, par l'intermédiaire de l'Eglise, doit atteindre le monde d'aujourd'hui[1].

Atteindre le monde d'aujourd'hui, c'est le voeu le plus fervent de ce livre. Qu'il ne soit pas réservé aux seuls chrétiens. D'ailleurs les témoignages eux-mêmes montrent des couples en marche dans la découverte de l'amour, qui, pour plusieurs d'entre eux, découvrent l'espérance et la foi chrétiennes, en même temps que les richesses de leur amour conjugal.

Ami lecteur, peu importe le point où tu en es. Ta recherche et la bonne volonté qui te font ouvrir ce livre, n'est-ce pas là l'essentiel ? Il faut d'abord voir clair en amour, admettre qu'il ne peut guère y avoir d'amour sans **pardon**, ni de pardon sans un coeur vulnérable qui ne craigne plus la vérité. L'essentiel n'est-il pas d'**être en marche**, (pas seulement en recherche) et d'être aussi **sur le bon chemin** ? Les nombreux témoignages qui concrétisent l'enseignement de ce livre, ne révèlent-ils pas des couples imparfaits, mais remplis de bonne volonté, et décidés à payer le prix qu'il faudra, pour vivre au maximum le bonheur de l'amour ?

Dieu Lui-même, qui est maître en amour, a voulu passer par ce chemin qui mène à la communion, ce qui n'a pas pas fini d'étonner le monde. Pour vivre cela, il faut avoir avant tout **un coeur d'enfant.** C'est la conclusion de ce livre. Mais d'entrée, il faut aussi ce coeur simple. Alors à ton tour, tu n'auras pas besoin d'attendre l'éternité pour connaître le bonheur d'être de ceux *qui suivent l'Agneau partout où Il va* (Ap 14, 4). Et ses noces sont éternelles.

---

1. Jean-Paul II, Exhortation apostolique, *Les fidèles laïcs*, n°52.

CHAPITRE I

Aimer c'est pardonner

L'amour excuse tout,
croit tout, espère tout, supporte tout.
(1 Co 13, 7)

CHAPITRE I

Dieu est amour, Dieu est lumière. Quel est le chemin du couple qui doit devenir amour et lumière ?

L'Apôtre nous dit : *Oui, cherchez à imiter Dieu, comme des enfants bien-aimés, et suivez la voie de l'Amour à l'exemple du Christ, qui nous a aimés, et s'est livré pour nous...* (Ep 5, 1-2).

Chercher à imiter Dieu : C'est le seul chemin d'un amour durable sur notre terre. C'est un chemin de lumière pour les époux dans leur amour.

Le suivre, c'est pratiquer la miséricorde jusqu'à s'offrir en victime. Et nous sommes tous invités à imiter Jésus, en supportant tout, en lui demandant de renverser en nous les obstacles au pardon.

Pardonnez-vous mutuellement si l'un a contre l'autre quelque sujet de plainte ; le Seigneur vous a pardonnés, faites de même à votre tour (Col 3, 13).

Dans la grâce du pardon, ce qui était le plus blessant et le plus dégradant pour les époux se retourne en amour - *cherchez à imiter Dieu* - on croit rêver ! Oui, mais il faut commencer par se supporter.

1 — L'AMOUR SUPPORTE TOUT

Celui qui voudrait faire de cette obligation de *tout supporter* un accessoire de l'amour, aurait bien peu compris ce qu'est le don de soi. Or, dans l'amour conjugal, il y a deux parts dans le don complet de soi : ce que l'époux donne de bon coeur, et ce que l'autre vient lui prendre. *Tout supporter* fait partie du second lot. Celui qui veut tout donner, ne doit-il pas s'attendre à tout supporter ?

Aimer en vérité, c'est se supporter

Pouvoir *se supporter* est l'une des preuves de l'amour authentique : aimer l'autre tel qu'il est, c'est-à-dire le supporter à partir de ce qu'il est en lui-même, avant de le supporter par rapport à sa manière de parler, d'agir, ou d'aimer.

C'est certainement l'un des secrets fondamentaux d'un amour conjugal profond, solide, durable et fidèle.

Cette attitude du coeur qui relève de la plus pure gratuité se manifeste en principe, au départ de l'amour, lorsque deux coeurs se rencontrent pour la première fois. Elle n'est plus obligatoirement "naturelle" ni "automatique" par la suite. Il faudra y revenir, croire que c'est encore possible, et le recevoir de Dieu.

Ainsi se justifie l'enseignement de l'apôtre Paul, dans une phrase, lapidaire et absolue : *L'Amour excuse tout, croit tout, espère tout, supporte tout* (1 Co 13, 7). Aimer pour de bon, ce sera aimer jusqu'au bout, comme Jésus : *Il les aima jusqu'à la fin* (Jn 13, 1). Et aimer jusqu'au bout, c'est supporter jusqu'au bout, autrement dit *tout supporter*.

Nous sommmes ici au coeur de l'amour réellement offert et livré, car, dans ce cas, c'est celui qui n'est pas vraiment "aimable" qui prend la direction de l'amour, qui en demande et en redemande encore, alors que souvent il est incapable d'en recevoir à cause du caprice qui est le sien, ou de l'instinct de rejet qu'il porte en lui. Aussi l'apôtre ne craint-il pas de nous dire :

Heureux homme, celui qui supporte l'épreuve (Jc 1, 12).

Dans la Bible, ne voyons-nous pas Dieu supporter son peuple infidèle :

"Mon peuple que t'ai-je fait ? En quoi t'ai-je fatigué ? Réponds-moi..."

Le peuple semble ne plus pouvoir supporter son Dieu, et cela sans motif, c'est Dieu qui devrait être fatigué ! Et pourtant, il ne l'abandonne pas.

"Car je t'ai fait monter du pays d'Egypte, Je t'ai racheté de la maison de servitude" (Mi 6, 3-4).

Ainsi, celui qui est insupportable reprochera-t-il à l'autre de ne pouvoir le supporter. C'est un aveuglement notoire qui semble bien ne pas être rare.

Jésus lui-même va poser la question à ses disciples ayant manqué de foi pour chasser un esprit mauvais :

"Jusqu'à quand vous supporterai-je ?" (Mc 9, 19)

Remarquons bien au passage que c'est ce manque de foi qui est insupportable à Jésus. Il en est de même entre les époux. Ce qui va être insupportable, c'est que l'autre fait mine de ne plus croire en l'amour, employant le chantage, qui est un mensonge. Ce qui est le plus blessant entre époux, ce n'est donc pas d'abord l'ingratitude ou les faiblesses en amour, les lâchetés même, mais bien au-delà, de ne plus croire en l'amour.

Voilà qui pousse Jésus jusqu'aux limites de sa patience. Voilà souvent ce qui fera chuter lourdement les époux et les amènera à faire ce constat d'échec : on ne peut plus se supporter. Alors l'un ou l'autre (ou les deux) déclareront ne plus croire en leur amour.

La seule issue sera pour eux de revenir à la grâce de leur sacrement de mariage, qui est un sacrement de la foi autant que les six autres sacrements, et de dire avec sainte Thérèse de Lisieux : "je crois ce que je veux croire." "Se supporter" peut paraître une attitude purement négative, ou une condition indispensable pour demeurer ensemble, et connaître à partir de là, de temps à autre, des élans d'amour qui redonneront la certitude d'un amour qui n'était pas disparu.

C'est mal évaluer ce : *supportez-vous les uns les autres avec charité* (Ep 4, 2). L'Epître aux Ephésiens précise qu'on ne peut se supporter qu'avec amour ; en fait, se supporter est déjà un très grand acte d'amour : c'est la vérité. Celui qui connaît la profondeur de l'amour, ne va plus être piégé par ce mensonge que se "supporter" n' aurait été qu'un préalable à l'amour, ou une situation transitoire avant de retrouver le véritable amour.

Se supporter l'un l'autre fait partie intégrante de l'amour : cette attitude est absolument nécessaire à tout amour congugal et fraternel, et nul ne saurait en faire l'impasse. Mais le secret réside, c'est évident, dans la façon de le faire : "avec charité", avec amour.

L'apôtre ajoute : *Appliquez-vous à conserver l'unité de l'esprit, par ce lien qu'est la paix* (Ep 4, 3).

Pour y parvenir, n'est-ce pas d'abord le regard qui a besoin de guérir ? En effet un regard qui juge empêche d'aimer l'autre tel qu'il est. Il produit insatisfaction et amertume. On se plaint de son conjoint, et très vite, il devient "insupportable".

Ainsi cette épouse regardait-elle l'emploi du temps de son mari, (d'ailleurs discutable), sans regarder à son coeur. En fait, "un voile était posé sur son coeur", mais *c'est quand on se convertit au Seigneur que le voile est enlevé* (2 Co 3, 15-16). Dans la prière, le Seigneur est venu à son secours. Il ne voulait pas seulement qu'elle supporte son mari sous une fausse image. Il voulait lui donner de revenir à l'amour véritable. Voici son témoignage[1] :

> Thérèse : "On est marié depuis vingt ans et j'ai été assez malmenée par la vie depuis deux à trois ans. A cause de déménagements, je ne voyais plus mon mari de la même façon : il y avait tout à faire dans la maison, et je ne le voyais plus que comme bricoleur, comme ouvrier. Et le Seigneur m'a montré mon mari avec tout son amour, toute sa gentillesse. On a redécouvert toute la fraîcheur de notre amour. Le Seigneur m'a donné aussi une grâce d'espérance. Il m'a donné une parole : *"si tu crois, tu verras la gloire de Dieu"*. je suis convaincue que je peux voir la gloire de Dieu dans notre amour".

Le véritable amour aime toujours l'autre tel qu'il est. Mais, il faut d'abord guérir de la caricature que l'on a pu se faire soi-même de l'être aimé.

L'aveuglement anéantit la vie et l'amour. Mais avec Dieu, rien n'est jamais perdu. *Dieu est lumière* (1 Jn 1, 5). Reste à l'homme de se mettre dans sa lumière par la prière.

---

1. La plupart des témoignages de ce livre ont été donnés lors de retraites et par discrétion les prénoms ont été modifiés, ce qui n'enlève rien à leur authenticité.

Choisir de supporter avec amour

C'est en se supportant l'un l'autre, que les époux vont construire l'unité de leur couple, rapprocher toujours plus leur coeur l'un de l'autre, et resserrer ce lien d'amour, à partir duquel ils recevront une paix que rien ne pourra altérer.

En effet, c'est comme si les époux se promettaient ceci l'un à l'autre : "tu pourras faire les pires sottises du monde, j'ai choisi de t'aimer et donc de te supporter pour toujours ; rien ne pourra détruire notre amour".

Cette déclaration d'amour n'est pas exagérée ; il semble même qu'elle soit absolument nécessaire. En effet, deux amis pensent se quitter, ou prendre le large s'ils ne peuvent plus se supporter. Deux frères appelés à la communauté, pensent changer de lieu de communauté, si elle leur est devenue insupportable. Mais les époux, eux, le jour de leur mariage, se sont donnés l'un à l'autre un sacrement que seule la mort peut détruire, un lien sacramentel qui est de droit divin, et auquel la communauté des croyants n'a pas le droit de toucher et pas davantage le pouvoir civil. C'est un lien mystérieux et profond s'il en est un :

Ce mystère est de grande portée; je veux dire qu'il s'applique au Christ et à l'Eglise (Ep 5, 32).

Le mariage chrétien est donc éminemment spirituel. Le couple est appelé à vivre un petit carmel, finalement ; comme ces soeurs qui ont à se supporter quarante ans ou plus, toujours à côté de la même, avec les mêmes "tics", la même façon de tousser, de chanter, de soupirer...

La différence, me direz-vous, c'est que les carmélites ne se sont pas choisies ! Peut-être ; mais les époux non plus, c'est Dieu qui les a choisis l'un pour l'autre.

Le couple chrétien, dans sa fidélité à toute épreuve, serait donc comme un petit carmel ? Oui un peu, et parfois beaucoup. En tout cas, il y a davantage qu'une analogie entre les deux. Et à la mesure où cet état de vie du mariage ne serait pas envisagé dans cette dimension mystique d'oblation, il ne faut pas s'imaginer que ce grand sacrement puisse retrouver toute sa place dans l'Eglise.

Pour pouvoir se supporter avec amour, parfois il faudra aussi quitter un sentiment d'injustice, qui engendre la révolte envers l'autre, et le rend "insupportable". Ainsi, un retraitant, au cours d'un service fraternel à rendre, fut-il touché par une grâce importante, qui fit de lui, certainement, un bon époux. Il avait besoin de cette guérison sans laquelle il est impossible de "donner sans compter" :

> Pierre : " En arrivant, je me disais que cette retraite n'était pas pour nous, car notre couple ne va pas si mal que cela. Nous étions déjà comblés de grâces avant de venir. Puis je me suis aperçu qu'il y a beaucoup de petites choses qui pourraient encore faire grandir notre amour. Je veux rendre gloire à Dieu pour un événement vécu : l'histoire de Marthe et Marie. Hier soir j'étais "Marthe", j'ai senti une certaine injustice parce que je rangeais les tables et faisais la vaisselle pendant que certains discutaient. Je me suis rendu compte que ce sentiment d'injustice n'était pas très pur et j'ai demandé pardon à Jésus à la chapelle. Ce matin j'ai revécu le même texte, mais dans l'autre sens. J'étais "Marie" et j'ai vu à côté de moi notre soeur qui s'occupe des cassettes faire son travail avec amour, et en mon coeur je n'ai pas senti que cela lui cause une injustice".

L'expérience montre que celui qui en reste seulement à "tout supporter", dans son ménage, mais "contraint et forcé", sans y mettre son coeur, va souvent à l'échec. Il faudra donc aller nécessairement plus loin : "choisir" de tout supporter, et de bon coeur. C'est ce choix déterminé qui retournera l'agressivité en tendresse, comme le montre ce témoignage :

> Odile : "Quand Alain a désiré se marier, il a beaucoup prié pour que le Seigneur mette sur son chemin sa femme et ce fut moi. Il m'a vraiment reçue comme un cadeau. Quand nous étions fiancés, lorsque je parlais d'Alain à mes amis, je l'appelais "Alain des béatitudes", tellement je le trouvais doux, patient. Au fil des ans, (cela fait dix-huit ans que nous sommes mariés), je trouvais que les "béatitudes" c'était lourd à porter. Je m'impatientais, je pensais que moi, j'avais l'esprit rapide et que je comprenais très vite. Le Seigneur m'a montré hier qu'il avait fallu dix-huit ans pour que je prenne conscience que je n'avais pas su aimer mon mari. Alors je lui rends grâce d'avoir fait rentrer en moi l'humilité. Je me souviens que le prédicateur disait : "il faut se mettre dans l'obéissance au Seigneur, il faut mettre toutes nos pensées dans l'amour du Seigneur, il faut lui demander pardon..." Cela a touché mon coeur. Je suis allée me confesser. Le prêtre alors m'a parlé de ma vie, de mon enfance ; cela m'a bouleversée, je me suis mise à pleurer. J'ai reçu l'absolution et le Seigneur s'est montré pour nous, ensemble, avec cette douceur, cette patience, et cette humilité, que je peux pratiquer maintenant".

Les époux ont toujours ce choix de l'amour à faire et à refaire. Ils y ont leur part. Mais finalement, c'est un don de Dieu, comme en témoigne cette épouse qui a rencontré un Dieu "qui s'est révélé à elle avec douceur, patience, humilité". C'est là où son coeur a été bouleversé. Elle a quitté son agressivité envers un mari qu'elle trouvait "lourd à porter". Et sa vie conjugale et familiale en a été complètement transformée.

Se supporter avec patience

Ceux qui peuvent *se supporter l'un l'autre* pratiquent une vertu : la "patience". L'apôtre Jacques le fait très justement remarquer : se plaindre de l'autre, c'est porter sur lui un jugement, et cela engendre nos moments d'impatience : *Soyez patients vous aussi ; affermissez vos coeurs car l'avènement du Seigneur est proche ; ne vous plaignez pas les uns des autres, frères, afin de ne pas être jugés* (Jc 5, 8-9). *"Ne jugez pas et vous ne serez pas jugés"* (Lc 6, 37) dit Jésus.

Aussi les époux doivent-ils, si c'est nécessaire, briser le cercle infernal dans lequel ils peuvent s'enfermer, dans ces moments terribles où chacun se "renvoie la balle"..., ajoutant blessure sur blessure, dans une course effrénée à la destruction mutuelle, comme pour en finir au plus vite. C'est comme si l'un voulait décourager l'autre de mettre en relief les exigences de l'amour. Cette impatience engendre peu à peu un esprit de fuite, et bientôt la cohabitation semble devenir impossible. Les époux peuvent faire leur malheur eux-mêmes, sans l'intervention d'aucune autre personne qui viendrait troubler leur amour.

Tous ces moments d'impatience nécessiteront de la part des époux une demande de pardon. Ce sera le seul chemin de guérison possible. Et ce serait une présomption pour les deux d'imaginer cette guérison facultative. N'entendons-nous pas trop souvent ce mauvais témoignage d'un dialogue sans amour : "Nous, quand on a quelque chose à se dire on ne se l'envoie pas dire", jusqu'au jour où on dit à l'autre : "si tu n'es pas content, tu peux prendre ta valise et t'en aller". Et cette surprise le lendemain : "mais pourquoi donc est-elle partie ?" Et le surlendemain, cette réflexion : "elle est en tort, puisqu'elle a quitté le domicile conjugal" ! C'est hélas vrai et faux en même temps ! car les deux étaient en tort pour avoir manqué l'un et l'autre de patience.

L'apôtre Paul nous dit en effet que : *L'amour est patient. La charité est longanime* (1 Co 13, 6). Cette traduction qui a essayé de rendre mieux l'original grec, semble vouloir nous dire que l'amour est invité à une patience qui n'en finit pas, qui va traîner en longueur. Effectivement, c'est parfois le cas entre les époux.

Voici le témoignage de deux époux, déjà proches de leurs noces d'or, et disant à la fois leur manque de patience, et leur désir de conversion ; ce qui a permis la fidélité de leur union, et leur persévérance dans l'amour :

> Yves : "Nous sommes les deux monuments historiques de l'assemblée puisque nous fêtons très exactement aujourd'hui nos quarante-sept ans de mariage. Nous avons des caractères très différents. Déjà sur un plan matériel, Annette est d'un calme remarquable, moi je suis affreusement explosif. Sur le plan spirituel, Annette vit chrétiennement depuis ses premiers jours : c'est une sainte femme. Moi je suis une "vocation tardive", parce que j'ai été baptisé à vingt-trois ans. Il faut bien reconnaître que quand on a passé son enfance sans entendre parler du Seigneur, il manque quelque chose. On a l'impression d'avoir été greffé sur un tronc trop gros et que la greffe n'a pas tellement bien pris. Le prédicateur nous a dit qu'on oubliait souvent, dans le mariage, les sentiments des premiers jours, et que l'autre était l'être unique. Annette redevient l'être unique pour moi. Claudel a écrit : "ce qui est intolérable chez l'autre, ce ne sont pas les défauts, ce sont les travers". Je me suis aperçu en faisant le tri très rapidement que mon épouse avait des travers et moi j'avais des défauts. Et les défauts, c'est plus grave que les travers. En particulier, un défaut épouvantable : le manque de patience. J'explose pour un oui, pour un non. Annette a des petits travers par exemple de n'être pas ponctuelle. Alors je me mets en colère. C'est pourquoi j'ai demandé au Seigneur, et plus spécialement dans ma confession, de m'accorder cette vertu de patience. Je l'ai demandé aussi au cours des heures d'adoration devant le Saint Sacrement. Je veux remercier publiquement Annette, car elle a eu bien du courage de me traîner ici. Gloire à toi Seigneur".

En fait, c'est grâce à cette vertu de patience que les époux apprennent peu à peu à s'aimer tels qu'ils sont. Ce devra être une patience par amour, donc jamais cette résignation qui entretient la mauvaise humeur, avec le regret latent de ne pas avoir eu une épouse moins agaçante ou plus gentille, ou un époux moins brutal et moins coléreux.

Ce devra être une patience active, où l'on prie en silence pour la conversion de l'autre, en retour de l'ingratitude. Nous sommes de toutes façons, en pleine sanctification réciproque, le conjoint "insupportable" donnant à l'autre l'occasion de se sanctifier par la patience. L'un des deux est-il mis à l'épreuve de la patience ? Alors, qu'il prie, non pour être délivré de ce qui pèse sur lui, mais pour la conversion de l'autre. Les témoignages ne manquent pas. Et bien des époux ont fait cette expérience de la prière qui *"renverse les montagnes"*.

La patience fait porter les bons fruits de la persévérance, absolument nécessaire en amour conjugal : pas de fidélité durable sans cette persévérance.

Aimer, c'est écouter, partager, pardonner

Dans la prière du coeur, les époux voient leurs jugements l'un envers l'autre, purifiés. Ils voient disparaître ce qui était un barrage radical au dialogue amoureux, dont ils ont besoin pour grandir dans la sanctification réciproque. Quand ils prendront la parole, la remarque faite à l'autre pour lui donner de grandir dans l'amour, ne se transformera plus en reproche. L'échange, tout en étant exigeant, continuera à être un dialogue d'amour, et ne tombera pas dans des paroles amères, souvent défaitistes qui laissent peu de place à l'espérance.

Sans un amour patient, le dialogue tourne facilement à la condamnation, avec des phrases à l'emporte-pièce, du genre : "tu es bien comme ta mère"..., jugement perfide qui blesse profondément l'épouse, en rejetant de surcroît la belle-mère. Alors, l'époux se retrouve seul... avec lui-même.

La patience ne va pas sans l'écoute du coeur de l'autre, alors que l'agressivité ressentie engendrait un rejet. C'est pourquoi l'écoute est toujours à la base du dialogue. Il s'agit d'une écoute du coeur, ce qui est tout autre chose que de se taire en attendant que l'autre ait fini de vous agacer. Cette écoute se découvre dans le silence. Tant que les époux n'en ont pas fait l'expérience, leur amour l'un pour l'autre ne peut pas vraiment grandir. Ce fut la découverte de deux époux après plusieurs années de mariage :

> Albert : "Le Seigneur nous a donné après six ans de mariage de nous redécouvrir dans une confiance raffermie, totale, et pour la vie. Cette retraite a été un moment très, très fort dans notre vie. Bavard comme je suis, le repas en silence aurait dû être très dur pour moi, cela me faisait sourire et je n'en voyais pas vraiment l'utilité. Petit à petit, le Seigneur a amené en moi un peu de paix, un peu de calme. Ma femme m'a dit en chuchotant : "personne ne se parle et il y a des sourires sur tous les visages". Effectivement. Et j'ai compris que pendant ce silence, toutes les paroles qui ne servent à rien tombaient, il ne restait

que l'essentiel et des pensées agréables à se dire. Je remercie le
Seigneur de m'avoir fait découvrir la puissance de l'amour et de la
fraternité à travers un silence partagé. Je vois maintenant l'importance de l'écoute".

Mais il y a aussi des omissions en amour, ou des attitudes
d'anonymat qui sont tout autant insupportables dans la vie du couple.
Il est des silences lourds qui sont intenables, et une manière de
continuer sa vie de célibataire qui est invivable pour l'autre.

Il est aussi des gestes d'amour auxquels l'autre s'attendait, et qui
ont été oubliés. Tout cela est fait pour être pardonné.

Il ne faut surtout pas penser que "le temps va bien arranger les
choses". Ce proverbe est complètement faux en amour, car les époux
aiment avec leur coeur, mais aussi avec la mémoire, et la mémoire
se souvient aussi bien de la plénitude que du vide !...

Il faudra aussi supporter chez l'autre son manque d'expression
dans l'amour, ainsi celui dont la sensibilité s'est peu développée dans
sa famille. Il est des solitudes pesantes à l'intérieur même de couples,
qui par ailleurs, n'ont jamais été infidèles l'un envers l'autre. Cette
lacune est grande, même si elle est inconsciemment admise : c'est
un aveuglement d'un côté ou de l'autre (ou des deux côtés). Le
couple s'est donné un diplôme, ou un accessit : "nous, nous sommes
toujours restés fidèles l'un à l'autre" ! Ce qui n'est pas juste finalement. Jamais infidèles, oui certainement. Mais fidèles positivement
l'un à l'autre, c'est autre chose... Combien d'omissions dues à des
silences coupables, ou de fuites déguisées dans l'action sociale, ou
dans le service de l'Eglise !

Les époux chrétiens doivent toujours vérifier, quand ils se mettent
à parcourir les mers et les continents pour gagner un prosélyte
(Mt 23, 15), si le compagnon ou la compagne que Dieu leur a donné
est bien en train de faire son salut, car c'est la première âme dont ils
auront à rendre compte devant Dieu.

Aimer, c'est donc écouter, partager et pardonner. Ecouter
d'abord, et non pas parler : beaucoup de couples se plaignent du
manque de dialogue, mais peu de l'absence d'écoute.

Or c'est le manque d'écoute qui a supprimé le dialogue : à peine
l'un a-t-il ouvert la bouche que l'autre, sachant ce qu'il va entendre,
prend un air agacé avant la fin de la phrase. On cherchera alors un
autre sujet d'échange, puis un autre, etc., jusqu'à ce qu'il n'y en ait
plus. On tombera dans l'anonymat, et dans un silence pesant n'ayant
rien de commun avec l'écoute du coeur. C'est en reprenant le temps

de goûter cette présence l'un à l'autre que pourra surgir un mot d'amour, puis l'échange sur un sujet peut-être difficile, mais acceptable au creux de l'amour. Et ce sera le partage retrouvé.

Inutile de se scandaliser du manque de partage ou de dialogue après bien des années de mariage : il faudra d'abord revenir au recueillement de la prière. Elle est une écoute de Dieu et en même temps une écoute du coeur de l'être aimé, pour retrouver l'intimité d'un dialogue vraiment conjugal. Deux époux en firent l'expérience, à force d'avoir persévéré dans cette demande au Seigneur, car c'est finalement un don de Dieu qu'ils reçurent :

> Anne : "En venant ici, j'avais très fort dans le coeur, que nous devrions demander au Seigneur une grâce de dialogue et d'intimité. C'était très difficile de dialoguer, cela tournait toujours court et nous étions très vite meurtris l'un par l'autre. Or nous avons pu échanger ce que nous n'avions pas pu faire en vingt-deux ans de mariage. Nous avons pu nous demander pardon sur bien des points. Notre coeur était libéré pour mieux nous aimer, et aimer nos enfants".

> Philippe : "Ce que j'ai envie de rajouter, c'est que cela fait trois ans que nous venons en retraite et qu'il faut revenir, parce que ce n'est que la troisième année que nous avons été exaucés".

La persévérance est donc aussi importante que l'écoute, mais la persévérance dans la délicatesse et l'amour. Dans cette écoute profonde, les époux peuvent à nouveau se supporter, en s'aimant tels qu'il sont.

Conjugalement, il ne pourra jamais y avoir entre les époux de conversation abstraite, mais toujours un échange engageant, suivi une décision commune pour construire ensemble l'amour.

Le dialogue ne sera jamais facile, et les époux qui se blessent en évoquant des blessures passées, auront-ils à coeur de se pardonner au fur et à mesure de cet approfondissement de l'amour.

Dans la prière il y a l'écoute et le dialogue, mais également le pardon réciproque entre époux.

Ainsi, ce couple en difficulté depuis le début de leur amour, n'a pu tenir dans la fidélité, que grâce à cette attitude d'humble pauvreté, consistant à se pardonner, la main dans la main, chaque soir :

> Henri : "Nous avons des problèmes de couple depuis le début. Au bout de deux ans de mariage, nous avions envie de nous séparer. Cela fait maintenant onze ans que nous sommes mariés et nous sommes toujours ensemble. Ce qui nous a été conseillé dans les retraites, c'est la

prière du soir en couple. En fait, dire un Notre Père en donnant la main à sa femme, prononcer du fond du coeur : "pardonne-nous comme nous pardonnons", et en garder gros sur la "patate", eh bien je ne peux pas ! Alors, c'est là que nous nous pardonnons".

Au coeur de ce pardon rempli de simplicité ce sera la tendresse retrouvée pour les époux, une tendresse recherchée, et qui ne pouvait plus se donner. Chemin exigeant, toujours à reprendre, parcours obligé qui construit l'amour, d'étape en étape et d'épreuve en épreuve. L'amour chrétien est toujours réaliste, solide, et vrai.

L'amour ne s'irrite pas, ne tient pas compte du mal...
Mais aussi : *Il met sa joie dans la vérité* (1 Co 13, 5 et 6).

Dans la patience, l'écoute; dans l'écoute, le partage; dans le partage, la vérité; dans la vérité, le pardon; et dans la miséricorde, l'amour invincible.

Quel couple ne désirerait vivre cet amour invincible ? Mais l'amour conjugal est un combat spirituel. Et la clef d'une victoire certaine demeure toujours cette patience amoureuse, qui ne connaît pas de limites. C'est alors que l'amour conjugal commence à ressembler étrangement à l'amour de Dieu pour chacun des époux.

Cet amour surnaturel pratiqué entre époux ne renie rien de l'amour naturel et spontané du coeur, mais le transforme et l'accomplit.

Les chrétiens qui vivent la vocation du mariage y sont appelés tout autant que leurs frères et soeurs qui vivent le célibat consacré. Car Dieu n'a pas deux sortes d'enfants. A chacun est donné le même coeur pour un don absolu. Et les époux, quelles que soient leurs responsabilités dans l'Eglise ou dans le monde, ont à vivre ce don absolu dans leur couple et pour leurs enfants.

On comprend que la plus grande tristesse au coeur de l'homme, ce soit de ne pas connaître ce bonheur du don, ou encore, d'hésiter à s'y lancer, ou pire de le refuser.

D'heure en heure, de minute en minute, tout supporter avec amour, devient la grâce suprême d'un amour enfin "donné", jusqu'à être "sacrifié".

Cependant, il faut bien le reconnaître, les obstacles ne manquent pas à rentrer dans le pardon absolu, au point d'en arriver à "tout supporter avec amour". Mais ils ne sont pas infranchissables ; ils sont même faits pour être vaincus. Ce sera même une preuve d'amour supplémentaire.

A ce point qu'un couple sans épreuve poserait question, et qu'il lui manquerait bien des grâces pour grandir dans l'amour. Ainsi s'explique la parole de l'apôtre Jacques :

> *Tenez pour une joie suprême, mes frères, d'être en butte à toutes sortes d'épreuves. Vous le savez : bien éprouvée, votre foi produit la constance; mais que la constance s'accompagne d'une oeuvre parfaite* (Jc 1, 2).

2 — LES OBSTACLES AU PARDON

Ce qui vient du coeur de l'homme

> *"C'est ce qui sort de l'homme qui le souille, car c'est du dedans, du coeur des hommes que sortent les desseins pervers : débauches, vols, meurtres, adultères, cupidités, méchancetés, ruse, impudicité, envie, diffamation, orgueil, déraison"* (Mc 7, 20-23).

Voilà tout ce qui nous empêche d'avoir un coeur de miséricorde, tout ce qui lui est contraire, et qui remonte de nos profondeurs. C'est ainsi que nous blessons souvent notre prochain. Cependant, le Seigneur ne permet pas l'accablement des époux au delà de leurs forces. Ce serait contraire au plan d'amour de Dieu sur deux coeurs faits pour s'aimer.

C'est ainsi qu'une épouse attendait d'être délivrée d'un lourd fardeau, ce fardeau n'étant autre qu'une idée fixe de son mari. Dieu finit par l'exaucer :

Claire : "Je suis venue ici avec mes problèmes, un gros poids sur le coeur et je voudrais bénir le Seigneur parce qu'il m'a touchée par une parole de connaissance[1] qui s'adressait à une épouse de trente-deux ans et lui disait : "tu es venue avec un tas de problèmes et tu as peur de repartir avec". C'est vrai, j'avais peur de repartir avec. Le Seigneur

---

1. Parole de connaissance, voir : Philippe Madre, *Le charisme de connaissance pourquoi et comment ?*, Editions du Lion de Juda, 1985.

m'a dit : "je ne vais pas passer à côté de toi, il faut me confier ton couple et t'avancer au pied de mon autel pour que je puisse vous suivre tous les deux". Je me disais que les paroles de science étaient pour les autres et non pour moi. Mais j'ai constaté que je n'étais pas oubliée par le Seigneur.

Camille : "Je veux louer le Seigneur parce que son problème, c'était aussi le mien, c'était le nôtre. J'ai été guéri de l'alcool il y a dix ans, juste avant de connaître Claire et je m'en faisais une fierté. C'était même devenu de l'orgueil. Je voulais à tout prix témoigner, et j'empoisonnais la vie de Claire avec cela. Et son gros fardeau, c'était cela. Je crois que maintenant c'est Claire qui est faite pour témoigner et moi pour vivre à côté d'elle. Et l'évangélisation commencera à la maison".

Le premier obstacle à l'amour vient de l'égocentrisme qui conduit à l'affrontement et au rejet, en un mot à la brisure de l'amour. Trop souvent, c'est par aveuglement que l'on prend le plaisir personnel pour de l'amour. Et il faut la demande de pardon pour réparer.

Le seul remède à une situation aussi dramatique, c'est que le coeur change, autrement dit, se convertisse.

Ainsi, cet époux qui découvre, dans la lumière, sa bévue à l'égard de son épouse :

Paul : "Aller devant le Saint Sacrement, j'avais l'impression que cela "cassait les pieds" à Sylvie. Nous sommes mariés depuis dix ans et avons quatre enfants. Pendant cette heure d'adoration, le Seigneur m'a montré que c'est moi qui doit avoir une attitude d'humilité envers Sylvie. Il m'a montré tout ce qui n'avait pas été pendant ces dix ans de mariage, tout ce que je n'avais pas fait. En pensée, j'avais désiré une autre femme; je me suis rendu compte combien j'avais été impur vis-à-vis de ma femme, combien j'avais été la désunion de mon couple par toutes ces pensées, que je n'avais jamais montrées à Sylvie. Le malin nous met des pensées dont on est à peine conscient, mais qui détruisent notre couple. Il faut veiller à ce que nos pensées soient toujours dans le Seigneur, et le prier quand on se rend compte qu'on s'égare sur le chemin. Nous avons eu un quatrième enfant qui n'était pas désiré, nous voulions arrêter à trois. J'ai été fort marqué par cette phrase "qu'il ne faut jamais regretter le don de la vie", que le corps de notre femme était le temple du Saint-Esprit, et que c'était quelque chose de précieux. Je me suis rendu compte que j'avais manqué d'égards envers mon épouse, combien j'ai pu la frustrer en n'essayant pas de la respecter au maximum, (parce qu'elle a vécu des choses très difficiles dans son enfance), dans mon attitude de vouloir forcer un acte sexuel, de ne pas la respecter dans ma manière de l'aborder".

Les autres obstacles, ce sont les jugements, les agressivités, haines, rancunes, jalousies et vengeances, même. Progressivement, notre coeur qui est fait pour l'amour, en arrive à l'aversion et à la haine.

Les jugements que nous portons sur nos frères sont perfides : ils perdent nos frères et nous nous perdons nous-mêmes dans ces pensées dont nous ne sommes pas maîtres : cela nous révèle ce coeur mauvais qui sommeille en chacun de nous. A vrai dire, et inconsciemment, il semble que rabaisser l'autre nous élèverait.

"Ne jugez pas pour ne pas être jugés" (Mt 7, 1), nous dit cependant Jésus. Et l'apôtre nous donne le moyen de savoir où nous en sommes vraiment en ce domaine des pensées qui en un centième de seconde, nous trahissent, nous éloignent de Jésus, et blessent son coeur, comme celui de notre prochain. *Que chacun, par l'humilité, estime les autres supérieurs à soi* (Ph 2, 3). C'est bien la solution pour éviter tout jugement.

Les jugements sont un véritable barrage à la miséricorde : à cause d'eux, la compassion devient impossible, et Dieu lui-même voit son chemin de miséricorde pour le pécheur entravé par nos façons de penser, de dire ou d'agir. L'homme ne voyant plus la miséricorde autour de lui n'arrive plus à croire à celle de Dieu.

Un des passages de l'Evangile les plus éclairants à ce sujet est cet épisode de la femme adultère condamnée (Jn 8). Un piège est tendu : Jésus est invité à se prononcer..., va-t-il le faire contre la Loi ? Dans le silence et la prière Jésus passe du juridique à la religion du coeur. Un à un, ceux qui jugeaient et condamnaient se retirent :

> *"Femme, où sont-ils ? Personne ne t'a condammée" ? Elle dit : 'Personne, Seigneur'. Alors Jésus lui dit : 'Moi non plus je ne te condamne pas ; va, désormais, ne pèche plus"* (Jn 8, 10-11).

Jésus soumet sa miséricorde à celle des hommes : *"moi non plus..."* C'est renversant ! Quelle responsabilité avons nous donc ? Le récit de cet événement qui a réellement eu lieu devrait nous guérir de nos jugements, et surtout nous convaincre du mal qu'ils font autour de nous !

Les jugements exprimés et répétés donnent amertume et rancune, et par contrecoup, jalousie et vengeance. Celui qui aimait ne se reconnaît même plus. Il se demande comment il a pu en arriver là. Il va parfois essayer de se justifier, mais la blessure est déjà faite des deux côtés. C'est la surprise, et le démon ajoutera le doute : "m'aime-t-il ou m'aime-t-elle encore ?

Dans ce cas, seule la miséricorde de Dieu pourra réparer, en pardonnant, et guérissant dans les coeurs ce qui avait besoin de l'être, pour que les coeurs puissent se retrouver dans l'amour. On sait ce que donne la jalousie : la destruction.

Nous devons nous aimer les uns les autres, loin d'imiter Caïn, qui, étant du Mauvais, égorgea son frère. Et pourquoi l'égorge-t-il ? Parce que ses oeuvres étaient mauvaises tandis que celles de son frère étaient justes (cf. 1 Jn 3, 11-12). Entre époux, il faudra même se pardonner la réussite de l'autre pour éviter la jalousie envahissante.

Ce cas n'est pas illusoire : par exemple, un des époux a perdu son emploi et se compare à l'autre; ou bien l'un des deux avance spirituellement, et l'autre voit Dieu très lointain dans sa vie. La jalousie est un obstacle notoire à "pardonner" la réussite de l'autre.

Dans pareille situation, rester neutre sera radicalement impossible. Celui qui est victime d'envie ou de jalousie ne pourra en sortir que dans l'action de grâce, en remerciant Dieu d'avoir davantage favorisé son frère.

Les époux devront se pardonner leurs richesses et leurs pauvretés selon les cas, car il y a un peu des deux en chacun. Et c'est ce qui est difficilement "aimable". Il faudra donc aimer l'autre "différent", et lui pardonner ce qui déplaît. Car c'est en pardonnant les défauts de l'autre que ce dernier pourra changer, s'améliorer et se convertir, mais jamais en lui faisant des reproches. Il faut reconnaître que le péché ne rend pas naturellement aimable, et qu'il est un obstacle à l'amour. Heureusement pour nous, Dieu a franchi cet obstacle, et donne la grâce aux époux qui le Lui demandent, de le franchir aussi. C'est le remède auquel aspirent combien de foyers sur le chemin de la désunion. Cela avait commencé par un jugement de la pensée de l'un, puis de l'autre. Vivre d'un coeur très uni, suppose donc d'abord que les époux conjuguent ensemble de bonnes pensées l'un envers l'autre. S'aimer de tout son être, c'est aussi s'aimer par la pensée.

Les idéologies contraires à l'Evangile

Ces idéologies sont faciles à reconnaître car elles prétendent vouloir le bien de l'homme, et même des plus pauvres, mais prennent pour y parvenir un chemin qui n'est pas celui de la miséricorde.

C'est le chemin du conflit, mélange de contradiction, de contestation et d'affrontement. Tous les préjugés sont alors permis. C'est
le doute sur l'autre, obligé de faire ses preuves pour se réhabiliter.
La malveillance prend le pas sur la bienveillance, qui est une vertu
chrétienne : *Revêtez des sentiments de bienveillance* (Col 3, 12).

"Du choc jaillit la lumière" pense-t-on. Si cela n'est pas dit, c'est
pratiqué et démontré comme bon. Il faut gérer le conflit pensent
d'autres, quand ils ne l'enseignent pas.... L'aveuglement est grand :
ce n'est plus l'Evangile qui inspire mais une certaine philosophie,
alors que l'apôtre nous avait bien prévenus :

> *Prenez garde qu'il ne se trouve quelqu'un pour vous réduire
> en esclavage par le vain leurre de la "philosophie" selon
> une tradition toute humaine, selon les éléments du monde
> et non selon le Christ* (Col 2, 8).

Les philosophes du doute et de l'absurde ont fait leur oeuvre.
Plusieurs générations d'étudiants ont été marquées par ces erreurs
pernicieuses, à un âge où leur psychisme encore fragile se trouve
modelé malgré lui par les idées enseignées. Ils doivent les apprendre,
les retenir, et savoir les redire, sans forcément y croire, pour être
reçus à l'examen et pouvoir ensuite trouver un métier. L'esprit de
doute, de contestation, d'opposition est contraire à la miséricorde,
comme à l'esprit de bienveillance, qui marquent la foi chrétienne. Il
faut en prendre conscience.

En bien des endroits, la miséricorde est absente et beaucoup ne
s'en aperçoivent pas. Ou bien, ils la remettent à plus tard quand les
idées auront eu le temps de s'affronter, et de produire ce que la
philosophie avait promis.

Dans cet esprit de contradiction, il y a une attitude hautaine de
jugement sur le frère. A cause de la suspicion qu'on a sur lui, souvent
à partir d'une comparaison, où l'un a tort et l'autre raison, il n'y a
plus de compassion. L'écoute réciproque ne peut plus être vécue. La
fragilité est là. Le terrain est miné. Au moindre accrochage, ce sera
la blessure.

L'influence des philosophies est cachée derrière cet état d'esprit
néfaste à la charité, et peu favorable à la construction du monde. Au
niveau fraternel, c'est un désastre, et au niveau conjugal, une cata-
strophe. Le couple en difficulté se verra conseiller l'analyse de ce
qui ne va pas afin de gérer le conflit. Cet état d'esprit est inconscient,
mais aussi parfois, raisonné, et démontré comme nécessaire pour

faire avancer la pensée. Ce sera en faveur de l'entente entre les hommes, pense-t-on. Il faut d'abord mettre en relief ce qui ne va pas, pour mieux saisir ce qui est bon. Par exemple, on va étudier l'incroyance pour mieux voir ce qu'est la foi. On va étudier l'Islam et le Bouddhisme, y rechercher ce qu'il y a de bon (ou de mauvais) pour faire avancer l'Evangile, ou tout au moins une meilleure compréhension de l'Evangile.

Pendant ce temps, nombre de chrétiens se mettant en contact avec les grandes religions de notre temps, n'auront jamais lu la Bible une seule fois, et seront incapables de citer le titre de trois encycliques des papes du XXème siècle. L'orgueil de la pensée a pris le dessus. Et voici des enfants de Dieu qui sont bourrés de connaissances mais ignorants l'essentiel : connaître l'amour du Père révélé dans la parole de Dieu. Il existe des formes de connaissance qui n'apportent rien aux hommes sinon satisfaire leur curiosité. Il n'y a alors aucune profondeur de la pensée. Et c'est une difficulté notoire pour l'approche de la foi chrétienne.

La disponibilité à l'Esprit Saint, et l'écoute du magistère de l'Eglise sont absentes de ces milieux où l'échange des idées va bon train, de même que la lecture d'analyses sociologiques qui tout en étant bonnes en elles-mêmes, ne peuvent porter de fruit, faute du désir de relire toutes ces données des sciences humaines à la lumière de l'Evangile. Or, seul l'Evangile nous révèle la miséricorde et le pardon que les hommes se doivent les uns aux autres.

Les murmures

Les murmures mènent à l'affrontement. Pour éviter les murmures, il faut demander l'humilité dans la prière. C'est la condition absolue d'une véritable écoute, qui n'est pas "résignation". Il ne s'agit pas d' une écoute passive, mais active, d'une prière intérieure, où l'on écoute ce que l'Esprit Saint veut nous enseigner au travers du frère qui s'exprime. Nous percevons ici l'importance de cette grâce d'intériorité pour rencontrer Dieu, mais encore pour rencontrer nos frères dans ce qu'ils ont de plus beau à nous transmettre à savoir Jésus qui vit en eux par son Esprit.

Or, ce qui est radicalement contraire à cette grâce d'intériorité, ce sont nos "murmures". Ce sont eux qui ont perdu nos pères dans la foi, au cours de la traversée du désert. A nous d'en tirer la leçon :

> *Le peuple murmura contre Moïse, en disant : "qu'allons nous boire ?"* (Ex 15, 24).

> *"Vous ne mettrez pas le Seigneur votre Dieu à l'épreuve, comme vous l'avez mis à l'épreuve à Massa"* (Dt 6, 16).

Ce sont les mêmes murmures qui ont fait s'enfoncer les pharisiens dans leur aveuglement, face à la grande miséricorde de Jésus, allant s'asseoir à la table des pécheurs. Les murmures étouffent radicalement le coeur de miséricorde que le Seigneur veut nous donner. Ils sont un barrage absolu, et rongent le meilleur de ce que Dieu a mis dans nos coeurs pour vivre la compassion :

> *Lévi lui fit un grand festin dans sa maison, et il y avait là une foule nombreuse de publicains... à table avec eux. Les pharisiens et leurs scribes murmuraient...* (Lc 5, 29-30).

Dieu est bon : l'homme murmure. *"Faut-il que tu sois jaloux parce que Je suis bon"* (Mt 20, 15) ? demande le maître à son serviteur insatisfait de ce qui lui avait été promis.

Dans la rencontre de la pauvreté et des besoins de nos frères, il faut choisir : ou bien c'est l'orgueil et les murmures, ou bien c'est l'humilité de la compassion. Entre les deux, il semble qu'il n'existe pas d'attitude intermédiaire. "Murmures ou compassion" : notre coeur s'exprime et se révèle. C'est un test inégalable, révélateur de nos profondeurs, qui nous laisse sans illusion sur nous-même : oeuvre de l'Esprit de vérité, pour notre conversion. L'apôtre Paul est ferme sur ce point :

> *Agissez en tout sans contestation ni murmure, afin de vous rendre irréprochables et purs, enfants de Dieu sans tache, au sein d'une génération dévoyée et pervertie...* (Ph 2, 14-15).

Ainsi, les couples vivent-ils parfois des murmures exprimés, ou encore rétractés dans un mutisme, qui fait lui aussi beaucoup de peine. Certains couples organisent leur vie dans la contestation, au nom du droit à la liberté de s'exprimer, et souvent, sans s'en apercevoir.

Comment réagir alors ? Seule la prière donne et entretient cette attitude du coeur dans la profondeur d'une écoute humble et patiente, faite d'indulgence et de miséricorde. L'Esprit Saint qui est invoqué dévoile ces murmures cachés, et les plonge tout droit dans la miséricorde du Seigneur. Les époux n'en seront même pas blessés au passage, en découvrant la vérité,.. bien au contraire.

C'est le secret de la communion dans l'amour :

> *N'accordez rien à l'esprit de parti, rien à la vaine gloire, mais que chacun, par l'humilité, estime les autres supérieurs à soi* (Ph 2, 3).

Le manque de soumission à l'Esprit Saint

La docilité à l'Esprit Saint ne gomme nullement nos différences, que ce soient nos points de vue sur les nécessités économiques, politiques ou sociales de notre monde, ou même nos opinions théologiques, objet d'échanges fructueux, à condition qu'ils aient lieu dans l'écoute, et que chacun puisse finalement se rallier à "Pierre".

Nous ne sommes plus ici dans le domaine des murmures, mais dans le cas d'explications franches et nécessaires, pour accueillir la lumière qui vient de Dieu, se pardonner et vivre la soumission à L'Esprit Saint.

Chacun pense à cet événement au début de l'Eglise, qui fit dire à Paul : *Quand Céphas vint à Antioche, je lui résistai en face, parce qu'il s'était donné tort* (Ga 2, 11).

C'est une page de l'Ecriture Sainte mais chacun se souvient aussi de l'unanimité qui s'en est suivie sans retard, chacun se ralliant non pas à l'avis de l'un ou de l'autre, mais à ce que le Seigneur attendait de son Eglise : *"L'Esprit et nous-mêmes avons décidé de ne pas vous imposer d'autres charges que celles-ci"* (Ac 15, 28).

Lorsqu'il nous arrive d'invoquer cet épisode des Actes des apôtres pour justifier les oppositions que l'on pourrait avoir avec le Siège apostolique, il faudrait en même temps se souvenir de l'humilité de Paul, et de la rapidité avec laquelle l'Esprit Saint a réglé la chose.

On devrait alors s'adresser encore à l'Esprit Saint avec confiance, afin que les actes des apôtres continuent, et non pas entraîner le peuple chrétien dans des analyses à n'en plus finir qui retardent toutes bonnes décisions nécessaires à la vie de l'Eglise.

Ces retards souvent apportés par l'orgueil de l'esprit humain sont dommageables pour la vie et le développement de l'Eglise. Si les grands esprits satisfaits d'eux-mêmes arrivent encore à tirer leur épingle du jeu, ce sont les pauvres qui en pâtissent, car durant ce temps le peuple chrétien ne sait plus quoi penser, ni dans quel sens agir. Et dans cet attentisme, le peuple n'est plus "protégé".

La soumission rapide à l'Esprit Saint a toujours été la clef de la vie de l'Eglise, et donc du service efficace qu'elle doit avoir au sein du monde, dans sa prédication de l'Evangile.

Notre Pape actuel parle de plus en plus clairement de tous ces domaines, qui engagent l'avenir de notre Eglise et du monde. Encore faut-il nous y soumettre, ce qui n'est pas facile.

L'esprit du monde est là pour donner aux chrétiens cette fausse idée de l'Eglise que nous connaissons bien : c'est-à-dire le décalque de nos sociétés humaines qui cherchent la vérité à l'intérieur d'elles-mêmes et s'en félicitent. Elles y trouvent peu de réponses car Jésus n'est pas le centre de cette recherche.

Le remède n'est-il pas dans la reconnaissance de la paternité que le Christ a voulue dans son Eglise et pour son Eglise.

Est-ce par hasard ou simplement à titre honorifique que nous appelons notre Pape : "Très Saint Père". Ou bien alors sommes-nous des enfants, de vrais enfants ? Bien sûr, il est beaucoup plus facile de l'être "de loin" envers notre "Père qui est aux cieux", qu'envers celui à qui il a délégué sa paternité sur terre, qu'elle soit charnelle pour la famille, ou spirituelle pour son Eglise.

A Antioche, ce n'est pas Paul qui a eu raison, et Pierre tort, c'est l'Esprit Saint qui a gagné. Si entre époux, un dialogue semé d'embûches a lieu dans la prière, et donc dans la soumission à l'Esprit, il n'y aura ni blessé, ni vainqueur. Dans la soumission à l'Esprit Saint, le pardon jaillit comme une source.

Les époux qui forment une "petite Eglise" doivent se laisser guider par l'Esprit Saint, et en cas de litige, ne pas seulement constater le conflit, pour le gérer tant bien que mal, mais invoquer l'Esprit-Saint, lui être soumis et se laisser inspirer par lui dans un bon discernement engendrant une bonne décision. C'est ainsi qu'une épouse réagissant au coup par coup n'a fait qu'éloigner d'elle son mari fautif. Dans un second temps elle fut docile à l'Esprit Saint. Aussi, l'espérance du retour possible de son mari est déjà là :

> Eliane : Je voudrais dire à tous ceux qui sont mariés et qui ont reçu le sacrement du mariage que c'est vraiment un trésor inestimable qui nous est donné, une réserve dans laquelle on peut puiser. Il y a treize ans, mon mari est parti, j'étais enceinte de deux mois d'un enfant qui en a donc treize maintenant. Il y a trois ans je suis allée rendre une visite à une communauté, pour emmener mon frère qui avait des problèmes matrimoniaux. En fait, c'est moi qui me suis retrouvée

devant le prêtre qui m'a exhortée à demander pardon pour avoir demandé le divorce, parce que mon mari était parti avec une autre femme. Donc j'ai demandé pardon du fond du coeur. Il y a deux ans mon fils aîné qui a bientôt quinze ans m'a réclamé très fort son père. J'étais dans l'impossibilité de l'inviter. Il l'avait vu seulement trois fois en dix ans. J'ai laissé traîner et quand j'ai vu que mon garçon devenait dépressif, j'ai vraiment prié le Seigneur. Il m'a montré qu'il fallait que j'écrive à mon mari pour qu'il prenne contact avec ses enfants. J'ai donc écrit. En arrivant, mon mari n'a pas tellement vu "ses gamins" mais il est tombé de nouveau amoureux. Depuis un an c'est vrai, je désirais lui pardonner mais finalement je lui en voulais encore un peu. Pendant cette retraite, je crois que j'ai vraiment tout donné. Le Seigneur m'a donné de voir qu'il travaillait le coeur de mon mari, et je sais qu'il va revenir, mais revenir autrement. Le prêtre m'a donné un dépliant des retraites, il m'y attend avec lui. C'était mon mari qui avait voulu qu'on se marie à l'église, parce que je suis d'origine protestante. Je loue et rends grâce au Seigneur qui me rend mon mari, et reconstruit ma famille".

L'ignorance

Beaucoup d'erreurs sont dues à l'ignorance. C'est alors un obstacle à l'amour. Comme il y a peu de miséricorde entre les hommes et que l'on en parle peu, elle semble ignorée. Et lorsqu'ils ont affaire à tout ce qui est impondérable et inconnu dans leur vie, au lieu de penser à Dieu qui est vivant et tout proche d'eux, les hommes se dirigent tout de suite vers la divination (thème astral, horoscope, cartomancie, pendule, spiritisme, magnétisme, etc.). Pourtant, la parole de Dieu interdit formellement toute pratique de ce genre :

> *"On ne trouvera chez toi personne... qui pratique divination, incantation, mantique ou magie, personne qui use de charmes, qui interroge les spectres et devins, qui invoque les morts, car quiconque fait ces choses est en abomination au Seigneur ton Dieu"* (Dt 18, 10-12).

Celui qui ignore tout de la bonté et de la miséricorde de Dieu, va essayer d'organiser sa vie autrement : il ne faut pas se tromper puisqu'il n'y a pas de pardon pour réparer le dommage. Et puis, s'il doit arriver de mauvaises choses à l'homme, autant être prévenu pour y parer, ou tout au moins s'y préparer. Savoir à l'avance permet de parer les coups et d'éviter l'effet de surprise qui fait si mal. En fait, chaque prophète de malheur laisse planer une épée de Damoclès terrible au-dessus de ceux qui s'en remettent à la divination. Cela enlève toujours la paix, en attendant l'issue fatale annoncée.

Parfois, on rencontre des couples qui se voient nés sous une mauvaise étoile : ils prétextent cela pour s'endurcir. Quoi qu'ils fassent et entreprennent, ce qui est endommagé est irréparable, donc impardonnable. Selon eux, Dieu existe peut-être, mais il n'a rien à voir dans l'amour des époux, il ne s'en occupe pas. C'est du ressort pur et simple de la liberté de chacun ou du hasard. Le Dieu de la miséricorde est méconnu. C'est l'angoisse : de quoi demain sera-t-il fait ? Retournons encore à la divination pour en savoir un peu plus.

Par ignorance et incroyance profonde, beaucoup plus de couples qu'on imagine gèrent leur amour conjugal à coup de consultations auprès des "voyants", selon leur horoscope, ou leur thème astral. Si ce domaine de l'amour devient à ce point angoissant, c'est qu'on ne croit pas au Dieu de miséricorde. Alors on va accrocher sa vie à la part de bonheur qui sera prédite pour "survivre" encore un peu. Pendant ce temps, le négatif de ces prédictions va faire très mal.

L'esclavage est notoire. Quelle misère pour ce couple à la recherche du "porte-bonheur", une fois qu'il est entré dans ce circuit de la divination, qui est comme une religion. C'est le fatalisme le plus complet : "c'était décidé, cela devait arriver". Donc impossible de réparer. A quoi servirait un pardon accordé s'il ne peut rien réparer ?

La divination est un barrage radical à la miséricorde divine et à la providence, comme à la bonne entente entre époux.

> Ainsi ce couple venu en retraite sur le conseil d'un autre, qui ignorait, de fait, le motif de leur mésentente et de leur menace de séparation. Il leur avait été dit que leurs pratiques de divination, mêlées de magnétisme, (deux séances par semaine depuis trois ans), étaient néfastes et qu'ils devaient confier cela à un prêtre. D'autre part, selon leur expression, ils ne savaient pas pourquoi, mais il leur devenait impossible de rester ensemble, et même, à certains jours de se toucher la main. Ils se présentaient au prêtre pour ces deux handicaps. Il ne fallut pas un bien grand discernement pour percevoir la relation de cause à effet : après la prière de libération pour toutes ces pratiques de magie, de thème astral, et de magnétisme "savamment" mélangées, ce fut remarquable de les voir redresser la tête, reprendre le sourire et respirer autrement qu'avant. Et le prêtre de leur dire : regardez-vous maintenant. Il ne fallut pas une bien grande prière pour qu'ils reviennent à l'affection du premier jour. Le lendemain, le témoignage en raccourci était celui-ci : "ouf ! nous sommes sortis comme d'un cauchemar. Oui le Seigneur est bon !"

Mais au passage, aussi, dans le sacrement de réconciliation, la compassion de Dieu qui est un Père avait été là pour chacun en particulier. Ils n'étaient plus "ignorants" de la bonté de Dieu. Dans la lumière, l'obstacle au pardon était tombé.

Ils pouvaient se pardonner l'un à l'autre toutes les ingratitudes et blessures qu'ils s'étaient causées depuis plus de dix ans. Par ignorance, le grand ennemi de la miséricorde avait remplacé le pardon par le fatalisme, afin de "saboter" si possible un couple qui ne demandait qu'à s'aimer.

La psychologie n'aurait rien pu faire contre cet obstacle à l'amour qui les tenait à distance l'un de l'autre, les laissant seulement "réfléchir" et envisager la séparation. Seule la capacité de "lier et de délier" pouvait les sauver. Et Jésus a donné ce ministère à ses disciples :

> *"En vérité je vous le dis : tout ce que vous lierez sur la terre sera tenu au ciel pour lié, et tout ce que vous délierez sur la terre sera tenu au ciel pour délié"* (Mt 18, 18).

Notre confiance en Dieu repose donc sur sa compassion pour chacun de nous. Nous n'avons plus rien à craindre de la fragilité ou de la misère qui peuvent nous piéger. Inutile de "savoir" à l'avance puisque Dieu sera toujours là pour empêcher ses enfants de se perdre.

Le refus de la miséricorde gratuite

S'ils ne veulent ni pardonner, ni être pardonnés, les époux peuvent se faire une prison à eux-mêmes.

Bien souvent, le coeur de l'homme ne comprend pas, ou n'accepte pas ce trésor d'amour que nous donne à partager *notre Dieu, riche en miséricorde* (Ep 2, 4).

C'est son orgueil qui l'empêche de reconnaître les voies du Seigneur, trop certain que les siennes sont les bonnes. C'est ainsi que Jonas ne comprend pas le manque de logique de son Dieu. Et il s'en prend à Lui d'un coeur mauvais, et regrette que la punition n'ait pas eu lieu.

D'abord c'est la fuite du ministère de la miséricorde : *Jonas se mit en route pour fuir à Tarsis, loin du Seigneur* (Jon 1, 2).

Puis il refuse la miséricorde de Dieu, suite à la repentance obtenue :

Aussi Dieu se repentit du mal dont il les avait menacés, il ne le réalisa pas. Jonas en eut un grand dépit et il se fâcha : "... je savais que tu es un Dieu de pitié et de tendresse, lent à la colère, riche en grâce et te repentant du mal" (Jon 3, 10 et 4, 1-2).

Jonas a refusé la miséricorde de Dieu pour les pécheurs auxquels il était envoyé comme prophète, parce qu'il n'avait rien compris au coeur de Dieu. En refusant la miséricorde gratuite pour Ninive, Jonas se perd lui-même complètement, et en devient même inintelligent. Ainsi ceux qui par orgueil s'enferment eux-mêmes dans l'aveuglement. Car le manque de compassion est très souvent source d'aveuglement : ce qui a manqué au prêtre et au lévite de la parabole de Luc (cf. Lc 10, 29), c'est la compassion pour cet homme laissé à demi-mort sur le bord de la route.

Ce qui a manqué au mauvais riche, qui avait le pauvre Lazare à sa porte, ce fut bien la compassion. Il ne le vit même pas, aveuglement notoire, dont il se repentit plus tard. Aussi demande t-il à Abraham d'envoyer le pauvre Lazare prévenir ses cinq frères pour qu'ils se repentent. Nous nous souvenons de la réponse : *"Ils ont Moïse et les prophètes, qu'ils les écoutent"* (Lc 16, 30).

Pourquoi ne pas accepter cette compassion de Dieu pour tout homme ? Pourquoi ne pas la demander même, et surtout s'en réjouir ? C'est qu'au fond de nous, nous n'avons pas cette compassion, et nous la refusons à Dieu. Pourquoi ce manque de miséricorde de notre part ? Parce que c'est d'abord envers nous-même que nous n'en avons pas ou si peu; à peine nous sommes nous trompés, même involontairement que nous nous en voulons. A plus forte raison quand nous nous jugeons responsables. Cette culpabilisation personnelle est après l'orgueil, un second barrage à l'accueil de la miséricorde qui veut nous être donnée. Alors il nous faut écouter la Parole de Dieu et y croire :

Il n'y a donc plus maintenant de condamnation pour ceux qui sont dans le Christ Jésus (Rm 8, 1).

Parfois, au-delà de la culpabilisation, ce sera l'endurcissement du coeur et le doute. Comme chez Jonas, on verra chez certains couples descendus dans les profondeurs de la mésentente depuis des années, qu'au moment où la conversion de l'un se dessine, le second, qui attendait pourtant ce changement, s'endurcit, et refuse le retour de l'autre. Il y a souvent dans ce cas, la peur de se convertir, la peur de rentrer dans une vie nouvelle. D'un seul coup, il semble que le coeur se referme au moment de la décision commune de revenir l'un vers l'autre. Et cela un peu à la façon dont guérit un paralytique, qui au dernier moment hésite à se lever, alors qu'il sent nettement les forces revenir dans ses jambes. Ainsi, le couple, au dernier moment, peut prendre peur de guérir de sa mésentente, imaginant mal ce que va pouvoir devenir une vie conjugale complètement transformée. Il peut alors y avoir cet effet de fuite, comme Jonas, devant la volonté salvifique de Dieu. Car Dieu veut toujours sauver le couple.

D'autres fois, la culpabilisation personnelle sera si forte, que le "coupable" se croira radicalement incapable d'être pardonné par l'autre. Alors la miséricorde ne passera pas, du moins en un premier temps. C'est ainsi que nous avons vu une épouse infidèle revenir vers son époux, demander pardon de tout son coeur, et ne pas accepter que son époux lui pardonne, du moins pas immédiatement. Le poids de la culpabilité était encore là. Au dernier moment aussi, au delà des peurs ce sera le doute, le doute que l'amour puisse être réellement redonné, et non pas superficiel, et le doute également qu'il soit durable. Ainsi les peurs et les doutes pourront provoquer un brusque retour d'endurcissement du coeur chez les époux gravement blessés ou séparés, et entreprenant une démarche de pardon. Il ne faut pas s'en étonner, ni se laisser désarmer. Il faut croire pour eux. Et, eux aussi, doivent refaire un acte de foi.

C'est l'exemple de deux époux qui s'étaient un peu endurcis, "vivant côte à côte", à tel point que l'épouse pensait déjà à divorcer, alors qu'il y avait au départ un réel et bel amour entre eux. A deux reprises, ils sont revenus vers Jésus, et ils ont été exaucés. C'est le Seigneur qui remet l'amour dans les coeurs. Le prêtre, le conseiller conjugal, le psychologue chrétien sont là pour y aider. Et le chemin en est la prière, et le pardon réciproque dans le couple :

> Jacqueline : "Cela fait dix ans que nous sommes mariés. nous avons quatre enfants de neuf à trois ans. Il y a deux ans nous avons vécu un sinistre dans la maison : pendant neuf mois cela a été dur. A la suite de cela j'ai craqué et suis tombée malade. Toute cette souffrance nous a permis de voir que nous n'étions pas un couple, nous étions côte à côte, nous n'étions pas unis. Je voulais divorcer. Cette idée me trottait dans la tête depuis le début du mariage. Cela devenait très concret. Je suis partie avec les enfants en vacances et je faisais tout pour ne pas revenir à la maison. Là, le Seigneur nous a donné une grâce de nous regarder l'un et l'autre avec un autre regard, d'oublier le passé, de ne plus avoir le mauvais réflexe d'attendre la réaction de l'autre, mais

de s'attendre à quelque chose d'autre. Cela a été le premier pas. Nous avons cheminé. Quand nous nous sommes mariés, je pensais qu'on s'aimerait toujours, que ce serait tout beau, qu'on ne divorcerait jamais. Puis j'ai compris pourquoi on pouvait divorcer. Quand on n'aime plus, alors l'autre peut faire ce qu'il veut, il peut pleurer, être malheureux, cela ne fait plus rien. Il n'y a plus d'amour dans le coeur, alors autant divorcer. C'est le Seigneur qui est venu à moi et qui a remis l'amour dans mon coeur. Ce n'est plus de moi, c'est le Seigneur qui me le donne. A cette retraite, j'ai vu tout le chemin que nous avions fait, j'attends encore beaucoup, j'espère en Dieu.

Jacques : "Depuis ce mois de juin, nous faisons notre prière tous les soirs ensemble. C'est très difficile de dire le Notre Père en tenant la main de sa femme quand on a quelque chose à lui reprocher, car on se voit obligé de lui pardonner. Je voudrais ajouter : au début de notre mariage, comme cela n'allait pas très bien, nous sommes allés voir un psychologue. Sans succès. Il y a deux ans, on a été à la Maison de Lazare[1] à Paris. Ils nous ont conseillé de voir des psychologues chrétiens. C'est totalement différent parce que c'est fait avec le Seigneur".

Les obstacles au pardon sont divers; il est important de les voir pour y remédier. Car tout obstacle au pardon est un obstacle à l'amour. Mais n'est-ce pas le "moi" de chacun qui est le principal obstacle à l'amour, ce moi fait pour se donner et qui devient occasion de blessures réciproques, dès qu'il se referme sur lui-même ? C'est par le chemin du pardon, que l'amour vrai redevient possible. Si la porte de l'un s'ouvre à nouveau à l'amour, la porte de l'autre ne pourra rester fermée, et ainsi de suite. Ce sera comme une grande chaîne d'amour, à nouveau solide et vivante, rayonnant tout alentour sur un monde qui finit par désespérer dans son attente d'être un jour aimé.

3 — RAYONNER LA MISÉRICORDE

Si l'agressivité et la haine sont contagieuses et destructrices, le pardon pratiqué avec largesse appelle le pardon. C'est le plan de Dieu qui veut que personne n'échappe au rayonnement de sa miséricorde.

---

1. Maison de Lazare : 105, Avenue du Général de Gaulle, 92130 Issy-les-Moulineaux.

Le pardon fraternel

Accorder le pardon à un frère qui nous l'a demandé, c'est un témoignage : un témoignage d'amour. C'est un encouragement l'un envers l'autre à continuer de s'aimer, et c'est, au fil des années, un témoignage qui encourage les autres à tenir fermes dans l'amour.

Souvent le pardon - à demander et à accorder - est la seule manière de s'aimer. Lorsque l'amour s'est affadi, c'est toujours par là qu'il faut recommencer. L'Evangile de Jésus nous enseigne l'amour universel, c'est-à-dire qu'il ne faut excepter personne de ce pardon, sous peine de ne plus avoir le coeur de notre Dieu dont l'amour est sans limite.

> Ce qui compte c'est l'amour : *Si je n'ai pas l'amour je ne suis rien* (1 Co 13, 2). Paul énumère les qualités du véritable amour : *il est patient... serviable, pas envieux... ne cherche pas son intérêt, ne s'irrite pas, ne tient pas compte du mal, ne se réjouit pas de l'injustice, excuse tout, supporte tout...* (1 Co 4, 7).

Voyons donc en quoi consiste ce pardon fraternel, et jusqu'où il va. Le pardon fraternel est la pierre de touche de tout amour vrai : sans lui, tout risque d'être bloqué. D'instinct, l'homme voudrait se passer de pardon réciproque, c'est-à-dire de demander pardon et d'accorder le pardon. Et pourtant, aurait-il toutes les qualités et toute l'intelligence du monde, serait-il ouvert à tous et admiré de tous, un tel homme n'est en réalité qu'un instrument qui fait davantage de bruit que de musique : *une cymbale qui retentit* (1 Co 13, 1).

On va se référer à lui, et pourtant il est encore dans les ténèbres, il marche dans les ténèbres, il n'est finalement, en dépit de tous les compliments qu'il reçoit, qu'un homme partagé.

> *Celui qui prétend être dans la lumière tout en haïssant son frère est encore dans les ténèbres* (1 Jn 2, 9).

Pour quelle raison Jean parle-t-il de ténèbres d'une manière si absolue ? *Parce que celui qui dit aimer Dieu et pas son frère est un menteur* (1 Jn 4, 20). Et c'est Jésus qui nous donne comme prière de chaque jour : *"Pardonne-nous, comme nous pardonnons à ceux qui nous ont offensés"*.

S'il ne pardonne pas à son frère, le chrétien le mieux intentionné se coupe de Dieu. Il s'enferme dans le péché, ne pouvant plus recevoir de son Dieu, qu'il veut aimer cependant, la paix du coeur. C'est pourquoi le pardon fraternel est la clef de toute civilisation, de son avancée ou de son recul.

Le pape Paul VI nous a demandé de travailler à "la civilisation de l'amour" : elle commence là et chaque jour elle est à reprendre, pas à pas, humblement. C'est un feu qui gagne de part en part, et qui, seul, peut rendre aux hommes la joie de vivre dans la communion donnée par Dieu à l'origine.

Ce besoin de pardon réciproque est immense pour notre temps. On comprend mieux pourquoi l'Esprit Saint suscite toutes ces communautés nouvelles, communautés qui ne tiennent que par la miséricorde. Le témoignage principal de ces communautés est celui du pardon et de la miséricorde vécus dans la prière et rendus possibles par elle. Cet amour fraternel, qui ne peut grandir que dans la miséricorde, suppose finalement le don suprême de tout nous-mêmes :

> *"Il n'y a pas de plus grand amour que de donner sa vie pour ceux qu'on aime"* (Jn 15, 13).

Jésus nous dit encore :

> *"Soyez parfaits comme votre Père céleste est parfait"* (Mt 5, 43).

Cette parole de Jésus fait suite à son enseignement sur l'amour des ennemis. Celui qui n'aurait plus un geste, ni une parole, ni une pensée, ni le moindre jugement contre son frère serait sur le chemin de la perfection. Les chemins de la miséricorde sont des chemins de sainteté. L'esprit du monde ne les connaît pas, car ils demandent une véritable conversion. L'homme se trouve devant un choix qui est clair, et qui le provoque à changer toute sa vie.

Nous ne connaissons pas nos rancunes profondes et cachées. Il faut demander à Dieu la lumière. Il y a parfois des rancunes anciennes que nous avons à pardonner. Supplions Dieu de nous les révéler, et Il n'y manquera pas. En un instant, Il peut nous montrer cette rancune que nous portions et la guérir.

"Il y a six ans, en pélerinage à Nazareth, nous arrivions dans cette bourgade en voiture. En un éclair, j'imaginais Jésus marchant, il y a vingt siècles, dans cette rue que nous montions. Aujourd'hui, sur ce trottoir en béton, c'était un ouvrier, musette au dos, qui passait. En même temps se superposait en moi la vision de l'usine où je travaillais depuis quinze ans avec l'accident de mon pied écrasé par un véhicule au travail, les varices à cause des trop longues journées passées immobiles sur le béton... j'étais transpercé. Je fis arrêter la voiture, je descendis et embrassai le béton de ce trottoir. J'embrassais à la fois la Terre Sainte de Jésus, et ce que les hommes, avec le progrès et les industries galopantes, avaient surajouté sur elle, dans la course à l'argent... Je me relevais, sans rancune; sur le champ, je réalisais que j'étais libéré d'un fardeau plus lourd que les blessures de mon corps. Je pouvais désormais pardonner aux "responsables" d'une industrie toujours assujettie à la productivité, et par là retardée dans son programme d'amélioration humanitaire (hygiène, sécurité...). Je n'avais pas imaginé ce pardon que j'avais besoin d'accorder. Jésus de Nazareth me mettait dans la lumière et m'accordait sur le champ la guérison d'une blessure profonde, qui gardait en moi combien d'amertume."

De la même manière, les époux ont un contentieux souvent inconscient, dû aux nombreuses frictions engendrées par la proximité conjugale. Mais n'ont-ils pas d'abord à vivre cette fraternité toute simple au jour le jour ? Leur pardon ne doit-il pas être tout d'abord fraternel ? Et là, ils ont un témoignage de toutes les heures à donner dans leur famille ou dans leur entourage.

Pardonner à tous

Evangéliser, c'est être témoin de la miséricorde de Dieu pour tout homme. D'où l'importance de l'oecuménisme et de tout ce qui contribue à l'unité des chrétiens : ce sont les recherches théologiques de ce siècle, les déclarations du Concile Vatican II, celles du Pape et des Evêques, enfin la prière du peuple chrétien rassemblé par un même Esprit, dans une même intercession, avec la persévérance demandée par Jésus.

D'où l'importance, d'abord à l'intérieur de chaque église, d'éviter tout ce qui provoque des oppositions néfastes pour l'avancée du Royaume. L'Eglise de Dieu ne pourra jamais être une église "partisane" ni une église de "classe", sinon elle ne vivrait plus cette dimension essentielle de la miséricorde, qui lui donne d'être universelle. Pour ce qui est de la presse, on reconnaît une publication d'inspiration évangélique à sa manière de rassembler les opinions différentes, en évitant l'esprit de division qui attise le feu, sous couvert d'information. Ce sera donc dénoncer l'erreur, et pardonner à celui qui s'est trompé, en se souvenant bien que pardonner n'est pas approuver.

Dans le domaine social, une opinion différente n'empêche pas la charité. Et quand on s'est "accroché", il y a toujours une réconciliation possible. Sinon, comme nous le dit Jésus : *"Si vous ne saluez que ceux qui vous saluent, les païens n'en font-ils pas autant ?"* (Mt 5, 47).

Poser des actes de réconciliation, c'est donner en même temps un témoignage de chrétien.

La rancune et le ressentiment tombent non seulement de part et d'autre, mais encore tout autour de celui qui vient de pardonner. L'Evangile est formidable, il nous donne l'amour possible au présent. L'idéologie elle, est remplie de bonne volonté, mais elle doit remettre l'amour au lendemain, quand tous seront d'accord.

Nous avons trop souvent, hélas, des exemples de haines contagieuses. C'est là que nous mesurons l'importance de la mission du chrétien dans le monde. Par la grâce de Dieu, il peut vivre avec un coeur de miséricorde.

En se convertissant personnellement, le chrétien est capable de renverser l'ordre des choses autour de lui. Personne n'est insensible à la miséricorde. Il est probable que Saul, qui gardait les habits d'Etienne martyrisé, l'avait entendu s'écrier dans un dernier souffle : *"ne leur impute pas ce péché"*.

Le diacre Etienne venait d'évangéliser dans un long discours historique et dogmatique et le point d'orgue de sa prédication, sa dernière parole, ce fut : *"Seigneur, ne leur impute pas ce péché"* (Ac 7, 60). Cette parole avait fait partie intégrante de son évangélisation. Elle résume le coeur de miséricorde qu'il avait pour les siens, tout en les exhortant vigoureusement à changer de vie.

Ainsi les époux sont-ils appelés à vivre la miséricorde entre eux, comme envers tous. Il est impensable que ce pardon réciproque soit réservé à l'intimité de leur amour.

C'est tout alentour qu'il leur faudra pratiquer la miséricorde, au sein de leur profession où le chômage par exemple, suscite de la rancoeur vis-à-vis de la société. Ce sera encore envers leurs frères dans la foi ou tout simplement envers leurs belles-familles. Combien de blessures à ce dernier endroit ! Et il est démontré depuis toujours que tant qu'il reste un contentieux à ce niveau, les époux dans leur intimité conjugale, ressentent un manque ou une tristesse, que l'autosuggestion ne saurait guérir, ni faire oublier. Les familles toutes entières doivent être des foyers de miséricorde.

Se pardonner à soi-même

L'enfant prodigue change de cap au moment où il se pardonne sa faute, du moins en partie. "Je ne vaux plus grand chose, mais je peux encore être domestique", alors *"Je veux partir, aller vers mon père"* (Lc 15, 18). Quoiqu'il en paraisse au premier abord, se pardonner à soi-même est une condition absolument nécessaire pour la bonne transparence indispensable à tous et en particulier à l'évangélisateur, pour que le message passe. En effet, pour que tout "baigne dans l'huile" de l'Esprit Saint, au moment où il annonce la parole de Dieu, il faut que lui-même se tienne au coeur de la miséricorde. Mais cela ne se fait pas sans libération. Seul Dieu peut pardonner et libérer en même temps, et en profondeur.

Les époux aussi, dans leurs responsabilités immenses qui les dépassent, peuvent être "piégés" une fois ou l'autre dans leur vie, et se culpabiliser. Dans l'amour conjugal, pour ne pas blesser l'autre, chacun mettra la faute sur lui-même et ne pourra plus se pardonner. Le Seigneur est tout proche d'eux dans sa miséricorde. Mais savent-ils aller jusqu'au bout de sa miséricorde ? Croient-ils vraiment à "Jésus sauveur" ? C'est ainsi qu'un couple pardonné depuis long-temps de sa faute, vécut la grâce de sa libération. Car sur ce point précis de leur vie, ils gardaient un jugement de condamnation sur eux-mêmes qui les empêchait de s'aimer. Il fallait pour cela que, suite au pardon de Dieu, ils se pardonnent à eux-mêmes :

André : "Je remercie le Seigneur pour les grâces de paix qu'il m'a accordées. Je suis d'un naturel impatient et nerveux. Des sentiments de culpabilité me tenaillaient depuis longtemps. Le Seigneur est venu guérir tout cela, et je vais mieux vivre avec Elisabeth maintenant".

Elisabeth : "Mon mari et moi sommes professeurs de philo. Il nous arrive de donner des cours dans une école d'infirmières. Or il y a quelques années, je me suis fait avorter de ce premier enfant qu'André et moi avons eu hors mariage. Plutôt que de faire un cours très savant aux jeunes, il faudrait leur dire que le bébé dès sa conception a une âme. Ils attendent de nous plus de témoignage et de sincérité. En fait nous étions encore complètement bloqués par notre péché. Hier, le prêtre nous a demandé si nous voulions donner un prénom à cet enfant et nous avons prié ce saint qui est au ciel. J'avais beau me répéter ce que Marthe Robin disait sur les bébés, qui allaient tous au ciel, je n'étais pas en paix. Maintenant, je suis libre d'en parler, je peux témoigner et montrer à d'autres mamans qui portent cette blessure, que le Seigneur est un Dieu de miséricorde. Il fallait encore nous pardonner à nous-mêmes".

Qu'avons-nous à nous pardonner ? Notre incapacité et notre indignité :

- **Mon incapacité** : il faut me pardonner à moi-même mes insuffisances. Je dois demander la guérison de tout complexe d'infériorité, non par une technique autosuggestive mais par une démarche spirituelle. Et cette démarche suppose de moi une conviction à tous les niveaux :

- au plan de la foi : Dieu ne peut rien me demander au-delà de mes forces.

- au plan spirituel : je dois apprendre à compter avec la grâce.

- au plan de la charité : les autres sont là pour m'aider.

- au plan de l'Eglise : j'obéis à ce qui est demandé, donc je fais ce que je peux, et c'est très bien.

J'ose redonner ici cette maxime que nous avait enseignée un prêtre-professeur durant nos études secondaires : "il faut ce qu'il faut, il y a ce qu'il y a, le bon Dieu fera le reste".

- **Mon indignité** : je dois me pardonner non seulement mon incapacité d'agir et de bien agir, mais encore ce que je suis, la façon dont je suis "fabriqué", quitter ce faux jugement sur moi-même comme quoi je ne vaux rien. Et aussi, me voir réellement pardonné par Dieu de toutes mes erreurs et de tous les péchés, qui ont pu affecter mon être profond. Je dois croire à cette action de Dieu, qui est miséricorde jusque dans mes profondeurs. *"Mon Dieu, je ne suis pas digne... mais dis seulement une parole..."* (Mt 8, 8).

Au-delà de ce que je suis, il faut encore que je me pardonne à moi-même le péché commis, ponctuellement, et ce qui reste dans ma mémoire. *Ce qui est coupable à tes yeux, je l'ai fait* (Ps 51, 6). Ceci est vrai pour tous les chrétiens, qui ont recours à la miséricorde de Dieu, et qui se trouvent trahis ensuite par leur mémoire, qui les ramène vers leur passé. Une épouse témoigne de la libération de cette indignité, qui pesait sur elle à cause de ce qu'elle avait vécu avant sa conversion :

Maurice : "Nous sommes mariés depuis cinq ans et vivons depuis quatre ans dans une communauté".

Bernadette : "Je ne sais pas comment le Seigneur est venu nous récupérer. Nous avions pris des chemins loin de lui. J'ai vécu le péché de la chair. Il ne faut pas juger les personnes qui vivent cela, car souvent, c'est un fait normal pour certaines familles. Ce n'est pas facile de s'en sortir. Je recevais le sacrement de réconciliation, et je recommençais parce que la chair est faible. Je ne me rendais pas compte de la signification d'un sacrement. J'ai ensuite reçu celui du mariage. Je pensais que le Seigneur m'avait fait un drôle de cadeau en me donnant un mari. Il fallait accepter toutes nos différences, nous nous bagarrions. Ici nous avons reçu une grâce d'unité pour notre couple. Il y avait un manque de dialogue entre nous. Comme j'avais vécu le péché de la chair, je ne me sentais pas digne d'être aimée. J'avais un coeur qui était très dur".

Maurice : "Pour moi, la difficulté était de savoir que Bernadette avait vécu tout cela. J'étais patient et je priais. Nous sommes là pour recevoir l'écoute l'un de l'autre dans nos différences. Dieu est miséricorde, Il nous donne la grâce de nous écouter. J'ai pu tout lui pardonner. Cela va aussi nous aider à aimer nos enfants, pour qu'eux aussi, puissent grandir dans cette paix qu'il y a maintenant entre nous".

Donc, plus fondamentalement, je dois encore me pardonner à moi-même d'être pécheur : *pécheur, ma mère m'a conçu* (Ps 51, 7), et adhérer par la foi à la Parole qui me dit que je suis fils de Dieu, en laissant l'Esprit Saint l'attester en moi (cf. Rm 8, 16). Je dois croire que nul ne saurait m'ôter ce don, qui me redonne cette capacité de ressemblance avec Dieu, comme à l'origine de la création. Car Jésus me l'a donné dans sa rédemption.

Et, si je reçois un appel de Dieu, je ne pourrai pas invoquer mon péché comme obstacle à répondre "oui", car Jésus n'a jamais appelé que des "pécheurs" à le suivre. C'est pourquoi mon épouse repentante, même après de nombreuses infidélités, aura toujours le droit de répondre à la question : *"m'aimes-tu" ?* posée par son mari, par : *"oui, tu sais bien que je t'aime"* (Jn 21, 17). Elle pourra même dire, comme l'apôtre Pierre, la troisième fois : *"tu sais tout, tu sais bien que je t'aime"* (Jn 21, 17). On peut traduire ainsi : maintenant que je t'ai tout avoué, je veux te redire encore que je t'aime.

Pardonner à Dieu

Ce troisième aspect du pardon peut paraître, à première vue, encore plus surprenant que le second. Et pourtant nous allons en voir la nécessité absolue.

En effet, c'est un obstacle énorme pour l'évangélisateur, amené à proclamer les merveilles de Dieu, que d'avoir encore un "contentieux" avec son Dieu. Souvent ce sera caché, de façon pernicieuse, dans le fond du coeur ou de l'inconscient du disciple, victime d'aveuglement sur ce point.

Par exemple, on ne s'en prend pas à Dieu, mais à ce qu'il a permis. On n'attaquerait jamais Jésus, mais son Eglise... oui, on se l'autorise. Et dès que l'on passe de l'analyse objective à la critique, et de la critique à la contestation, le feu que l'Esprit Saint avait allumé dans le coeur du disciple, par la grâce du baptême et de la confirmation, a vite fait d'être étouffé. On n'ose plus "proclamer" !

Il faut donc bannir tous ressentiments de nos coeurs, car ils dépassent vite les bornes.

Ainsi un couple chrétien témoigne-t-il de la guérison d'une grande amertume due à un grave défaut de santé de l'époux, affectant toute la famille. A partir du moment où cet époux fut capable d'accepter avec coeur sa maladie, c'est-à-dire de l'offrir à Dieu, en ayant pratiquement pardonné à Dieu cette épreuve permise par lui, ce fut un amour conjugal et familial débordant, au point que tous ses amis purent s'en apercevoir. Mais si on avait voulu lui faire remarquer qu'il avait un contentieux avec Dieu, lui qui était chrétien, l'aurait-il reconnu vraiment ?

> Yves : "Nous avons vingt-cinq ans de mariage. A la suite d'une erreur médicale il y a vingt-huit ans, je me suis retrouvé paralysé. J'ai connu ensuite Céline et les groupes de prière. Je suis hémiplégique, j'ai des malaises et de violents maux de tête. Toute leur vie mes enfants ont assisté à ma souffrance. Intellectuellement j'acceptais ma souffrance, mais je ne l'avais pas offerte au Seigneur. Je commence à réaliser qu'il faut que je fasse cette offrande. Je viens encore d'avoir des problèmes cardiaques, une intervention à Paris, je suis encore en convalescence. Par contre, nous avons reçu de grandes grâces Céline et moi, une guérison dans notre couple, une caresse de Marie dans notre coeur. Des amis nous ont revus récemment, et nous ont trouvé changés. Ils se sont demandé ce qui se passait, alors que nous n'avions aucun signe extérieur de tendresse, davantage marqué devant eux, qu'auparavant".

> Céline : "Je remercie le Seigneur pour cette grâce d'écoute qu'il faut demander et recevoir chaque jour".

Parfois le ressentiment et la haine peuvent tourner en révolte contre Dieu Lui-même. Il n'est pas rare de constater ceci dans nos pensées : on commence à se poser des questions, ensuite on les pose à Dieu, et on les repose encore. On finit par être persuadé qu'il doit répondre, on s'aperçoit qu'on est en train de perdre la direction des choses... Tout se passe comme si on était en droit de demander des comptes à Dieu, Lui qui reviendra juger les vivants et les morts, Lui qui est le "Tout-Autre" ! Souvent, ce sera lorsque l'épreuve nous aura semblé trop dure. Dans l'épreuve, Dieu attend de nous la patience. Job est le témoin de cette épreuve, et après avoir voulu tant de fois, dicter à Dieu ce qu'Il devait faire, il avoue lui-même : *"j'étais celui qui brouille tes projets..."* (Jb 42, 3). Souvent aussi, de façon dissimulée, nous ne nous en prenons pas à Dieu mais au retard qu'il met à accorder ce qui nous est nécessaire :

> *Devant le Seigneur, un jour est comme mille ans et mille ans comme un jour... Certains l'accusent de retard, alors qu'il use de patience... afin que tous arrivent au repentir* (2 P 3, 8-9).

Une autre façon dissimulée encore d'agir contre Dieu, c'est de dire que l'on n'en veut pas à Dieu ni à l'Eglise, ni aux successeurs des apôtres, mais aux hommes.

Mais le plus terrible, c'est encore d'en arriver à reprocher à Dieu sa miséricorde. Le fils aîné de la parabole est furieux de la bonté du père (cf. Lc 15, 25-32). Jonas se fâche et a un grand dépit de ne pas voir Ninive détruite (cf. Jon 4, 1). Marthe s'en prend à Jésus, jalouse de Marie qui a choisi la meilleure part (cf. Lc 10, 40) et va jusqu'à dicter à Jésus ce qu'il doit faire : *"Dis-lui de m'aider"*.

L'homme a souvent ce côté ridicule de vouloir dicter à Dieu ce qu'Il doit faire. C'est énorme, mais le piège est là.

Et il est facile de comprendre que le couple sera particulièrement tenté d'en vouloir à son Dieu, au coeur de l'épreuve. En effet, Dieu est l'auteur de la vie, et le couple a reçu de la paternité de Dieu, la responsabilité de la procréation : la transmission de la vie. Dieu a créé la vie et l'a confiée à tous les hommes, mais combien plus aux couples. Remplis d'espérance à l'aube de leur amour, les époux ne manqueront pas de surprises, causant la déception et parfois la révolte. Les épreuves sont de tous ordres : la naissance souhaitée vient ou ne vient pas, elle est promise, mais n'aboutit pas. La santé des enfants est très relative. Un garçon est attendu et ce sont quatre ou cinq filles qui arrivent. Pour certains couples ce sera la stérilité imprévisible, et pour d'autres, une telle fécondité que la régulation des naissances sera pratiquement impossible. Pour d'autres encore ce sera un enfant malade qui ne guérira pas et que le Seigneur "reprendra", comme il est coutume de dire. Comme si Dieu pouvait reprendre ce qu'il a donné ! *Les dons de Dieu sont sans repentance* (Rm 11, 29). Il précédera seulement ses parents dans le ciel, et les invitera chaque jour à vivre dans la sainteté, pour qu'ils puissent, le moment venu, aller le rejoindre, lui dont *l'ange voyait déjà sur cette terre la face de Dieu* (Mt 18, 10).

Pour d'autres, ce sera un fils déjà grand ou une fille devenue maman qui terminera le pèlerinage sur cette terre avant leurs vieux parents, contrairement à toute logique humaine. En fait, notre séjour sur cette terre est un pèlerinage, ou encore, en termes bibliques, un temps d'exil. *Conduisez-vous avec crainte pendant votre temps d'exil* (1 P 1, 17). Et le psaume nous dit aussi : *Tu comptes les pas de ma vie d'exil* (Ps 56, 9). Vision pessimiste de la vie pour nous, chrétiens ? Certainement pas ! Peu importe d'ailleurs cet exil ou pas, si déjà nous y avons le secret de l'amour.

Ce sera effectivement devant la mort que le couple fait pour engendrer la vie sera le plus éprouvé. Et cela pour arriver à la plus grande épreuve : le départ de l'un avant l'autre.

Aussi l'Eglise, qui est une mère, a-t-elle pris soin des veuves, dès la naissance de ses premières communautés. Dans tous les cas le Seigneur donne sa grâce pour supporter l'épreuve, éviter la révolte, ou revenir d'un réflexe automatique de rejet, qui n'est pas évangélique. Cependant, devant la souffrance, ce sera un acte de confiance que de crier vers le Seigneur.

L'Eglise l'a toujours enseigné, elle qui donne le *De profundis* comme prière pour les défunts :

> *Des profondeurs, je crie vers toi, Seigneur* (Ps 130, 1). Et cette prière débouche sur l'espérance : *mon âme espère en ta parole, mon âme attend le Seigneur plus que les veilleurs l'aurore* (Ps 130, 5-6).

Comme au temps des actes des apôtres, des veuves se rassemblent encore dans la prière et la consécration[1].

On voit des couples chrétiens témoigner du rapprochement vécu avec le Seigneur, au sein même de l'épreuve, alors que l'esprit du monde aurait poussé à la révolte. Après la séparation avec un être cher, cette attitude aurait ajouté une séparation plus terrible encore avec Dieu.

---

1. Veuves consacrées : entre autres, Fraternité ND de la Résurrection, 30 rue Gay-Lussac 75005 Paris.

C'est pourquoi l'Eglise a organisé des funérailles chrétiennes. Au début de ce siècle, la "libre pensée" a voulu organiser des "enterrements civils" dans le but bien dissimulé que des familles entières, coupées de la foi reçue, s'enferment elles-mêmes dans la révolte, pour en arriver à l'athéisme. Aussi l'Eglise devra-t-elle toujours prendre soin des funérailles de ses enfants, que la cérémonie soit présidée par un prêtre, un diacre ou un laïc.

Pardonner à l'Eglise

A en croire certains écrits des années récentes, et même encore actuellement, l'Eglise ne comprend presque plus rien aux problèmes des couples. Et les couples chrétiens sont très malheureux : ils voudraient aimer l'Eglise, mais soi-disant, ils ne le peuvent plus, parce qu'elle est vraiment trop sévère, et n'a pas su évoluer avec son temps.

Des foyers chrétiens pourront alors parler de l'Eglise comme d'une étrangère, surveillante de leur vie intime, sans se rendre compte qu'eux-mêmes forment l'Eglise. Pour un couple chrétien, s'en prendre à l'Eglise, c'est scier la branche sur laquelle il est assis. Sans l'Eglise en effet, que resterait-il de l'amour conjugal sur la terre ? La vérité c'est que l'Eglise, de siècle en siècle, par son magistère, nous permet de mettre en pratique la Parole de Dieu. Et c'est le Seigneur lui-même qui est exigeant en amour, pour que l'amour du couple demeure toujours un véritable amour, seul capable d'engendrer le bonheur des époux.

De ce fait, l'Eglise ne dispose pas de la parole de Dieu, et n'a pas le droit de l'accommoder au goût du jour, ou de la civilisation en cours. Ceux qui laissent croire que l'Eglise pourrait décider autre chose que l'Evangile sont coupables d'un mensonge grave, ou coupable d'ignorance, ce qui donne le même résultat. Le peuple cherche la vérité, les couples se posent des questions, les posent à leurs prêtres, et sont trop souvent renvoyés à eux-mêmes avec cette caricature d'Eglise vieillie. Ils sont livrés à leur conscience pour décider ce qui est bien ou mal. On tombe dans le subjectivisme et la permissivité. Et le couple qui aimait bien son Eglise, viendra lui reprocher bien des choses...

Pour sortir de cette impasse, nombre de foyers chrétiens vont avoir à "pardonner à l'Eglise". Mais que lui pardonner ? ce qu'elle n'a pas fait, finalement... A cause du manque de confiance en l'Eglise, c'est-à-dire en ceux que le Christ a choisis pour mettre à sa tête, nous sommes aux frontières de l'absurde. Cela est dû au flou engendré par les conseils les plus contradictoires donnés par des personnes qui, sans référence à l'Evangile se basent sur l'opinion commune, pour répondre aux questions de notre temps. Jean Paul II n'a pas hésité à dire à propos de la morale conjugale : "La vérité ne saurait être mesurée par l'opinion de la majorité"[1].

Et nous savons que l'Adversaire agit souvent dans l'ambiguïté et l'équivoque. En s'attaquant au mariage, il s'attaque à la vie. Il le fait de façon mensongère, par des écrits laissant entrevoir une "libéralisation" qui n'aura jamais lieu, parce que contraire à la Parole de Dieu. Partout où il peut empêcher la vie de naître, ou la tuer, il est là, facile à reconnaître. Saint Jean nous dit qu'il est "menteur" et "meurtrier" à la fois. Et les théoriciens d'un autre évangile, en s'en prenant à l'Eglise, en oublient même le concile Vatican II, qui n'a pas manqué de préciser les exigences de l'amour conjugal, tout en l'exaltant, comme la merveille de Dieu dans sa création. Mais certainement, le concile n'est-il pas assez enseigné, et nombre de chrétiens préfèrent se renseigner auprès de sources plus que douteuses, qui peuvent faire plaisir à entendre, et davantage encore faire la gloire de ceux qui les ont inventées.

A la façon dont les enfants doivent pardonner à leurs parents de leur avoir dit la vérité avec franchise, ce qui peut causer une surprise, les chrétiens doivent pardonner à l'Eglise de leur dire aussi la vérité.

Parce qu'elle est une mère remplie d'affection pour ses enfants, l'Eglise est ferme et ne laisse pas de faille qui puisse entraîner la perdition d'aucun. Le Concile, au sujet de l'indissolubilité du mariage, est aussi ferme que la Parole de Dieu :

"La communauté profonde de vie et d'amour que forme le couple a été fondée et dotée de ses lois propres par le créateur. Elle est établie sur l'alliance des conjoints, c'est-à-dire sur leur consentement personnel irrévocable. Une institution, que la loi divine confirme, naît ainsi au regard même de la société, de l'acte humain par lequel les époux se donnent et se reçoivent mutuellement. En vue du bien des

_____

1. Discours au Congrès international pour la famille d'Afrique et d'Europe, vingtième anniversaire d'*Humanae Vitae*, *La Croix*, 16 mars 1988.

époux, des enfants, et aussi de la société, ce lien sacré échappe à la fantaisie de l'homme"[1].

Le mariage est de droit divin. Il est donc vraiment stupide de s'en prendre à l'Eglise pour lui faire des reproches ou lui demander "d'évoluer". Et c'est vraiment une "fantaisie" de mauvais goût que d'oublier les enseignements du concile Vatican II qui nous ramène à l'Evangile. C'est là que se vérifie la parole du père ·Emiliano Tardif : "Nous n'avons pas besoin d'un nouvel évangile, mais d'une nouvelle évangélisation"[2].

Ainsi, les époux chrétiens sont-ils appelés à baigner tout entiers dans la miséricorde divine, pour pouvoir vivre la miséricorde entre eux. Mais, s'il leur reste le moindre contentieux avec l'Eglise, ils sont aigris, et il leur est impossible de vivre l'amour conjugal en paix, dans leur âme et conscience. De ce fait, il est nécessaire de dénoncer les slogans du moment, d'ailleurs sans fondements. Ceux-ci ne peuvent qu'exciter la critique, donner de l'amertume, et conduire parfois au rejet d'une mère très aimante : l'Eglise.

Libéré de ce faux contentieux, car l'Eglise n'a rien à se faire pardonner, appuyé sur l'Evangile de toujours, et confiant dans l'enseignement du magistère, le couple pourra enfin vivre en paix. Il pourra pratiquer la miséricorde dans toute sa vie, et en rayonner sur un monde qui attend, pour se convertir, des chrétiens qui aiment le Christ, mais aussi l'Eglise.

---

1. *Gaudium et spes*, n°48.
2. *Jésus est le Messie*, Emiliano Tardif, Editions du Lion de Juda, 1989, p. 136.

CHAPITRE II

La victoire de l'amour

"C'est ainsi, je vous le dis,
qu'il y aura plus de joie dans le ciel
pour un seul pécheur qui se repent
que pour quatre-vingt-dix-neuf justes
qui n'ont pas besoin de repentir".
(Lc 15, 7)

I — DIEU TOUT-PUISSANT, VAINQUEUR PAR SA MISERICORDE

Portes, levez vos frontons, élevez-vous, portails antiques, qu'il entre le Roi de gloire (Ps 24, 7).

La victoire du Tout-Puissant a été gagnée sur la mort et le péché. Cette victoire nous est donnée chaque jour par sa grâce. En pratiquant la miséricorde à notre tour, nous entrons dans sa victoire, et nous retrouvons le bonheur de vivre. Car nous sommes *le peuple qu'il a acquis pour la louange de sa gloire* (Ep 1, 14).

Dieu éclate dans sa miséricorde

Sa miséricorde est infinie. Elle est débordante. Et l'homme est appelé à éclater de cette même miséricorde :
Eclater est un don de Dieu ; "s'éclater" est purement humain au sens où l'homme ne peut faire sortir de lui-même que ce qu'il est par lui-même. En "s'éclatant" il va éclabousser les autres de sa misère

ou de son arrogance. Mais si Dieu éclate en lui, ce sera une pluie de grâces tout alentour, tel le foyer chrétien qui rayonne à la mesure où il a fait de sa maison et de son coeur la demeure de Dieu.

Quand Dieu vient faire éclater les coeurs, il n'y a jamais de dégâts pour personne. Sur le chemin de Damas, Jésus renverse Saul de toute la hauteur de son orgueil. Mais quelques jours après, celui-ci est debout pour annoncer Jésus vivant et ressuscité.

Et ma coupe déborde (Ps 23, 5). Dieu fait éclater sa miséricorde, et son peuple alors, éclate de joie : *Eclate en cris de joie ô fille de Sion* (So 3, 14) et (Za 2, 14).

Pour l'enfant prodigue, revenu à la maison du Père, la miséricorde éclate en *festin, musique et danses* (Lc 15, 23-25).

Ce que le fils aîné ne comprendra pas, c'est tout ce "bruit" pour un vaurien qui revient :"oui, lui pardonner peut-être, mais discrètement, a dû penser en toute logique celui qui ne devait rien à son père. La fête ? oui, quand il aura regagné de l'argent et fait quelques économies... alors nous verrons. Et si je suis invité, j'irai même ! Pour l'instant, attendons. Ne nous emballons pas, qu'il fasse ses preuves" !

Mais "attendre", pour Dieu, c'est impossible. Dieu ne peut remettre à plus tard : il éclate de joie dans sa miséricorde. C'est la joie du salut, tout de suite. C'est pourquoi, celui qui, docile à l'Esprit Saint reçoit le charisme de la miséricorde, ne peut le pratiquer qu'avec joie : *celui qui exerce la miséricorde que ce soit en rayonnant de joie* (Rm 12, 8) dit Saint Paul, comme Dieu, pourrions-nous ajouter.

Voilà un critère de vrai pardon pour les époux. Cela se voit à la façon d'exercer la miséricorde l'un envers l'autre : cela ne rend pas triste ! Souvent même l'humour est là pour dédramatiser une situation difficile. Heureux époux alors ! charismatiques ? oui bien sûr, mais charismatiques entre eux d'abord, c'est évident ! du moins, très souhaitable.

Au coeur de son intimité, le couple devient alors ce lieu sacré où Dieu habite au tabernacle de son amour.

Dieu est la source de la miséricorde parfaite

Dieu pardonne intégralement, et tout de suite, davantage même, il oublie. L'homme n'a pas la même capacité, mais ne doit pas se décourager. C'est en allant boire à la source qui est en Dieu qu'il apprendra à pardonner jusqu'au bout. Il pourra ainsi guérir des blessures de la mémoire qui auront pu laisser en lui des traces d'amertume.

Soyez miséricordieux comme votre Père est miséricordieux (ou compatissant) (Lc 6, 36). Il y a ce "comme" dans la parole de Jésus qui est bouleversant, mais aussi combien encourageant et réconfortant : il doit donc être possible d'être comme notre Père du ciel et cela à partir de notre misère !

Nous pouvons dire que Dieu seul est capable d'être miséricordieux. Dieu seul peut avoir ce coeur pur qui pardonne intégralement et tout de suite. Lorsque des époux, ou des frères et des soeurs commettent une ingratitude, ou bien une offense, (pour des époux jusqu'à une infidélité) et reviennent l'un vers l'autre en se pardonnant, il ne faut pas qu'ils doutent de ce pardon. C'est vraiment pardonné.

Ce sera donc en allant boire à la source de la miséricorde qui est en Dieu que nous apprendrons à nous pardonner. Car lui "notre Dieu est miséricorde". C'est avec ce verbe **être**, donné à la miséricorde de Dieu, que le Pape Jean-Paul II termine un chapitre de sa magnifique exhortation apostolique sur la "Réconciliation et la Pénitence", de décembre 1984 :

> "Quand nous nous rendons compte que cet amour est allé jusqu'à causer la passion et la mort du Verbe fait chair, qui a accepté de nous racheter en payant de son sang, alors, nous débordons de reconnaissance : oui, le Seigneur est riche en miséricorde, et nous allons jusqu'à dire : le Seigneur **est** miséricorde" (n°22).

Bienheureux les miséricordieux... (Mt 5, 7)

Jésus nous dit dans une de ses Béatitudes : *"Bienheureux les miséricordieux, ils obtiendront miséricorde"* (Mt 5, 7). Voyons-en le sens profond. C'est assez surprenant.

Supposons un époux qui a quelque chose à se faire pardonner par son épouse. Nous pensons, que pour qu'il soit pardonné, il doit effectivement croire que son épouse va avoir le coeur de lui pardonner. Or, l'Evangile nous dit autrement : Il faut avant tout que cet homme qui a commis une faute ait, lui d'abord, un coeur de miséricorde. *"Bienheureux les miséricordieux, il leur sera fait miséricorde"* : voilà l'enseignement de Jésus. Que signifie-t-il ? Lorsqu'on n'ose pas aller demander pardon à quelqu'un, qu'on hésite à le faire entre frères et soeurs, ou entre époux, en fait, il arrive qu'on ait peur que l'autre ne pardonne pas. Mais cela vient de moi d'abord, qui n'ai pas la miséricorde. Il me faut donc demander un coeur de miséricorde pour moi et je croirai en la miséricorde de l'autre. Chaque époux doit être miséricordieux pour que se conjugue le pardon réciproque, comme une grâce d'amour suprême. Les époux ne sont-ils pas à ce moment précis dans la "béatitude", puisqu'en train de pratiquer l'une des huit béatitudes que Jésus nous a données ?

Oui, les époux trouveront leur bonheur dans la miséricorde, puisque Jésus leur dit : *" Bienheureux les miséricordieux"*, et non pas : quel dommage que vous soyez obligés d'être miséricordieux ! On reconnaît la maturité des époux à ce qu'ils sont l'un pour l'autre de plus en plus miséricordieux. L'indulgence est là à chaque moment. Finalement ce sera la clef d'un couple heureux, et d'une famille heureuse : la paix reposera sur les enfants.

Une épouse ne voyait plus en son mari un homme solide, parce que celui-ci avait changé trois fois de profession. De ce fait le dialogue était rompu. Et ce fut la souffrance de part et d'autre. Le Seigneur vint à leur secours, et ils purent alors se dire la vérité dans une transparence amoureuse :

> Eloi : "Nous sommes mariés depuis vingt-cinq ans. Depuis quatre ans nous cherchions vraiment à retrouver l'équilibre de notre foyer et c'était difficile".

> Clotilde : "Nous avions une très, très grande difficulté de dialogue depuis plusieurs années. Plusieurs fois dans différents groupes de prière, on avait demandé la prière pour notre couple et un jour on nous a dit : "il y a un manque de transparence dans votre couple. Le jour où votre couple retrouvera un dialogue, beaucoup de choses iront mieux". Pendant cette retraite, il semble qu'un certain nombre de choses se soient mises en place. Hier, il y a eu une parole de connaissance qu'Eloi a prise pour lui. Elle a fait jaillir un certain nombre de problèmes qui étaient enfouis et qui avaient été l'occasion de nombreuses blessures et de notre rupture de dialogue depuis si longtemps".

> Eloi : "Cette parole était : "il y a un frère qui a eu trois étapes dans sa vie professionnelle, et de ce fait des blessures anciennes à guérir ; je pense que le Seigneur est en train de le faire".

En fait son épouse n'avait pas accepté cette instabilité, dans la peur de manque d'argent pour le foyer.

La miséricorde lave chaque jour les fautes, les doutes et les ingratitudes réciproques. Passant au-delà des paroles et des actes, les époux peuvent s'aimer tels qu'ils sont, et pour ce qu'ils sont. Ils rentrent alors de plain-pied dans l'amour vrai, solide et fidèle, qui va les mettre à l'abri de toutes mauvaises surprises.

La folie de Dieu dans sa miséricorde

Dieu a une parole de miséricorde pour tous les hommes sans exception. Le coeur de notre Dieu est immense : *Dieu est plus grand que votre coeur* (1 Jn 3, 20). Aussi, Jésus se décrit-il comme un bon semeur au coeur généreux, qui sème largement dans l'espérance que les plus éloignés de lui puissent un jour porter de bons fruits. Le coeur de notre Dieu est aussi fou qu'il est généreux. Les hommes n'arrivent pas à croire à l'amour infini de Dieu. Pourtant ce serait sagesse pour eux. Quant à Dieu, Il croit en l'homme, et c'est folie, jusqu'à la croix.

La Parole de Dieu, c'est la semence de la parabole (cf. Lc 8, 4-15). Dans sa grande miséricorde, Dieu la sème partout pour qu'aucun ne soit oublié.

La Parole de Dieu est fidèle et remplie de miséricorde. Les époux peuvent et doivent l'écouter chaque jour, mais vérifier avec quel coeur ils la reçoivent : *"Dans un coeur droit et généreux"*, dit la parabole du semeur. Il est bien vrai que la vie du couple repose sur l'écoute de la Parole : aussi, de plus en plus, les couples lisent-ils ensemble épître et évangile du jour, lorsqu'ils ne peuvent participer à l'Eucharistie. *C'est Lui qui nous a aimés le premier* (1 Jn 4, 19). Alors, laissons-Le nous dire ses mots "d'Amour", appropriés à notre faiblesse et à nos péchés. Et ensuite, nous aurons ses mots d'amour pour nous pardonner les uns aux autres.

Et sa victoire sera la nôtre.

> *"Soyez miséricordieux, comme votre Père du ciel est miséricordieux"* (Lc 6, 36).

Le Christ nous emmène dans son cortège triomphal (2 Co 2, 14), en nous faisant passer de la condamnation à la justification par la miséricorde.

Dieu se plaît à sauver le monde. Dans ce geste, c'est son coeur qui parle et exprime tout ce qu'il y a de gratuit dans l'amour. La sagesse humaine n'a pas pu convaincre le coeur de l'homme, et donc le sauver. Alors, c'est la folie qui va l'opérer dans le coeur de tous ceux que Dieu va toucher, non plus par démonstration du raisonnement, mais par miséricorde imméritée.

Ce qui logiquement était sujet à condamnation ne le sera plus par pure miséricorde, donnée et redonnée fidèlement selon les besoins de l'homme pécheur.

> *Puisqu'en effet le monde, par le moyen de la sagesse n'a pas reconnu Dieu dans la sagesse de Dieu, c'est par la folie du message qu'il a plu à Dieu de sauver les croyants* (1 Co 1, 21).

> *Mais le jour où apparurent la bonté de Dieu votre Sauveur et son amour pour les hommes, il ne s'est pas occupé des oeuvres de justice que nous aurions pu accomplir, mais poussé par sa seule miséricorde, il nous a sauvés* (Tt 3, 4-5).

Pour que cette miséricorde puisse être transmise aux hommes, Jésus inaugure ce ministère de la justice, qu'il confiera plus tard à son Eglise, ministère tout à la gloire de Dieu, et qui remplit l'homme pécheur d'une espérance dépassant toute logique humaine, en lui donnant de s'approcher de son Dieu avec assurance.

> *Si en effet le ministère de la condamnation fut glorieux, combien plus le ministère de la justice l'emporte-t-il en gloire !* (2 Co 3, 9).

> *En possession d'une telle espérance, nous nous comportons avec beaucoup d'assurance, et non comme Moïse qui mettait un voile sur son visage...* (2 Co 3, 12-13).

C'est la justice salvifique de Dieu, qui ne ressemble en rien à la justice des hommes, avec son barème des condamnations encourues. Car c'est Jésus qui a payé les dettes.

> *Il a effacé, au détriment des ordonnances légales, la cédule de notre dette ; il l'a supprimée en la clouant sur la croix* (Col 2, 14).

Les époux, entre eux, devront appliquer cette justice qui sauve, en "effaçant l'ardoise", sans jamais pratiquer le "donnant-donnant".

Deux époux firent ainsi l'expérience de la victoire de la miséricorde, alors qu'ils avaient tout pour se rejeter l'un l'autre, suite à une vie de souffrance et de blessures réciproques.

Attirés par l'amour miséricordieux de Jésus, présent dans la Sainte Eucharistie, ce fut la conversion, alors que tout semblait perdu :

Luc : "Jusqu'à ce que je connaisse ma femme, j'étais dans les jeunesses communistes. Elle m'a converti, et moi je lui ai promis le bonheur. Nous nous sommes mariés avec cette idée que, moi je lui donnerai le bonheur. Mais pour moi, le bonheur, c'était le confort matériel, la maison, le travail, le bien-être assuré. Nous avons vécu en parallèle pendant trente-six ans, sans jamais vivre ensemble et plus cela allait, plus notre couple se détèriorait à un point inimaginable. J'ai fini en asile psychiatrique avec un traitement intensif de sept mois, au point que je suis tombé à peu près aveugle. Ma femme en a perdu la santé. On a vécu la misère au point que chacun souhaitait, ma femme partir et moi mourir. En arrivant là, j'avais encore des idées très précises que je m'étais faites en me promenant dans les allées du parc, sur les moyens de mourir. Ma femme était dans une angoisse perpétuelle, ne dormant plus, ayant la hantise de tout, autrement dit, une vie gâchée. Hier soir, je suis allé à l'adoration jusqu'à minuit. Et j'ai reçu comme un éclairage, quelque chose d'extraordinaire au point que je l'ai copié aussitôt parce que cela me servira toute ma vie. Voilà ce que j'ai pu dire : "Jésus, je t'aime de l'amour que tu me donnes ; sans toi, je ne suis rien ; aide-moi à t'aimer du fond du coeur ". Je ne l'ai pas dit à ma femme mais elle l'a bien vu. Elle m'a dit : "toi, tu es tout jaune, tu n'as pas dormi". Je n'ai pas voulu mentir, je n'ai rien répondu. En fin de compte, la grâce s'est continuée d'une façon merveilleuse, et c'est là que je rends grâce au Seigneur. Le lendemain, il y avait encore une petite place pour l'adoration, j'ai dit : "tu vois, pour moi, le Seigneur, il est là". C'est le point zéro de notre vie, maintenant ; il rayonne vers tout, depuis le haut jusqu'en bas, il n'y a rien avant, et tout est pour la suite. A partir de ce point zéro, je lui ai demandé pardon, elle m'a pardonné évidemment dans le chagrin. De son côté, elle m'a dit qu'elle regrettait. Pour elle, il n'y avait pas eu d'infidélité, mais séparation de coeur, elle me haïssait. Nous nous sommes embrassés comme jamais nous ne l'avions fait. Le petit bouquet pour finir, c'est que ma femme a reçu hier une grâce, toute petite, mais combien merveilleuse. Elle qui ne dormait pas, je i'ai vue toute souriante dans son lit, au matin. Elle m'a dit : " on va dire un chapelet". Elle avait dormi sans prendre de médicament".

Claude : "Je suis encore carapaçonnée. Il n'y a qu'une petite brèche, surtout dans la guérison corporelle. Je n'ai pas encore la foi dans cette guérison corporelle. Il faut encore prier pour moi".

Pour ceux qui cherchent à imiter Dieu, il va falloir donner sans compter ; sinon c'est le marchandage, le contrôle, l'analyse, le discours, et finalement le refus de se donner.

Autrement dit, à partir du moment où chacun examine s'il a eu son compte d'amour, il est bien évident qu'il lui manquera quelque chose. Il en prendra conscience et en sera frustré. La psychologie va s'employer à réduire ces frustrations. Mais Jésus, lui, les guérit. Se voir frustrer, c'est la conséquence de faire des comptes avec celui qu'on aime. C'est le chemin inverse de l'amour qui est "don" sans retour. *Qui sème chichement récolte chichement* (2 Co 9, 6).

C'est en donnant toujours davantage à l'épouse qui n'arrive pas à aimer, par exemple, que l'époux sauvera son épouse introvertie. Nous sommes alors dans la grâce du mariage, qui est faite pour que les époux s'aiment entre eux, comme Dieu les a aimés chacun, c'est-à-dire sans contrepartie.

Et s'il y avait encore des comptes à faire, et une dette à payer à l'autre, l'apôtre nous dit : *N'ayez de dette envers personne, sinon celle de l'amour mutuel* (Rm 13, 8). C'est logique ! L'amour que Dieu a pour chacun d'entre nous est infini. Alors comment nous étonner que nous n'ayons jamais fini d'aimer nos frères. N'est-ce pas là le vrai bonheur ? Supposons le contraire ; alors quel ennui mortel ce serait ! Supposons une épouse complètement comblée et qui n'attendrait plus rien de son époux. Quelle solitude pour ce dernier, et quel drame de ne plus pouvoir rien donner, ni offrir, ni sacrifier à l'amour !

Pardonner, c'est la victoire de l'amour. Entre époux, en cas de litige ou de mésentente, c'est toujours celui qui pardonne qui est gagnant. Toute victoire est source d'une grande joie, parce qu'elle est l'issue d'un combat difficile. Les époux entre eux sont appelés à cette même joie profonde, certaine et infaillible, qui passe par le pardon réciproque. C'est la joie du pécheur qui revient. C'est la joie de Dieu, et cette joie devient celle des époux. Mais il leur avait fallu d'abord quitter la sagesse du monde et partager la folie de Dieu.

2 — CROIRE EN LA RÉCONCILIATION POSSIBLE

Le pardon réciproque est la voie ardue du véritable amour, et comme tout amour, il "débouche" sur la joie. C'est aussi simple que cela. Mais il y a un chemin à faire pour y parvenir.

Faire la vérité d'abord

La charité met sa joie dans la vérité (1 Co 13, 6). Pouvoir faire la vérité apporte toujours une joie immense. Le mensonge, lui engendre la tristesse. Dans tous les domaines de la vie comme dans l'amour conjugal, les plus gros mensonges ravagent actuellement notre monde. Ces mensonges ne nous font pas baisser les bras, mais nous attristent profondément. Ils attristent encore plus le coeur de notre Dieu, auteur de la vie et de l'amour. Comment sortir notre humanité de ce bourbier de mensonge ? Pour y parvenir, le disciple est invité à imiter Jésus, venu "faire la vérité" : *"Je suis né et je ne suis venu dans le monde que pour rendre témoignage à la vérité. Quiconque est de la vérité, écoute ma voix"* (Jn 18, 37), dira-t-il dans sa passion.

Pilate est obligé d'avouer : *"Je ne trouve en lui aucun motif de condamnation"* (Jn 18, 38). Puis, quelques minutes après : *Les grands-prêtres et les gardes vociférèrent, disant : "Crucifie-le ! Crucifie-le !" Pilate alors leur dit : "Prenez-le et crucifiez-le, car moi je ne trouve pas en lui de motif de condamnation"* (Jn 19, 6). Et Pilate continuera peut-être à se poser encore longtemps la question philosophique : *"qu'est-ce que la vérité ?"* mais une chose est certaine, il n'a pas "fait" la vérité.

Au coeur de sa vie offerte pour nous sauver, Jésus vient témoigner pour la vérité. Après la résurrection, ses disciples vont mettre leurs pas dans les siens, et aller eux aussi, jusqu'au bout : c'est le propre des premiers martyrs d'être morts pour la vérité. Jean-Baptiste déjà avait offert sa vie pour la vérité... Etienne, le premier martyr, mourra pour avoir dit à son auditoire... la vérité. Et ainsi de siècle en siècle.

Maximilien Kolbe, en offrant sa vie au Christ, en échange de celle d'un père de famille souffrant de ne plus prendre en charge son épouse et ses enfants, cria la vérité à ses bourreaux et au monde entier. Un régime établi sur la haine, la vengeance et le meurtre est une blessure immense au coeur de Dieu. Le sacrifice du franciscain a sauvé une famille. Elle sera présente à sa canonisation le 10 octobre 1982.

La fin de notre XXème siècle d'histoire de l'Eglise attend des témoins de la vérité, et comme du temps de Jean-Baptiste, justement sur le mariage. Notre monde attend des témoins qui crient la grâce du mariage, par leur vie d'abord, par leur parole aussi.

Nul doute que le Seigneur veuille mettre fin aux tristesses de son amour bafoué au coeur du couple créé à *"son image et à sa ressemblance"*. Mais cela ne pourra pas se faire sans cette épreuve de vérité, tant le mensonge est la cause la plus importante de la dégradation du mariage. Il en va non seulement de l'avenir de l'Eglise, mais de l'avenir du monde. Jean-Paul II, s'adressant aux évêques d'Europe a tiré la sonnette d'alarme :

> "Je pense que la pastorale familiale doit sans doute, dans la perspective d'une évangélisation renouvelée, être placée parmi les priorités. Ce qui est en jeu ici, c'est bien l'avenir de l'Eglise en Europe, tout comme le bien et l'avenir de la société européenne[1]".

En plus de ce que les hommes entreprennent pour travestir l'amour ou le détruire, il y a la justification des erreurs qui met comme un verrou sur les péchés commis, en essayant d'en démontrer le bien-fondé : *Connaissant bien le verdict de Dieu qui déclare dignes de mort les auteurs de pareilles actions, non seulement ils les font, mais ils approuvent encore ceux qui les commettent* (Rm 1, 32).

Dans le domaine de l'amour et du mariage, si d'abord la vérité n'est pas proclamée, et aussi les mensonges dénoncés, il sera impossible de remédier à la crise qui sévit dans le monde, et à l'intérieur même de l'Eglise. Et c'est la responsabilité des pasteurs.

Si après avoir annoncé objectivement la vérité en dénonçant le péché, on tombe dans le subjectivisme, en décidant que chacun fait

---

1. *Symposium des évêques d'Europe*, 1985, DC n°1906, col. 1085.

comme il peut là où il en est, on n'est plus un bon serviteur de Dieu. Aussi, dans le même paragraphe n°9 de cette lettre aux évêques d'Europe, Jean-Paul II dévoile-t-il l'erreur :

> "En privilégiant un subjectivisme et un individualisme qui tendent seulement à la recherche de l'autoréalisation égoïste, le mariage a été privé de sa signification intime et naturelle, et de sa valeur."

Dans Ezéchiel, Dieu dit nettement la responsabilité du guetteur :

> *"Fils de l'homme, Je t'ai fait guetteur pour la maison d'Israël. Lorsque tu entendras une parole de ma bouche, tu les avertiras de ma part. Si je dis au méchant : "Tu vas mourir", et que tu ne l'avertisses pas, si tu ne parles pas pour avertir le méchant d'abandonner sa conduite mauvaise afin qu'il vive, le méchant, lui, mourra de sa faute, mais c'est à toi que je demanderai compte de son sang. Si au contraire, tu avertis le méchant...toi tu auras sauvé ta vie"* (Ez 3, 16-19).

Quand la vérité a dévoilé le péché, l'aveu est possible et le regret également, puis le pardon et la réconciliation. L'homme pourra faire son salut, et les époux retrouver le chemin de l'Amour s'ils l'ont perdu. Oui, mais pas n'importe quel chemin d'amour, le vrai, celui que Dieu avait donné dans sa fidélité, enseigné par sa parole, et transmis dans les sacrements.

N'a-t-on pas osé appeler "union libre" ce concubinage qui est la situation aliénante par excellence : l'homme et la femme sont prisonniers d'eux-mêmes dans la recherche du bien-être personnel de chacun, et pour un temps indéterminé. Ce n'est plus la fidélité qui est alors la loi de l'amour, mais la jouissance.

Cette vérité est à faire dans un amour qui vient de naître entre deux futurs époux : avant le mariage, il y a les fiançailles. Et les "jeunes amoureux", qu'ils aient vingt ou quarante ans, attendent que des témoins de la vérité, prêtres, couples fidèles et laïcs, leur enseignent la vérité. C'est là une des plus grandes marques d'amitié que nous puissions avoir pour eux. Mais souvent la vérité fait peur. Déjà l'apôtre Paul a dû s'en défendre : *suis-je devenu votre ennemi en vous disant la vérité* (Ga 4, 16) !

Et c'est toujours une grande joie pour les amoureux qu'on leur dise la vérité puisque *l'amour se réjouit de la vérité* (1 Co 13, 6).

Ainsi un couple, vivant maritalement depuis quelque temps, sans le sacrement, prit-il la décision de vivre des fiançailles, en attendant la date du mariage religieux :

Martine : "Cela fait tout juste quinze jours que nous sommes ensemble. Cela faisait trois ans qu'on attendait ce moment-là et cela a été très difficile pour nous. Nous ne sommes pas mariés et nous avons quelques difficultés pour le faire. Nous sommes arrivés en couple et nous repartons fiancés. Je ne sais pas si c'est une grâce, ce n'est pas facile. Quand le Père nous a dit cela, je n'étais pas contente. Ce n'est pas très facile à dire. Je suis sûre que le Seigneur va nous donner la grâce de le vivre. Je n'ai absolument pas de doute, j'ai la foi en cette retraite. Tous les retraitants sont venus chercher quelque chose à cette retraite, nous on repart fiancés. Merci Seigneur".

Jacques : "On avait d'autres projets, on était contents de vivre comme cela, mais c'est le Seigneur qui nous demande de changer. A vrai dire au départ, je ne l'ai pas pris comme cela, je l'ai pris très mal, j'ai beaucoup pleuré d'ailleurs. Mais il y a eu une parole pour moi : "il y a une personne qui guérit d'un sentiment de condamnation". C'est vrai, je le sentais comme une condamnation. Cela va encore demander de longs mois avant de pouvoir être un couple devant Dieu, mais ce sera comme le Seigneur le veut, et je le remercie pour cela".

Donc, il faut faire la vérité d'abord, et la faire dans l'amour.

Faire cette transparence est une épreuve, mais qui donne la paix.

L'un des principaux motifs de séparation, c'est le manque de transparence dans la vérité. C'est alors qu'une chose cachée en entraîne une autre. La première erreur avait été de s'appuyer sur l'adage : "toute vérité n'est pas bonne à dire". Or ce proverbe est faux. Il faut le "convertir" ainsi : "quand on aime vraiment, il y a toujours un moment que Dieu donne pour dire toute la vérité". Ce ne sont pas alors les quatre vérités jetées à la figure, mais la délicatesse de l'amour, où tout peut être dit. Alors la joie du salut revient dans la maison, avec l'espérance en plus. Tout un chemin reste à faire, mais il apparaît désormais possible. La vérité engage à l'aveu, l'aveu à la repentance, la repentance au coeur touché, le coeur touché à la compassion. Et au sein de la compassion, la conversion, la guérison, et le pardon qui redonne l'amour, et le construit.

Faire la transparence, c'est à la fois un don de Dieu, et en même temps, un choix de l'homme : il faut que les époux s'y plongent. Voici le témoignage d'un couple dans ce sens :

Noëlle : "J'avais demandé une grâce de transparence pour notre couple. Et hier, pendant la prière des frères, il nous a été dit que nous allions recevoir une grâce de transparence".

Claude : "J'avais fait beaucoup de demandes au Seigneur : celle de la transparence, et celle de prier ensemble avec ma femme. Mais je n'avais pas le sentiment de prier le Seigneur parce qu'on faisait la prière au lit tous les deux. Ma femme trouvait cela très bien. Ce que je voulais, c'est qu'on se mette à genoux, qu'on ait un coin prière chez nous. Pendant un enseignement, il a été dit qu'on pouvait prier allongé. j'ai dit : "Seigneur, tu ne vas pas me faire un coup pareil". Et je voyais ma petite femme qui remuait son crayon. Puis il a été ajouté : "prier à genoux, c'est mieux". Ma femme ne me regardait plus. "Prier à genoux, c'est un acte d'humilité". Alors, je disais merci au Seigneur. Il paraît que ce passage n'était pas prévu dans l'enseignement mais que l'Esprit Saint a poussé ce frère à l'ajouter. C'était vraiment pour nous".

Les époux sont toujours appelés à retrouver l'amour, sinon ensemble dans la vie commune, du moins ensemble de coeur. Comme prêtre, j'ai rencontré plusieurs conjoints vraiment "abandonnés", en arriver au pardon complet envers l'autre. L'un des deux n'était pas revenu, mais l'amour, lui était revenu. C'est dans l'attente du retour de l'enfant prodigue que Dieu fait des merveilles.

S'appuyer sur la Parole de Dieu

Une fois le péché dévoilé au travers de l'épreuve de vérité, il faut croire immédiatement en la réconciliation qui peut avoir lieu, et qui doit avoir lieu. Mais c'est d'abord parce que l'on croyait la réconciliation possible, qu'on a pu accepter de faire la vérité.

Cette réconciliation sera à vivre avec Dieu d'abord, entre époux ensuite. Souvent, cette réconciliation demandera de nombreux actes de foi, de la part du prêtre durant le sacrement, comme de la part des époux en vue des retrouvailles dans l'intimité de leur âme, de leur coeur et de leur corps, eux qui sont créés pour être *"une seule chair"*. C'est là qu'est la foi en la Parole de Dieu.

Tout péché sans exception doit être donné à la miséricorde de Dieu. Toute injure à l'amour conjugal est faite pour être pardonnée au sein du couple selon les commandements de Dieu. L'adultère est un péché tout comme les autres : le vol, le mensonge, etc.

Tu ne tueras pas,
tu ne commettras pas d'adultère,
tu ne voleras pas... (Ex 20, 13-15).

Il faudrait une ruse de langage réellement pernicieuse pour faire dire le contraire à des commandements aussi précis.

Pour les époux, c'est parfois aussi la séparation tacite. Ils marchent en parallèle. Comme "bons chrétiens", ils envisagent tout sauf la séparation. Et seule l'intervention de Dieu peut briser cette glace, qui est contraire à la flamme de l'amour. Témoin ce couple, après quarante années de misère :

Benoît : "Pendant quarante ans, je n'avais pas réalisé que le Seigneur m'avait choisi une épouse, je croyais que c'était moi qui l'avait choisie, et pendant quarante ans, je l'ai fait souffrir. Aujourd'hui, il a ouvert mon coeur pour que j'essaye de lui donner tout l'amour que Dieu m'a donné. Merci Seigneur".

Catherine : "Voilà, j'avais épousé un mari muet, c'est-à-dire qu'il est devenu muet le jour de notre mariage. Quand on était fiancés, il n'était pas muet : je ne comprenais pas. Quand nous sommes à table avec des amis, il parle même beaucoup : quand les amis partent, on fait la vaisselle, alors c'est : "passe-moi le torchon" et puis c'est fini pour la semaine ou pour le mois si on ne reçoit personne d'autre... Comme nous sommes chrétiens tous les deux, on va à la messe tous les dimanches. Quand j'allais en retraite, il m'amenait en voiture, il venait me rechercher : "ça va, tu as fait une bonne retraite" ? C'est tout. Voilà quarante-deux ans de non-partage et de non-dialogue ! Il m'est arrivé de compter à l'envers. Les uns disent : "je n'ai plus que tant d'années à vivre", et moi je disais : "je n'en ai plus pour longtemps, tant mieux parce que la vie ne m'intéresse plus". Quand on vit seule pendant quarante ans, il faut les faire ces quarante ans ! Déjà, je l'avais inscrit, sans lui dire, à une retraite à Lourdes et là, la Sainte Vierge l'attendait".

Benoît : "Je ne voulais pas aller à Lourdes parce que pour moi c'était les marchands du temple. Je me figurais qu'il y avait plus de présence de marchands que du Seigneur. J'y suis allé contraint et forcé. Et effectivement, j'ai été surpris par l'ambiance de Lourdes. Puis la Sainte Vierge m'attendait. Je ne suis jamais en retard et au moment de la procession aux flambeaux, il fallait se réunir à la grotte. A l'époque on faisait la procession en passant par le haut de la basilique. J'ai été à la grotte l'un des premiers. Un jeune arrive avec une pancarte de Paris. C'était un grand truc en verre avec des bougies qui pesait lourd. Il me dit : "voulez-vous tenir cela, je reviens tout de suite". Il n'est jamais revenu et j'ai dû faire toute la procession aux flambeaux, en tête avec cette pancarte".

Catherine : "Je me suis rappelée cela pour l'amener ici, je lui ai demandé : "veux-tu venir à Nouan" ? "Oui", sans commentaire. Et nous avons eu quatre paroles pour nous, le premier jour".

Benoît : "Pour moi c'était : "il y a un homme qui doit remercier Dieu parce que sa femme l'a amené". J'ai pris cela pour moi".

Catherine : "Pour moi j'ai entendu : "il y a une épouse dans l'assistance, qui ce soir a regardé une petite soeur célibataire et qui l'enviait". Oui parce que pour moi le mariage, c'était tellement horrible, que j'enviais cette soeur. Nous commençons donc à être mariés au bout de quarante-deux ans. Mon mari n'est plus muet depuis avant hier-soir ; et depuis nous avons prié ensemble, ce qui était impensable auparavant. Le Seigneur a fait pour nous des merveilles".

3 — LA JOIE DU PARDON

"Je crois aux miracles"

C'est le titre d'un livre de Kathryn Kuhlmann[1], témoignant d'un ministère puissant de guérison au nom de Jésus. Qui n'a pas entendu parler du témoignage de cette femme des USA, qui au travers de son charisme de foi, a pu, par la guérison de nombreux malades, amener des foules à la conversion ? La réconciliation des époux séparés ? c'est un miracle, dans certains cas. Oui, parfois cela arrive, et pourquoi pas même plus souvent ? Si ce n'est pas un miracle au sens propre du terme, c'est une merveille de Dieu, chaque fois que dans le couple, c'est à nouveau l'amour qui a la victoire.

Pourquoi ne demanderait-on pas le miracle à Dieu ? Nous le demandons bien en famille ou dans des pélerinages pour la santé physique, ou la conversion spirituelle de l'un de nous, ou de nos amis. Et nous avons tous été témoins de l'action de Jésus, vivant parmi nous.

Ainsi cette jeune femme qui, appuyée sur l'épaule d'un autre, va demander la prière. On lui impose les mains, comme Jésus nous l'a

---

1. Kathryn Kuhlmann, *Je crois aux miracles,* épuisé.

demandé (cf. Mc 16, 18) : *guérissez les malades !* (Lc 10, 9). Et sur le trajet du retour, toujours s'appuyant sur l'autre, elle se détend d'un coup comme un ressort, au beau milieu de l'assemblée, revient vers son tuteur, le prend dans ses bras et danse devant tous, mais surtout devant le Seigneur, un pas de valse le plus beau et le plus harmonieux qui soit. Comme si une main invisible avait agi ? Oui, une main invisible avait tout remis en place instantanément. Les mille cinq cents participants à la prière ont pu voir : c'était à la convention charismatique de Lux près de Chalon-sur-Saône, il y a plusieurs années.

Ainsi, avons-nous vu des couples aller ensemble vers la Sainte Eucharistie, l'adorer, s'abandonner à la toute-puissance de Dieu, et ressortir de là tout autres, lavés, libérés de leurs fautes déjà pardonnées, par cette même main invisible. C'est "le doigt de Dieu" dont nous parlent les Evangiles, c'est-à-dire l'action de l'Esprit Saint : *"Si c'est par le doigt de Dieu que j'expulse les démons..."* (Lc 11, 20), dit Jésus. Et ailleurs : *"Si c'est par l'Esprit Saint que j'expulse les démons..."* (Mt 12, 26). En effet dans les récits parallèles, les deux termes sont employés indifféremment. Effectivement l'Esprit Saint redonne vie au couple malade, et le libère.

> Nous avons vu une épouse, prise de phobie de salissure depuis dix ans, incapable de marcher dans un chemin de terre, bloquée dans l'expression de son amour envers son mari et ses deux enfants, faire un chemin de croix de deux heures dans la nature, en prononçant le nom de Jésus à chaque pas, côte à côte avec son époux. Parvenue jusqu'à la quatorzième station, elle entonna le chant de résurrection avec toute l'assemblée. Ce que les psychologues n'avaient pas pu faire en dix ans, Jésus l'avait fait en un chemin de croix.

Oui, mais croyons-nous vraiment à la Sainte Eucharistie, sacrement de guérison ? Croyons-nous vraiment que Jésus nous a sauvés par sa passion et sa mort sur la croix ?

Ecoutons ce témoignage de guérison dans l'adoration, devant la Sainte Eucharistie, avec toute la grâce qui en est retombée sur la famille.

> Marie-Noëlle : "C'était tellement dur de vivre avec mon mari, particulièrement à table, et devant les enfants. C'était impossible de nous parler calmement. Je suis d'un tempérament vif et pas très douce, et cela n'arrangeait pas les choses. Il n'était pas question pour moi de quitter mon mari. J'ai beaucoup souffert du manque de tendresse de mon papa qui m'aimait à sa manière, mais me faisait des reproches sans cesse, et je n'ai jamais été sur ses genoux. Ainsi j'avais du mal

à aimer, et à me laisser aimer. Un jour, après une confession, j'ai pris la résolution de mieux aimer mon mari, et je m'aperçus qu'il était moins dur avec moi. Et depuis j'ai pris la résolution de mieux l'aimer avec mon coeur, de lui donner plus de tendresse, de prendre sa main, ou de lui sourire. Cela va mieux entre nous, son caractère est toujours là, mais je crois que nous sommes dans la bonne voie : il est allé emmener notre fils de dix-sept ans en ville pour une course, une chose qu'il n'aurait jamais faite auparavant. Le Seigneur l'a déjà touché. Je te rends grâce ô mon Dieu. Vous avez prié sur moi et vous m'avez dit que Jésus était en train de toucher mon mari et de me libérer du pardon que je ne lui accordais pas du fond du coeur. Pendant que vous priiez pour moi, je ne ressentis absolument rien. Je vous quittai pour aller à la chapelle, à l'adoration. Dés que je suis entrée, j'ai vraiment ressenti une grande libération du Seigneur. Je n'avais plus ce poids sur le coeur, mais une très grande paix en moi. Ce soir je réciterai le magnificat en action de grâce et pour votre ministère. Au cours de la retraite, j'ai vraiment découvert que c'est Jésus seul qui peut donner l'amour entre un homme et une femme".

La contemplation du coeur transpercé de Jésus, comme l'adoration de la Sainte Eucharistie donnent la guérison. *C'est par ses blessures que nous sommes guéris* (Is 53, 5) et (1 P 2, 24). Après la guérison du boiteux de naissance (cf. Ac 3), Pierre explique au sanhédrin : *Car il n'y a pas sous le ciel d'autre nom donné aux hommes, par lequel nous devions être sauvés* (Ac 4, 12).

Pour toutes guérisons nécessaires, le couple devra donc prier avec foi et confiance. Jésus fera alors pour lui des merveilles. Et l'entourage de ce couple, pour lequel la communauté des frères aura prié avec foi, pourra proclamer comme nous l'avons entendu dire bien des fois : "ces deux-là, s'ils sont encore ensemble, c'est de l'ordre du miracle", ou davantage encore : "s'ils sont revenus ensemble au bout d'un an, deux ans, ou dix de séparation effective, quel formidable miracle Dieu a fait pour eux" !

Que deux époux reprennent la vie commune au bout de quatre ans d'absence, vécus par le mari dans l'adultère, j'ose affirmer que c'est de l'ordre du miracle. Et si c'est simplement l'exaucement d'une prière, pourquoi cela n'arrive-t-il pas plus souvent ? Il est des guérisons physiques qui sont des miracles. De même il est des retours d'époux l'un vers l'autre qui sont tout simplement miraculeux.

Voici un couple qui se présenta à une retraite : ils vivaient ensemble sans être mariés. Ils ont pu reconnaître leur erreur, demander pardon de leur péché, et soutenus par la prière de toute la communauté, remettre de l'ordre tous deux dans leur vie. En effet, l'homme de ce couple était réellement marié et avait eu plusieurs enfants avec sa véritable épouse, mais l'avait abandonnée. Ce couple décida de quitter cette relation d'adultère, et quelques mois après, l'époux était là de nouveau pour une retraite, mais cette fois avec sa véritable épouse. Ils s'étaient tout pardonné. Ce ne fut pas facile pour cet homme, on l'imagine. Mais il fallait d'abord y croire. Et comme nous demandions à son épouse si elle avait tout pardonné pour de bon, elle répondit "oui" sans hésiter et avec joie, ajoutant : "j'attendais tous les jours qu'il revienne, alors je n'ai pas été étonnée". Et toi le mari ? : "J'étais certain qu'elle m'attendait. Je savais qu'elle était restée fidèle pendant ma trop longue absence, et c'est bien cela qui m'a donné le goût et la force de revenir au foyer conjugal".

Cette épouse fidèle avait gardé l'espérance et la foi : l'amour était sauvé !

L'amour sans la foi ne va pas bien loin sur notre terre. Parce qu'il l'a cru possible, cet époux a pu retrouver le bonheur avec sa véritable épouse. La seconde femme avec laquelle il avait vécu pendant quatre ans avait cru elle-aussi que Dieu ne l'abandonnerait pas avec ses deux petits enfants, nés de cette union illégitime. De son côté l'épouse, dans la foi, attendait chaque jour le retour de son mari. La communauté qui les entoure y avait cru, et le prêtre aussi. Vécu ainsi, le mariage a de l'avenir ! Mais il faut la foi, la foi à transporter les montagnes dont nous parle Marc : *"Si quelqu'un dit à cette montagne : "soulève-toi et jette-toi dans la mer", et s'il n'hésite pas dans son cœur, mais croit que ce qu'il dit va arriver, cela lui sera accordé"* (Mc 11, 23).

C'est un charisme[1] aussi : *à un autre, la foi est donnée dans le même Esprit ; à tel autre les dons de guérison* (1 Co 12, 9).

Nous avons bien vu le boiteux marcher, les aveugles retrouver la vue, les sourds entendre, les muets parler et le paralytique se redresser tout droit sur son séant et marcher. Alors pourquoi une épouse atteinte de frigidité conjugale depuis toujours ne pourrait-elle pas guérir elle aussi ? La prière de guérison intérieure obtient des merveilles, pourvu qu'elle soit faite avec foi. Mais Jésus a voulu attendre l'Eucharistie pour montrer que c'est Lui qui guérit :

Nathalie : "Lorsque j'ai témoigné, à la fin de la retraite, je ne voulais pas parler de ma frigidité, car je m'avais pas encore de preuve concrète de cette guérison, mais j'étais absolument sûre que Jésus

---

1. Philippe Madre, *Lève-toi et marche : le charisme de foi*, Pneumathèque, 1988.

m'avait guérie. En effet quelques jours après cette merveilleuse guérison intérieure (je ne cesserai jamais de remercier le Seigneur d'utiliser des prêtres pour cela), j'ai senti pendant une eucharistie des picotements sur mon ventre. Puis il m'est revenu une parole de Jésus que j'avais reçue il y a environ un mois : celle de la femme courbée depuis dix-huit ans, que Jésus libérait. Cela fait dix-huit ans que nous sommes mariés. "Femme, te voilà délivrée de ton imfirmité". C'est bien vrai ! Je veux raconter le bonheur de mon époux et le mien. Je comprends aussi que cette guérison n'est pas seulement pour moi. Par mon témoignage, Jésus veut toucher beaucoup de coeurs. Il y a beaucoup de jeunes femmes qui souffrent de frigidité, et qui n'osent pas en parler. Jésus aussi veut les libérer. Le peu de fois que j'avais osé en parler, j'ai été encore plus blessée à cause de la réaction des autres. La première fois, la gynécologue m'a dit de boire du champagne, la deuxième fois, lors d'une retraite, j'ai été voir un couple qui accueillait, le mari m'a ri au nez... et sa femme est venue me dire qu'elle aussi était frigide ! La troisième fois, c'est un prêtre qui m'a fait comprendre que ce serait ma croix à porter toute ma vie. Oui Jésus libère et guérit au plus profond de l'être. Et Il veut mettre à la lumière ce qui est caché, et faire éclater sa gloire et sa toute-puissance. ·e remercie Jésus, maintenant que j'ai la preuve concrète d'être vraiment aimée de Dieu. Il a posé son regard sur moi et Il n'arrête pas de me regarder avec amour. Que je sois dans ma cuisine ou ailleurs, j'ai ce regard devant moi. Et je lui dis des "merci Jésus" à longueur de temps ! Il est sûr que les épreuves reviendront, mais j'ai maintenant une force nouvelle en moi, et c'est avec cette force-là que nous allons vivre notre amour de couple maintenant".

Oui, le Seigneur a remis dans les mains des pauvres hommes que nous sommes le don de la foi, et c'est pour nous en servir, à la gloire de Dieu ! Mais souvent, dans quelle misère ne sommes-nous pas tombés, au point d'être devenus trop "raisonnables". *Oh ! si vous pouviez supporter un peu de ma folie !* (2 Co 11, 1), s'exclamait l'apôtre Paul dans l'élan de la foi, qu'il voulait communiquer aux Corinthiens.

Croyant ainsi à la guérison des malades, non pas pour faire l'original, ni pour attirer les médias, mais pour obéir à la Parole de Dieu et la pratiquer, il m'est venu de penser que tous les pécheurs pouvaient se convertir, et donc se réconcilier avec le Seigneur, et aussi que les époux allaient se réconcilier entre eux, quels que soient les dommages, les motifs ou le temps qui les avaient séparés.

A la fin d'une confession remplie de contrition, et faite par écrit, j'ai vu le muet parler et s'écrier, sans bégayer : "merci Seigneur". Pourquoi ne verrai-je pas deux époux faire chacun (et non pas ensemble) une bonne confession, c'est-à-dire regretter leurs péchés conjugaux ; puis se retrouver ensemble devant le prêtre pour qu'il leur impose les mains afin d'être renouvelés dans la grâce puissante du mariage ? Oui, je l'ai vu. Et je les ai vus aussi s'embrasser et se retrouver dans l'amour après une longue, trop longue parenthèse.

C'est ainsi que deux époux, faisant un acte de foi dans le sacrement de mariage, purent revenir à la vie commune après quinze ans de séparation. D'abord, Dieu les a réunis comme frère et soeur, côte à côte, et dans un second temps, ce furent des gestes d'époux qu'ils purent avoir ensemble. Evidemment il y a tout un chemin à refaire. Et il est quasiment de l'ordre du miracle. Mais qui pourrait nous interdire de croire aux miracles ? Et quel mécréant aurait l'audace de dire à Dieu : "fais un miracle, et j'y croirai ensuite" !

> André : "Nous nous sommes mariés en 1969. Notre vie de couple a duré à peine quatre ans. Quand je me suis marié, je ne me sentais pas net, j'avais des problèmes et notre mariage n'a pas tenu. Il y a eu une longue séparation, une quinzaine d'années, jusqu'au moment où la grâce du sacrement de mariage a fini par agir. Le Seigneur m'a appelé, j'étais dans un tel désarroi. Cela représentait la seule solution pour dépasser une crise qui allait être fatale. Dès que je suis retourné vers le Seigneur, Il n'a pas manqué d'agir, et cela m'a conduit à revenir "gratter" à la porte de la maison, et cela après quinze ans. Donc je crois fermement à la grâce du sacrement de mariage, mais après une pareille fracture dans le couple, ce n'est pas très facile de recommencer. Une chose a beaucoup joué : je suis revenu avec la foi, cadeau du Seigneur, foi en la prière qui a été la base d'une vie commune possible. Mais nous restions quand même frère et soeur, côte à côte. Grâce à la prière, c'est une vie qui commençait à ressembler à quelque chose, alors que sans Dieu, elle ne ressemblait à rien. La grâce de cette retraite se traduit par un geste possible entre nous. Le Seigneur veut nous réunir plus près. Un mur s'était construit entre nous, et c'est le Seigneur qui a commencé à le démonter. Nous Le remercions, Lui qui nous montre que tout est possible, même quand on pense que tout est perdu.

Finalement le Seigneur ne demande aux époux qu'un acte de foi et un peu de bonne volonté pour ce nouveau départ. Ensuite, il faudra des actes de conversion des deux côtés, car Dieu ne veut pas les voir revenir ensemble pour se blesser de la même façon que dans la première étape de leur mariage.

Mais il faut croire aux miracles. Car cela n'arrive jamais par hasard. Il y faut toute la prière de la communauté chrétienne. C'est elle qui obtient la grâce. Le prêtre est là dans son sacerdoce ministériel, chargé du sacrement de la réconciliation. Et s'il y croit vraiment, il n'a pas fini de voir des merveilles. Ce sont "les hauts-faits de Dieu" dont nous parle le concile Vatican II :

> "La grâce de Dieu, certes, peut accomplir l'oeuvre du salut, même par des ministres indignes, mais, à l'ordinaire, Dieu préfère manifester ses hauts-faits par des hommes accueillants à l'impulsion et à la conduite du Saint Esprit, par des hommes que leur intime union avec le Christ et la sainteté de leur vie habilitent à dire avec l'apôtre : *si je vis, ce n'est plus moi, mais Christ en moi.*"[1]

Je crois aux sacrements et à la prière de la communauté

Pour obtenir le miracle de deux époux qui se pardonnent et reprennent la vie commune, il faut quatre sacrements :
- L'Eucharistie et son adoration
- Croire à nouveau au sacrement de mariage
- Recevoir avec repentir le sacrement de réconciliation
- Et croire au sacerdoce du prêtre

Mais il faudra aussi, avant pendant et après, une communauté dans la foi, fidèle dans l'intercession et qui insiste comme l'ami importun (cf. Lc 10, 5) ou la pauvre veuve qui demandait qu'on lui rende justice (cf. Lc 18, 1). Car la grâce passe également en puissance, à travers la communauté - qui est presque un huitième sacrement - lorsqu'elle pratique la prière de foi dans la persévérance, ainsi que le jeûne.

Heureuse communauté vraiment chrétienne qui ne lâchera pas d'une semelle le Seigneur avant qu'elle ait été exaucée, et qui ensuite saura tuer *"le veau gras"*, inviter les voisins, et crier tout alentour : *"Réjouissez-vous avec moi, car je l'ai retrouvée ma brebis qui était perdue"* (Lc 15, 6).

> Deux jeunes, mariés deux ans auparavant, étaient déjà séparés depuis plusieurs mois. Chacun était reparti chez ses parents. Laissant le sacrement de Mariage, ils avaient aussi abandonné celui de l'Eucharistie et de la Réconciliation. Et pourtant, ils étaient tous deux à la messe chaque dimanche, animateurs de la liturgie par leur don de

---

1. *Décret sur le ministère et la vie des prêtres*, n°12.

musiciens. Un jour, voici que tout le quartier était là pour l'Eucharistie, chacun avec sa famille. La parole du jour était : Ne séparez donc
pas ce que Dieu a uni (Mt 19). Et le prédicateur eut une parole de
connaissance à la fin de l'homélie : "que diriez-vous de deux jeunes
époux, qui remplis d'amour l'un pour l'autre, chrétiens et vraiment
croyants, ne seraient pas capables de se retourner vers Dieu ? Il leur
donnera la force de se retrouver. Cela entraînerait aussi la réconciliation de leurs familles, qui se sont brouillées depuis cette séparation".
Au baiser de paix, le jeune mari, bravant toute l'assemblée, et fran-
chissant la barrage de sa famille, alla rejoindre sa jeune épouse pour
l'embrasser. A nouveau ils communièrent. Le soir ils recevaient le
pardon de leurs péchés. Quatre jours après, devant cinq mille personnes, à l'occasion d'un rassemblement, ils témoignaient. La prière
de toute la communauté paroissiale, qui attendait depuis des mois le
retour de son organiste et de sa guitariste était exaucée. Au passage
seulement, il y avait eu la parole de miséricorde d'un prédicateur
itinérant. Ignorant tout du drame de cette paroisse, il avait simplement
rappelé cette vérité fondamentale, que Dieu est le maître de l'impossible et qu'avec le secours de sa grâce tout peut arriver, même ce qui
dépasse nos capacités humaines. Il avait aussi cité la parole : *"ils
feront une seule chair"* et *"l'homme quittera son père et sa mère"*.
Tout y était, c'était clair. Les deux brebis perdues étaient de retour.

C'est toute la communauté qui accueille l'enfant prodigue en
même temps que le père, vers qui le fils a décidé de revenir : "j'irai
vers mon père". Le prêtre, de par son sacerdoce a cette mission toute
particulière d'inviter et d'encourager à la réconciliation. Le prêtre
est indispensable, pas seulement pour l'absolution. Un charisme doit
transparaître de sa personne, et faire que tout fidèle voit en lui le
canal de la vie enfin retrouvée, et de la réconciliation possible. En
effet le concile dit qu'il est un rassembleur impartial :

> "En bâtissant la communauté des chrétiens, les prêtres ne
> sont jamais au service d'une idéologie, ou d'une faction
> humaine : hérauts de l'Evangile et pasteurs de l'Eglise, c'est
> à la croissance spirituelle du corps du Christ qu'ils consa-
> crent leurs forces."[1]

Le prêtre doit avoir ce coeur universel, pour inviter les hommes
à la réconciliation. D'où son rôle auprès des couples et de la
communauté qu'il rassemble. La communauté de foi, dans son unité,
va être garante de la fidélité des époux. Dans leurs épreuves, elle sera

---

1. Vatican II, *Décret sur le ministère des prêtres* n°6.

là, les entourant de ses prières pour obtenir du Seigneur l'accomplissement de ses promesses.

Prier avec foi : la clé est là pour accompagner nos couples en difficulté. Seule la foi peut nous faire passer le handicap du fait accompli ! *"Mais le Fils de l'homme, quand il viendra, trouvera-t-il la foi sur la terre"* (Lc 18, 8).

La foi sera toujours la clé de l'amour donné et de l'amour retrouvé. Pour remonter la pente d'un sacrement de mariage battu en brèche, il n'y a qu'un chemin à prendre : faire des actes de foi, de la part du couple, de la part du prêtre et de la part de la communauté.

Et Dieu ne tarde pas à faire des merveilles, car Il est fidèle à ses promesses ; tel ce couple marié depuis vingt-cinq ans, chrétien, ayant deux enfants et pensant à la séparation sous le "regard de Dieu", à cause d'une incapacité notoire de rencontre vraie et profonde dans l'intimité charnelle. Voici la lettre reçue en témoignage :

> Cher frère prêtre,
> Lors de notre passage le 13 juillet, après notre entretien, tu m'avais demandé de t'écrire huit jours plus tard, et, c'est avec une immense joie que je le fais : tu nous avais dit que "Dieu est le Dieu de l'impossible", et Il nous l'a montré d'une manière éclatante pendant les vêpres. Jean a demandé la prière des frères et a été guéri sur le champ de cette peur qui bloquait tout. Je découvre depuis ce temps-là un Jean complètement retourné, et nous vivons (enfin !) une lune de miel, (la vraie) après vingt-cinq ans de mariage. Je te remercie du fond du coeur de nous avoir écoutés si longuement tous les deux dans cette situation désespérée. Nous te remercions surtout pour ta prière, et celle de tous les frères.
> Nous t'embrassons affectueusement. Merci.
> Juliette

Dans la prière de foi, les exaucements sont nombreux. Et cette prière est le bon chemin à prendre, au lieu du constat d'échec, même si l'échec existe depuis vingt ou trente ans.

C'est encore le témoignage de ce couple sans enfant qui, au bout de plusieurs années de mariage et après avoir consulté plusieurs médecins, s'adresse à Dieu dans la prière, avec la communauté rassemblée, et obtient l'exaucement demandé, deux mois après ; mais c'était au delà de ce qui avait été demandé : ils eurent des jumeaux ! Deux ans après, ils repassent par la communauté : l'un des deux petits, ne marchait pas. Nous avons prié à nouveau. Quelques jours après, il marchait comme son frère.

La foi qui sauve

Si tu crois dans ton coeur, tu seras sauvé (Rm 10, 9). La foi a beaucoup baissé. Autrement dit : la tiédeur s'est installée (cf. Ap 3, 16), et nous savons ce que le Seigneur fait des tièdes. Pour ce qui est de croire en "l'impossible", cela est devenu difficile parce que les discours sont timides, et dits au conditionnel : "peut-être le Seigneur serait-il prêt à vous accorder ceci..." Trop souvent, les homélies ne parlent plus de certains sujets devenus "tabous" : si le prêtre parle de cohabitation, de fornication ou d'adultère, bientôt les deux tiers de l'assemblée se sentira concernée, -au moins par un membre de leur famille-, peut-être choquée, culpabilisée, se croyant même faussement condamnée. Alors on parlera de l'amour au niveau fraternel et social et on relancera une fois de plus le thème de la solidarité dans le monde. Travailler sincérement à réduire les inégalités dans le monde en envoyant un chèque peut être, dans certains cas, plus facile que de continuer à vivre , en fidélité avec une épouse ou un époux devenu "insupportable". En effet, cela demande un acte de foi beaucoup plus grand.

> Convertissons-nous et revenons à l'alliance. *"Fais-moi revenir que je revienne, car tu es Seigneur, mon Dieu"* (Jr 31, 18).

L'Eucharistie va refaire une communauté chrétienne vivante au sein de laquelle les fiancés demanderont de nouveau le mariage. Et dans le sacrement de pénitence, les époux trouveront la réconciliation dont ils ont besoin pour vivre ce mystère d'alliance qu'ils incarnent au sein du corps que nous formons tous (évêques, prêtres, laïcs), et qui est l'Eglise.

Mais nos communautés doivent d'abord revenir à la ferveur, qui est le contraire de la tiédeur. "Gardons la ferveur de l'Esprit" nous avait dit Paul VI dans son exhortation sur l'évangélisation, (n°80, le 7 décembre 1975). Il leur faut quitter la léthargie, les peurs, les doutes, l'attentisme, pour que les futurs couples et les anciens puissent trouver auprès d'elles appui et force. "Ne regarde pas nos péchés, mais la Foi de ton Eglise", disons-nous à chaque messe.

Réveille-toi, ranime ce qui te reste de vie défaillante (Ap 3, 2). *Eveille-toi harpe, cithare, que j'éveille l'aurore* (Ps 57, 9 et 108, 3) Ecoutons cet hymne du premier siècle de l'Eglise, parvenu jusqu'à nous, et voulu par l'Esprit Saint dans la parole inspirée. Déjà, semble-t-il, les chrétiens du premier siècle se laissaient endormir dans l'erreur. Déjà, il était nécessaire de *"dénoncer les oeuvres stériles des ténèbres"* :

> *Eveille-toi, toi qui dors, lève-toi d'entre les morts et sur toi luira le Christ* (Ep 5, 11-14).

Tiédeur, léthargie, ténèbres, rien de tout cela n'est dans la volonté de Dieu. Alors que faire ? Prier, toujours prier, mais avec une certitude complète d'être exaucé :

> *Nous avons en Dieu cette assurance que si nous demandons quelque chose selon sa volonté, Il nous écoute. Et si nous savons qu'Il nous écoute en tout ce que nous Lui demandons, nous savons que nous possèdons ce que nous Lui avons demandé* (1 Jn 5, 14-15).

Nul doute que le Seigneur veuille sauver la grâce du mariage, que c'est bien sa volonté. Alors, soyons certains aussi qu'il nous écoute et nous vivrons par la foi dans ce sacrement un réveil peu banal pour l'Eglise tout entière, et qui marquera son histoire !

Le pardon qui libère et qui construit l'amour

Libre d'aimer, toujours et à nouveau : c'est cela qui procure la vraie joie. La véritable souffrance du coeur de l'homme, c'est de ne pas pouvoir aimer et pire encore, d'avoir perdu l'amour. D'où l'amertume, la rancoeur, ou la rancune qui créent cette prison dont l'homme a besoin d'être libéré.

Seul, il ne peut pas opérer cette libération ; il faut qu'un autre passe par là pour lui redonner le chemin de la liberté. Et un couple n'a jamais à lui seul la clef de la prison dans laquelle il s'est enfermé souvent lui-même.

Deux époux étaient ainsi dans une prison : celle du manque de fécondité. Ils avaient remédié à la chose avec générosité, mais leur coeur n'était pas satisfait. Un pardon n'avait pas été donné et les étouffait. Il leur semblait ne pas pouvoir se rejoindre complètement. Dans la prière, ils ont eu la lumière. Et en se pardonnant, la blessure fut guérie complètement : l'adoption n'avait pas tout solutionné. Au coeur de la prière de la communauté, ils furent libérés :

Jean : "Depuis que nous sommes mariés, notre problème est que je suis stérile. Cela dressait entre nous une barrière. Nous l'avons vécu douloureusement, lorsque nous l'avons appris, et nous nous sommes tournés vers l'adoption. Nous avons une petite fille de trois ans et demi qui fait tout notre bonheur. Mais nous nous faisions encore des reproches".

Colette : "Je reprochais encore à Jean d'être stérile".

Jean : "Il y avait toujours dans notre relation de couple un voile quelque part avec quelque chose qui ne passait pas. Et la grâce que nous avons reçue ici, c'est la force du pardon, et de la guérison du jugement sur moi-même".

Colette : "Je suis trop contente" !

De part et d'autre le pardon engendre une grâce de libération, qui permet de revenir à l'amour. A nouveau la miséricorde va reconstruire le coeur de chacun dans l'échange réciproque, embellir l'Eglise, et finalement concourir à sauver le monde.

C'est alors comme une soif dans le coeur des époux de pouvoir se pardonner, une grâce qu'ils ne veulent pas laisser de côté, parce qu'ils ont, bien ancré dans leur mémoire, le souvenir de ces moments de plénitude après une demande de pardon si ardue soit-elle. Ils avaient connu à ce moment là une grande intimité et goûté une joie indicible.

Cette joie, c'était de voir l'amour revenir, et même se reconstruire. Le pardon libère, mais également il construit. En enlevant les blocages, il redonne la paix et donc un climat favorable à grandir encore dans l'amour. Combien de couples végètent en amour, faute de ne pas s'être accordé tous les pardons nécessaires. Aimer c'est pardonner. Et pardonner, c'est construire. Voici le témoignage d'un couple, enfin libéré par une démarche de transparence qui avait tant tardé à venir.

Dans une clinique accueillant les "grands malades", un homme se mourait d'un cancer généralisé. Son épouse, après de longues journées de travail venait lui rendre visite, lorsqu'un jour, elle croisa l'aumônier. Mais bien vite, elle vint à avouer sa peine profonde, puisque les jours de son époux étaient comptés. Le plus dur pour elle, c'était de se voir obligée de quitter son mari dans le mensonge : à deux reprises elle l'avait "trompé" et ne le lui avait jamais avoué. Son mari était à la dernière extrêmité, mais avec toute sa conscience encore, et souffrait beaucoup. Prise de remords, elle avoua la chose à l'aumônier qui lui conseilla d'aller demander pardon à son époux. "Jamais, il est trop tard, impossible maintenant" ! "Ne craigniez rien, cet aveu dans la transparence ne pourra qu'être bénéfique pour lui, comme pour vous". Et elle le crut. Vingt minutes après, elle sortait de la chambre et revenait vers l'aumônier pour le remercier. Son mari lui avait répondu : "les deux fois, je m'en suis douté ... Si tu savais quel cadeau tu me fais, quel poids tu enlèves de me l'avouer". Elle revint le lendemain : son mari avait cessé de souffrir complètement. Son visage était reposé. Un léger sourire sur ses lèvres montrait son âme en paix. Dieu avait tenu sa promesse, faite par l'aumônier : "tous les deux, vous en recevrez de grands bienfaits". Dieu est fidèle. Tous deux étaient libérés par le pardon demandé et reçu. Leur amour était reconstruit au dernier jour. Avec Jésus, il est tard parfois, mais jamais trop tard.

Le pardon entre les époux engendre donc une joie à nulle autre pareille, et en toutes circonstances.

Le pardon fait partie intégrante de l'amour, de l'amour digne de ce nom, c'est-à-dire durable et fidèle. C'est là que les époux sont dans la profondeur mystique de la grâce du mariage qu'ils ont reçue. Ils ne peuvent pas s'échapper dans une fausse mystique : le pardon réciproque les ramène sans cesse à la vérité de l'amour :

> *Petits enfants, n'aimons ni de mots, ni de langue, mais en actes et en vérité* (1 Jn 3, 18).

Mais la beauté de ce pardon c'est d'être une offrande répétée chaque jour, *"non pas sept fois, mais soixante-dix-sept fois"* (Mt 18, 22), dans la profondeur d'un amour, allant grandissant d'années en années, selon l'exhortation de Paul, valable pour tous les chrétiens :

> *Je vous exhorte donc, frères, par la miséricorde de Dieu, à offrir vos personnes en hosties vivantes, saintes, agréables à Dieu : c'est le culte spirituel que vous avez à rendre. Et ne vous modelez pas sur le monde présent...* (Rm 12, 1-2).

L'offrande de la vie des époux passe absolument par le pardon. Tout acte d'offrande personnelle, qui consisterait à l'éviter serait illusoire, donc relevant d'une fausse mystique.

Que ceux qui reprocheraient aux époux chrétiens et fervents de se lancer dans une mystique qui les ferait décoller de terre, trouvent ici réponse à leur ignorance sur la vie mystique à laquelle sont appelés tous les baptisés.

Oui, mais comment prendre ce chemin du pardon qui libère, et redonne la joie de l'amour offert, si d'abord l'on ne voit dans la lumière la nécessité d'une transparence indispensable, dévoilant ce qui est à convertir et pardonner ? Les coeurs peuvent être généreux, mais il faut qu'ils soient d'abord dans la lumière. L'apôtre Jean, dans son épître nous dit que *Dieu est amour* (1 Jn 4, 16). Mais il prend bien soin de nous dire auparavant qu'il "est lumière". Pour lui c'est une vérité fondamentale, la base même de son message :

> *Voici le message que nous avons entendu de lui et que nous vous annonçons : Dieu est lumière* (1 Jn 1, 5).

L'amour passe par le pardon, le pardon passe par la vérité, et la vérité par la lumière. Pour aimer, mettons nos coeurs dans la lumière !...

Mais lorsque les époux se trouvent au plus terrible d'une nuit profonde, que faire ? C'est alors l'espérance qui sauve et c'est le Seigneur qui la donne, et la redonne encore.

CHAPITRE III

Au coeur de la nuit, l'espérance

Puisque les ténèbres s'en vont,
et que brille déjà la véritable lumière.
(1 Jn 2, 8)

Si les coeurs ne sont pas dans la lumière, il leur est impossible de s'aimer. *Vivre en enfant de lumière* (1 Th 5, 5), c'est la grâce de tous les baptisés, mais davantage encore des "consacrés". Or le mariage est une consécration. Et les époux auront à se laisser purifier sans cesse pour grandir dans leur amour. Il leur faudra mettre Jésus au centre de leur vie, accueillir l'Esprit de vérité, et conformer leur vie à la Parole de Dieu. Quittant alors l'aveuglement et ses mensonges, les époux avanceront dans la docilité au véritable amour, indispensable pour que le sacrement soit vécu dans la lumière et dans la vérité. "Lumière et vérité" : bases solides d'un amour fidèle et généreux, d'un amour libéré du flou, des craintes et des doutes, qui ne se plaisent que trop dans les ténèbres.

1 — DÉVOILER LES TÉNÈBRES

L'illusion de la générosité

La générosité ne suffit pas, les époux ont besoin aussi de voir clair dans leur vie, surtout quand ils n'arrivent pas à se rejoindre vraiment et qu'ils en souffrent. Devant cette incapacité à progresser dans l'amour conjugal, certains couples iront chercher une compensation ailleurs, c'est-à-dire à un autre niveau, collectif ou fraternel. Chacun de son côté prendra des responsabilités dans la société, ou comme chrétien, dans l'Eglise. C'est alors que la générosité peut cacher la vérité : et la vérité, c'est que Dieu appelait ces époux d'abord à une vie réellement donnée l'un à l'autre, ce qui n'excluait pas pour eux de se dévouer à l'extérieur, pour éviter aussi l'autre écueil, celui de l'égoïsme à deux. Ainsi deux époux se posaient-ils la question du renoncement en vue de rentrer dans une communauté. L'Esprit de Vérité leur a enseigné à honorer leur couple en premier et à ne pas fuir :

> Paule : "On avait toujours fui la retraite pour couple. Et ce qui nous a été donné pendant cette retraite, c'est de comprendre qu'il ne faut pas mettre la charrue avant les boeufs, c'est-à-dire qu'on voulait faire beaucoup de choses pour le Seigneur, qu'on voulait donner beaucoup mais on oubliait peut-être l'essentiel, le quotidien de notre couple. Je crois que le fait de vouloir faire une recherche communautaire, nous éloignait l'un de l'autre, à savoir qu'on était en train de paniquer dans l'impatience qu'il se déclenche quelque chose. On n'y comprenait plus rien. Petit à petit cela a fait qu'on a abandonné un peu la prière parce qu'on se braquait là-dessus. Puis on a découvert un autre manque : on ne se demandait pas pardon et cela nous a beaucoup frappés lorsque le prêtre en a parlé. On laissait de petites rancunes, de petites choses du quotidien s'accumuler. On ne se demandait pas pardon par oubli ou par orgueil. Je crois vraiment que c'est cela qu'on a reçu : qu'il fallait d'abord qu'on prie à nouveau régulièrement et qu'on apprenne à se demander pardon tous les jours ce qui nous permettra d'avoir un regard de transparence l'un sur l'autre. Et puis le reste viendra après. Le Seigneur nous fera connaître ce qu'on doit faire, en plus".

> François : "Si sa volonté est que nous restions dans notre maison, on le fera, le Seigneur montrera le reste ensuite".

Avoir la pensée d'entrer en communauté est une chose généreuse pour un couple. Mais il faut que ce soit sa vocation. Et c'est en approfondissant l'amour du couple qu'il aura la réponse du Seigneur.

L'absence de vérité

Pourquoi tant d'échecs en amour ? Certainement par manque d'enseignement sur le véritable amour.

Sans la lumière de la foi, la reconnaissance par l'homme du besoin absolu du pardon pour perdurer en amour, est impossible et même insupportable. Dans son orgueil, il n'admet ni sa faiblesse, ni son péché; tout au plus reconnaît-il son erreur.

On ira chercher loin, très loin, les motifs d'un échec en amour, excepté dans le péché. Il n'y aura donc pas besoin d'user du pardon pour revenir à l'amour.

C'est l'absence de vérité qui détériore les relations intimes des époux, et déjà celles des fiancés. Quant au couple qui ne vit pas le sacrement de mariage, la durée de leur cohabitation passagère dépendra du temps pendant lequel ils auront pu se supporter sans se demander pardon l'un à l'autre. Lorsque le contentieux est trop lourd pour n'avoir pas été réglé au jour le jour par le pardon réciproque, on se sépare d'un commun accord, en faisant mine de croire que l'on était heureux ensemble jusque là, et qu'on le sera encore demain, une fois séparés.

> Je connais un couple qui avait vécu maritalement pendant deux ans, s'était séparé, puis remis ensemble une troisième année, cette fois-ci avec un peu plus de sérieux et l'acquis d'un métier. Etant chrétiens, ils ont alors envisagé le mariage, ils en ont même fixé la date, en se laissant une période d'attente de quelques mois. De semaine en semaine, ils furent déçus l'un de l'autre, et ils durent convenir, dans la paix, qu'ils n'étaient pas faits l'un pour l'autre. Effectivement, leur cohabitation juvénile ne les avait pas préparés à s'unir pour la vie, car elle ne ressemblait en rien à un don de soi réciproque.

La lassitude engendrée de part et d'autre par ce faux amour, où chacun ne s'approche de l'autre que pour avoir sa part personnelle de jouissance, met bientôt fin à toute cohabitation prématurée. L'aveuglement est grand, d'avoir pris de l'égoïsme à deux pour de l'amour vrai. Et plus encore de penser que l'amour parfait est possible sans Dieu.

L'homme laissé à lui-même, se trompe en amour, et trompe l'autre en même temps. Car Dieu a mis dans le coeur et dans le corps des époux toutes les facultés nécessaires pour percevoir si chacun aime l'autre d'amour donné, ou à l'inverse, d'amour égoïste et possessif. *L'amour ne fait rien d'inconvenant, ne cherche pas son propre intérêt* (1 Co 13, 5).

Cependant, un couple pourra tenir quelques années dans cette vie jalonnée d'échecs répétés. La venue d'un enfant ou deux, les fera s'accrocher davantage aux enfants que l'un à l'autre, jusqu'au jour où malgré les enfants, ils en viendront à se séparer. Dans le meilleur des cas, on demandera au psychologue de s'occuper de l'enfant malheureux : il fera ce qu'il pourra, mais ne remplacera jamais l'amour parental. Ce n'était pas la générosité des parents qui était en cause, mais leur aveuglement.

En effet, c'est avec courage souvent, que les époux essaieront de revenir l'un vers l'autre, mais toujours en reproduisant le même échec, par ignorance du véritable amour selon Dieu, et la non-re-connaissance de leur péché.

L'entourage soi-disant "compréhensif" jugera donc avec eux, qu'après tant d'essais, aussi courageux qu'infructueux : "ils n'étaient pas faits l'un pour l'autre". En signant ce constat d'échec, le conseiller conjugal, le psychologue ou le juge du tribunal les encourageront à trouver un meilleur parti..., le bon cette fois ! Cela s'appelle le subjectivisme. Où est la vérité ? Le véritable motif de la séparation n'a pas été dénoncé.

La vérité, c'est que le couple n'était plus, depuis longtemps, dans la miséricorde. Et c'est cela qu' il fallait leur rappeler, ou plutôt d'abord leur enseigner, pour qu'ils puissent en venir au pardon réciproque. Encore faut-il croire au pardon.

Il faut croire au pardon, mais certainement aussi à la conversion qui est l'oeuvre du Seigneur :*" Fais-nous revenir à Toi, Seigneur, et nous reviendrons. Renouvelle nos jours comme autrefois*" (Lm 5, 21)." *Fais-moi revenir, que je revienne, car Tu es Le Seigneur mon Dieu*" (Jr 31, 18).

L'aveuglement

Noyé dans la difficulté, celui qui est "perdu" en amour, a beau-coup de peine à voir Dieu qui est là, tout près de lui, pour le secourir.

Ce qui retarde la conversion, c'est l'orgueil : devant sa faiblesse on va hésiter, ou pire, refuser de demander le secours de Dieu pour en sortir.

La miséricorde de Dieu vient au secours de l'homme dans sa faiblesse.Mais celui qui, par aveuglement, refuse de voir sa faiblesse, et donc d'accepter toute miséricorde, va essayer, face aux difficultés de la vie, de s'en sortir à la force du poignet.

Eloigné de la miséricorde, il sera incapable de la pratiquer. Dans le récit de la guérison de l'aveugle-né (cf. Jn 9), nous voyons les pharisiens refuser de se laisser "émouvoir" de compassion devant cet homme guéri par Jésus. Ils menacent même les parents du miraculé d'être exclus de la synagogue. L'aveuglement est toujours "accusateur" : *"Nous savons que Dieu n'écoute pas les pécheurs"* (en parlant de Jésus) (v 31)..., *"de naissance, tu n'es que péché, et tu nous fais la leçon !"* (v 34) (pour le miraculé). Et ils le jetèrent dehors.

Celui qui inflige un tel mal à l'homme, c'est l'Adversaire : *"Il n'y a pas de vérité en lui... Il est menteur et père du mensonge"* (Jn 8, 44).

Il a la capacité de faire prendre le bien pour le mal, et le mal pour le bien. Et cela aux plus "instruits" de la terre, et quelquefois aux plus généreux. L'aveuglement rend orgueilleux celui qui a le savoir, et lui fait croire qu'il est le "meilleur", et n'a donc plus à écouter les autres. Les pharisiens ne manquent ni de foi, ni de générosité, mais seulement d'écoute et d'humilité : ils sont présomptueux, ils savent la réponse avant de poser la question. Ils jugent l'autre perdu d'avance, alors qu'eux-mêmes le sont déjà. L'orgueil engendre le jugement. Le jugement produit l'accusation, la condamnation, l'exclusion et la mort. Les Pharisiens accusent Jésus : *"Tu nous outrages, nous aussi"* (Lc 11, 45). Pourtant Jésus ne fait que dire la vérité.

L'aveuglement mène donc à la mort, et avec la prétention d'embellir la vie : *"Pas du tout ! Vous ne mourrez pas ! Mais Dieu sait que le jour où vous en mangerez, vos yeux s'ouvriront et vous serez comme des dieux, qui connaissent le bien et le mal"* (Gn 3, 4), dit mensongèrement le serpent à Eve.

L'aveuglement emmène sa victime dans des ténèbres de plus en plus épaisses, au fur et à mesure que les preuves de l'erreur s'ajoutent et qu'elles sont refusées. Jusqu'au jour, où le piège est tendu, invisible, pour faire "chuter" lourdement celui qui n'avait que des discours sur Dieu, et une apparence d'intégrité, capable de donner le change.

A la surprise quasi générale, les pharisiens les plus dévoués à la cause de Dieu vont demander la mort du Fils de Dieu. *"Ce sont les désirs de votre père* (le diable) *que vous voulez accomplir. Il était homicide dès le commencement"* (Jn 8, 44). *Les grands prêtres décidèrent aussi de tuer Lazare, parce que beaucoup de juifs, à cause de lui, s'en allaient et croyaient en Jésus* (Jn 12, 10-11).

Le seul remède à l'aveuglement, c'est l'humilité. Sans elle, il arrive aux époux de tuer l'amour.

C'est ainsi qu'un époux n'avait pas l'humilité de reconnaître son alcoolisme. Et son épouse l'écrasait dans sa faiblesse, par son arrogance. C'est une parole de connaissance qui les sortit tous les deux de l'ornière dans laquelle ils s'enfonçaient de jour en jour :

Françoise : "C'est au milieu de l'enseignement qu'il y a eu une parole de connaissance qui m'a fait pleurer. Mais Dieu donne toujours la vérité pour guérir : "Quand tu vois ton mari qui rentre tard, au lieu de tourner en rond, de lui en vouloir, si tu te mettais à prier, tu verras qu'il rentrera beaucoup plus tôt que tu ne penses. Quand tu t'approches de lui et qu'il sent le pastis, si tu l'aimais à la place de l'accuser, de lui faire des reproches et de le juger". J'ai compris que cela était pour moi. Je me suis toujours placée auprès de mon mari comme une moraliste. Je le juge. Dans le fond de mon coeur je l'aimais, mais je n'ai jamais su capter son regard. Quand il me regardait dans la rue, je détournais les yeux, je voulais et ne pouvais pas. Et pourtant dans le fond de mon coeur j'attendais tout de lui. Mais je crois que c'est moi qui ne savais pas "donner". Merci Seigneur parce que je crois que maintenant je vais pouvoir lui donner, et le regarder : le Seigneur va m'apprendre".

Bernard : "Je vais témoigner de quelque chose que ma femme ne sait pas, mais elle va l'apprendre maintenant que je suis certain de son amour. Je fais un travail qui m'est assez facile. Mais le soir, je suis invité, un pastis par ci, un pastis par là. Un soir que j'avais un pastis de trop, on dîne ensemble. Ma femme me sert un verre de vin, je le bois. Je n'ai pas trouvé que c'était suffisant, je m'en ressers un peu.Pour me vexer, elle le remplit. Cela m'a monté à la tête, je n'ai pas bu le verre, je me suis levé et de colère, je suis parti. J'ai fait cinquante Kilomètres. Chez des amis, j'ai frappé à une porte, je n'ai trouvé personne, puis à une deuxième. J'étais parti quatre heures en tout, et non seulement j'ai perdu ces quatre heures de sommeil, mais je n'ai pas pu dormir de la nuit et j'ai dû repartir au travail. J'ai fait ma journée comme j'ai pu, je suis rentré le soir, on s'est "fait la gueule" jusqu'à ce qu'on vienne ici. Maintenant, on est réconcilié, et j'espère que cela ne se reproduira plus jamais".

Françoise : "Je voudrais remercier un couple qui est ici. C'est grâce à eux si nous sommes venus et aussi convertis, parce qu'ils ont beaucoup prié pour nous".

Dieu les a mis dans la lumière, mais il fallait l'humilité qui est la clef de la transparence et de l'amour. Toute recherche sur l'amour conjugal qui ne se fonde pas sur la Parole de Dieu risque fort de tomber dans l'illusion, l'erreur, ou même le mensonge. Ces époux, cependant généreux et ouverts sur leur entourage étaient en train de se perdre. En se mettant à l'écoute du Seigneur, ils ont trouvé la lumière et la vérité sur leur vie, et cela les a sauvés.

La présomption

Grisé par le succès, l'homme est la proie facile du tentateur sur les trois plans du savoir, du pouvoir et du sexe :

Le savoir devient occasion de se faire valoir. "Malheur à la science qui ne tourne pas à aimer", a dit Pasteur.

Le pouvoir dégénère en autoritarisme. Quand il n'y a plus de paternité, c'est le massacre du troupeau. Isaïe dénonce ce fléau :

> *Les guetteurs sont tous des aveugles, ils ne savent rien... les bergers incapables de comprendre, des chiens voraces, insatiables* (Is 56, 10-12).

L'orgueil du sexe est dans la séduction du vis-à-vis, ou, plus insidieux encore, dans la vaine gloire de s'en croire le maître.

Dans un péché de faiblesse, on peut être encore sur le bon chemin, seulement enlisé dans l'habitude mauvaise. Mais celui qui est tombé dans l'aveuglement, par contre, semble marcher allègrement ; en fait il s'est trompé de chemin ! Et il est incapable de s'en rendre compte : il devra faire confiance à un frère pour revenir sur ses pas, et prendre enfin le bon chemin. Voici un cas de présomption très grave :

Il m'est arrivé de rencontrer un couple qui avait pratiqué de façon habituelle pendant deux ans, avec trois autres couples, un échange de partenaires sexuels. Devant le mari "chrétien", qui m'en parlait du bout des lèvres, sans l'ombre d'un regret, j'exprimai nettement ma réprobation, ou plutôt celle de la Parole de Dieu : *"Ils seront une seule chair, que l'homme ne sépare donc pas ce que Dieu a uni"* (Mt 19). Et lui m'a répondu : "je n'ai trompé personne, puisque mon épouse était consentante ". Il m'a fallu dix bonnes minutes de dialogue, pour que le voile tombe enfin : en un éclair, il a réalisé quel orgueil ils avaient eu ensemble de mépriser la Parole de Dieu, en estimant mieux faire, et en pensant que la monogamie et la fidélité conjugale étaient "dépassées" : les quatre couples étaient d'accord entre eux, alors n'avaient-ils pas la vérité ?...
J'osai leur demander à tous deux s'ils avaient été "heureux" de cette expérience. Ils m'avouèrent que non, et c'est pourquoi ils y avaient renoncé. Mais ils n'avaient pas encore la lumière là-dessus. Quand je leur ai dit : "vous vous êtes donc trompés" ! Ils l'ont reconnu avec un oui de soulagement ! Dieu était là dans sa miséricorde pour les relever. Ils s'étaient trompés mais ils ne se l'étaient jamais avoués à eux-mêmes, ni à Dieu. N'y voyant plus clair sur leur vie, ils étaient venus faire une retraite, en envisageant toutes les hypothèses, sauf de s'être égarés sur un mauvais chemin. Ils n'avaient jamais entendu proclamer la vérité ainsi, à partir de la parole de Dieu : *Plus incisive*

qu'aucun glaive à deux tranchants (He 4, 12). *Si vous demeurez dans ma parole, vous êtes vraiment mes disciples et vous connaitrez la vérité, et la vérité vous libèrera* (Jn 8, 31). Ce jour-là, ce couple vécut une véritable libération.

"Large et spacieux est le chemin qui mène à la perdition, et il en est beaucoup qui s'y égarent" (Mt 7, 13).

Avaient-ils envie de se perdre ? certainement pas ! Mais ils étaient tombés purement et simplement dans un aveuglement, qui leur faisait prendre le mal pour le bien. Au point de départ, il y avait eu de la présomption. Elle consistait en ceci : nous aurons bien la force de ne pas aller plus loin qu'il ne faut. Ils étaient allés très loin.., trop loin.

L'orgueil de la connaissance

Aujourd'hui, on peut observer un orgueil de la connaissance qui jette l'homme le plus cultivé dans un aveuglement terrible. C'est le cas de certains chercheurs en génétique, qui se lancent dans des expériences folles, au point de mettre la vie au frigo. Aveuglés par leur science, ils ont oublié l'amour, l'amour conjugal et parental, qui restera toujours le but profond et essentiel de la fécondité.

D'autres fois, la science médicale, certaine d'elle-même, proposera de supprimer le bébé avec l'assurance que la maman ne subira aucun dommage :

> Une maman de 42 ans avait déjà plusieurs enfants lorsque s'annonça un petit dernier, que le monde appelle "retardataire", comme s'il y avait du retard dans le plan d'amour de Dieu ! Elle alla consulter son médecin gynécologue, une femme, et voici à peu près quel fut leur dialogue : - "Madame, ce bébé, vous n'êtes pas obligée de le garder ! Voyez, pour l'élever, la différence d'âge qu'il aura avec les autres. Et puis il y a un risque de plus qu'il ne soit pas aussi beau que les autres..." - Vous voulez dire, docteur, qu'il pourrait naître infirme ! - Oui, vous le savez bien. - Ah oui, mais ce que vous ne saviez pas, c'est que mon mari et moi, nous étions prêts à adopter un petit bébé trisomique abandonné... Alors, si c'est le mien qui est handicapé, de toutes façons, nous serons comblés. - C'est une autre façon de voir. Oui, celle de Dieu et de l'Evangile. Quelques mois après, le bébé est né : un enfant aussi "beau" que les autres, et qui fait la joie des grands.

Ainsi, ceux qui trouvent une solution à la vie, en mettant à mort l'embryon au sein de sa mère sont-ils dans l'aveuglement le plus complet, et par là-même, perdent-ils le sens de l'amour.

La loi en faveur de l'IVG, en vigueur dans plusieurs nations, lorsqu'elle est mise en application, permet certainement de ne pas être "hors la loi", mais elle n'apaisera jamais le coeur de celui ou de celle qui s'en est servi. Et elle ne justifiera jamais ni l'orgueil, ni l'égoïsme de ceux qui l'ont inventée. Heureusement, face à cette loi, plusieurs groupements se sont créés pour accueillir et aider les femmes qui se retrouvent seules devant cette responsabilité de donner la vie. Ainsi "Mère de miséricorde"[1].

Si l'homme peut progresser encore à pas de géant dans la connaissance de la vie, son origine et sa croissance, il ne pourra jamais en être le maître. Seul Dieu est maître de la vie, et pour toujours. Mais comment des esprits si intelligents et allant de découverte en découverte peuvent-ils être ignorants d'une vérité à ce point fondamentale, qu'elle en est elle-même immuable ? Ce sera toujours vrai : l'ignorant se perd faute de connaissance, et le savant, dans l'aveuglement orgueilleux. Le drame, c'est que dans les deux cas, l'amour est bafoué. Et le couple, dans le mariage, en subit toutes les conséquences. D'où la crise qui l'atteint actuellement, et d'une façon cruciale.

Face au monde, le Pape Jean-Paul II a réagi au nom du respect des droits de l'homme, en 1979, pour que l'enfant soit enfin protégé :

> "La sollicitude pour l'enfant, dès avant sa naissance, dès le premier moment de sa conception, et ensuite au cours de son enfance et de son adolescence, est pour l'homme la manière primordiale et fondamentale de vérifier sa relation à l'homme."[2]

Ainsi, c'est tout homme qui est invité à renoncer aux ténèbres pour adopter la lumière. La science n'exclut pas d'avoir beaucoup de coeur... et un peu de bon sens.

Et puis, tout homme a une conscience et tout chrétien la Parole de Dieu pour diriger sa vie dans l'honnêteté et l'obéissance de la foi. Le roi Baudouin de Belgique ne s'est pas cru obligé de ratifier une loi meurtrière. Il a refusé de se compromettre en signant un texte légalisant l'avortement, pour le pays dont il a la charge. La science

---

1. Mère de Miséricorde a pour but d'écouter et d'aider les femmes envisageant l'avortement et celles qui, l'ayant vécu, en restent blessées. Mère de Miséricorde, Couvent Notre-Dame, 81170 Cordes.
2. Discours à l'assemblée générale des Nations Unies, 2 oct. 1979, n°21.

n'exclut pas non plus d'avoir une conscience ! Et le grand roi de ce petit pays, par la grâce de Dieu, a pu tout récemment en témoigner à la face du monde. Un tel geste ne saurait être réservé à quelques prophètes. Voyons-y une espérance pour aujourd'hui et pour demain. Déjà la nouvelle génération réagit.

2 — LE MARIAGE EN CRISE ?

Il n'y a pas à dramatiser. Cela ne veut surtout pas dire que tous les couples soient en difficulté. Cependant il faut bien avouer que globalement, il est urgent de se pencher sur la question.

Il y a une crise du mariage

Oui, il y a une crise du mariage. C'est une réalité. Le dire n'est pas une injure à ceux qui souffrent de cette crise dans leur couple. Ce n'est pas non plus une parole de pessimisme qui engendrerait la désespérance. Au contraire même, c'est en repartant de la réalité. celle d'aujourd'hui, que tous les espoirs sont permis. Et dans ce cas, on a non seulement le droit de parler de cette crise, mais encore le devoir de se demander d'où vient cette blessure au coeur de l'humanité, pour pouvoir y remédier.

Les statistiques sont là, et nul ne peut les contester. En France, 120 000 divorces sont prononcés par an, autrement dit près d'un mariage sur trois aboutit à une séparation. Au niveau national, on compte environ 1,5 million de divorcés. Dans certaines régions même, on note une accélération de la dégradation, de façon notoire, par exemple : "dans le département du Cantal, les demandes de divorce ont augmenté de 16% en 1986, et de 27% l'année suivante. En 1989, il y a eu autant de sentences de divorces que de mariages civils"[1].

---

1. Mgr Cuminal, président de la commission épiscopale de la famille, *La Croix*, 29 mars 1990, col. 1.

Ceux qui refusent de constater cette crise ne sont t-il pas trop souvent ceux qui ne voient pas de solution, et qui, au lieu d'avouer leur incapacité à y répondre, préfèrent éluder la question ou la minimiser ?

Il y aura aussi ceux qui remettent en cause les bases même de notre Eglise et de la société. Ils vont trouver normal ce bouleversement auquel il fallait s'attendre dans le climat général des mutations accélérées qui préparent le monde meilleur de demain. Il n'y a qu'à s'y soumettre. Nous ne devons surtout pas nous arrêter à des schémas dépassés, combats d'arrière-garde, d'ignorants ou d'apeurés, refusant le progrès. Suite à des analyses poussées, on replacera ce phénomène du mariage en perte de vitesse, dans tout un ensemble, où sera noyé le problème, et minimisées les conséquences de ce bouleversement. On osera même en déduire, à partir d'une situation de fait, que le mariage n'est plus à la mode. Il nous faudra donc savoir attendre que ce goût du mariage revienne : ne rien bousculer, mais seulement constater et attendre. Toute autre recherche serait "rétro" ou "restauration peureuse" face à une évolution inéluctable. Car bientôt l'humanité sera libérée du carcan des moralistes, qui s'inspirent d'une lecture fondamentaliste de la Bible.

L'enjeu est grand. Qui donnera la lumière ? Quelle option les hommes vont-ils prendre ? Or la décision à adopter n'est pas pour un avenir lointain, elle est urgente. Elle est à prendre nécessairement aujourd'hui.

Pour demain, la question est la suivante : l'homme sera t-il maître de son destin ? demande le philosophe; aura-t-il encore le droit d'avoir du bon sens ? se demande l'homme de la rue.

Pour répondre à ces questions fondamentales et urgentes de notre temps : le chrétien aura t-il encore un témoignage valable au sein de ce monde s'il n'honore pas dès à présent la grâce du mariage ? Evidemment non ! Alors que doit-il faire ? non seulement "penser", mais faire ?

Les causes profondes de la crise

D'abord, bien voir où nous en sommes dans le domaine du mariage.

Cette crise concerne autant les couples qui ne se marient plus, que ceux qui vivent une séparation ou un divorce.

Si on s'arrête à la constatation que chaque divorce est un cas particulier, qui "s'explique" par des causes extérieures, économiques, sociales ou culturelles, on ne va pas à l'essentiel, c'est-à-dire à l'origine de la discorde. Celle-ci est presque toujours de ce type : les époux s'aimaient bien, ensuite ils se sont blessés et ils n'ont pas pu, ou pas voulu se pardonner complètement, et chaque fois que c'était nécessaire. Tous les autres motifs qui sont réels, sont finalement seconds et ont un lien précis avec le motif fondamental : le refus du pardon. Parfois, ce n'est pas un refus délibéré, mais la vie devient une telle bousculade, que les époux ne prennent plus le temps de se demander pardon. Par exemple, ce couple dévoué certes, réalisa-t-il un jour qu'il était en train de perdre sa famille, parce qu'il s'était laissé "manger" par la vie :

> Françoise : "Nous sommes mariés depuis quatre ans et demi et nous avons deux enfants, j'attends le troisième. Au départ nous avions beaucoup de chance, une foi solide tous les deux.Mais il ne restait pas grand chose en arrivant ici. Dans la voiture, ce fut un vrai combat vis-à-vis de Bernard; je me rendais compte qu'au fil des années, le dialogue s'était beaucoup effiloché. Mon mari s'était laissé prendre par son travail, et moi par les enfants. Alors le doute s'était installé dans mon esprit : me suis-je trompée d'homme, me suis-je trompée de vocation ? Cela m'a fait beaucoup de bien de réentendre dire que le Seigneur est fidèle. Il s'est engagé avec nous dans le sacrement de Mariage, et au bout de quatre ans, Il voyait bien que nous nous essouflions, c'est pourquoi Il nous a attirés ici pour nous redire : "je suis là, je suis fidèle, cultivez la foi, l'espérance et la charité". Une autre chose que j'ai découverte, c'est que le Seigneur est lumière et dès qu'on s'éloigne de cette lumière, ce sont les ténèbres et l'aveuglement. En quatre ans, on ne priait plus ensemble et on essayait de compenser par d'autres choses. Le Seigneur m'a mis sur le coeur de lui donner la première place notamment dans ma vie de mère au foyer. Quand j'ai partagé tout cela avec une soeur de la communauté qui nous reçoit, elle m'a dit : "tu peux faire de ta maison un petit monastère, comme Marie l'a fait à Nazareth". J'ai vraiment envie d'y parvenir".

> Bernard : "Je ne savais pas tellement ce que j'étais venu chercher ici, j'étais au bout du rouleau, j'attendais. On avait décidé avant l'été que pendant les vacances, nous prendrions un temps pour le Seigneur. Le monde m'a "bouffé". Nous pouvons dire que nous avons reçu une grâce de plus de dialogue et de plus de transparence. Je redécouvre aussi en ce qui me concerne le sacrement de Réconciliation. Quand on est très pris du lundi matin au samedi soir, on n'a presque plus le temps de se reposer. J'allais encore à la messe le dimanche, mais la maison devenait le lieu de la décompression.Maintenant je sais que

grâce à Françoise, une fois par mois je rencontrerai un prêtre. Le Seigneur m'a mis cela dans le cœur. Et puis nous voulons garder ce temps de transparence et de dialogue en couple".

Un regard de foi pour surmonter la crise

Le divorce est une plaie sociale ; cet argument ne peut suffire pour le refuser. Il est vrai que le nombre des divorces allant croissant, les mariages eux-mêmes se trouvent fragilisés par cette démission collective, atteignant en certains endroits jusqu'à la moitié des couples.

Voir également dans le divorce une plaie familiale : c'est plus qu'évident. Car ce sont les enfants qui sont les principales victimes de la séparation de leurs parents.

Le divorce, une plaie morale ? Personne n'ose le nier, mais devant le fait accompli et l'incapacité de faire autrement, chacun y va de sa petite morale pour tranquilliser sa conscience, du genre par exemple : je ne serai jamais infidèle à ma seconde femme, on efface tout, et on recommence.

Mais finalement, le plus atteint, dans cette aventure anormale, n'est-ce pas Dieu lui-même, créateur du mariage ? Le plus grand déchirement est encore au cœur de Dieu. Pour qui n'a pas osé contempler le cœur de Dieu blessé, il est bien difficile d'avoir la lumière et la force pour revenir vers l'être aimé dans une vie de fidélité. Face à l'échec, l'homme se referme toujours sur lui-même, ou bien s'adresse à d'autres qui n'ont pas forcément la foi et risque d'être mal conseillé. Pour en sortir, il lui faut relever la tête, et regarder plus haut, vers Dieu : ne pas en rester à cette dimension horizontale, où l'homme, seul avec lui-même, se perd dans ses problèmes. Seul, ce regard de foi, vécu de part et d'autre par les "séparés" pourra accomplir le miracle des retrouvailles, que la communauté en prière sera en train de demander.

Des repères pour s'en sortir : Parole de Dieu et sacrements

Notre monde navigue dans le brouillard, dans le flou. La jeunesse est en contact avec une société sans repères : on ne sait plus où est le bien et où est le mal ? Faudra-t-il à nouveau tout expérimenter, quitte à se perdre, pour discerner les repères sur lesquels pourra s'édifier la civilisation nouvelle ?

Rien n'est moins souhaitable puisque ces repères, la Parole de Dieu nous les donne. Il suffit de se mettre à son écoute pour sortir du flou, et enfin *"bâtir sur le roc"*.

C'est l'ignorance de la Parole de Dieu qui fait malheureusement de beaucoup de chrétiens la proie facile des sectes aujourd'hui foisonnantes.

Paul VI déjà en 1975, invitait les évangélisateurs à faire preuve d'amour en annonçant la Parole de Dieu sans ambiguïté :

> "Un signe d'amour sera aussi l'effort de transmettre aux chrétiens, non pas des doutes et des incertitudes nés d'une érudition mal assimilée, mais des certitudes solides, parce qu'ancrées dans la Parole de Dieu. Les fidèles ont besoin de ces certitudes pour leur vie chrétienne; Ils y ont droit, en tant qu'enfants de Dieu, qui entre ses bras, s'abandonnent entièrement aux exigences de l'amour."[1]

Certains jours, il semble que nous soyons revenus au temps du prophète Amos :

> *J'enverrai la faim dans le pays, non pas une faim de pain, non pas une soif d'eau, mais d'entendre la Parole de Dieu. On ira titubant d'une mer à l'autre mer, du nord au levant on errera pour chercher la Parole du Seigneur et on ne la trouvera pas !* (Am 8, 11-12)

Cette soif de la Parole est bien réelle actuellement. Il faut être aveugle pour ne pas s'en rendre compte, et aussi pour ne pas reconnaître le retard qui reste à rattraper dans la prédication de la Parole et dans l'enseignement sur la vie sacramentaire.

Faute d'enseignement de la Parole de Dieu, et sans le magistère de l'Eglise, ce sont les sectes qui prennent le relais. Et lorsque l'un des membres du couple est prisonnier d'une secte, c'est la séparation dans le couple. L'erreur divise toujours.

Ainsi un couple chrétien était-il en train de se perdre par ignorance :

> Laure : "Nous nous sommes mariés le jour de la Croix Glorieuse. Après treize ans de mariage je me suis dit : "mon mariage n'est rien, il n'y a pas de mariage". Le travail ne me satisfaisait pas. Je trouvais

---

1. *L'évangélisation dans le monde moderne*, n°79.

que l'Eglise était vieillotte, sans spiritualité. J'avais toujours un regard vers l'orient, j'avais fait du yoga. La réincarnation était pour moi une chose normale. J'ai passé beaucoup de temps à dire mon chapelet, pleine de bonne volonté, avec ce qui est à considérer comme une secte : "l'invitation à la vie"(IVI)[1]. Alors j'ai voulu tout changer. J'ai largué mon travail, j'ai fait des démarches pour divorcer. Cependant, j'ai toujours demandé à Dieu : "fais que jamais je ne sois séparée de Toi". J'ai quitté cette secte et je suis allée à Lourdes en juillet : suite à ce pélerinage, nous nous sommes retrouvés avec Jacques comme des fiancés, alors que je ne pouvais plus le supporter. Maintenant tout est changé, parce que c'est Dieu qui prend en charge notre mariage. C'est comme si c'était Lui qui nous avait donnés l'un à l'autre, c'est tout différent".

Jacques : "Nous pratiquions tous les deux, et pendant toute la durée des longues années de crise, nous n'avons perdu ni l'un ni l'autre la foi, l'espérance et l'amour. Mais nous n'arrivions pas à pratiquer notre sacrement de mariage".

Trop souvent, la Parole de Dieu qui nous parle de l'amour, du don de soi et de la fidélité n'est plus enseignée. Les sciences nouvelles de la psychologie, la sociologie sont venues accroître nos connaissances et développer une anthropologie.

Mais qu'est devenue la théologie pendant ce temps ? Certes, les recherches théologiques n'ont pas manqué. Mais beaucoup d'enseignants se promenant volontairement aux frontières de la vérité, dans le souci de rejoindre les hommes à partir d'un monde redevenu incroyant, n'ont peut-être plus enseigné l'essentiel. Depuis cinquante ans, les théologiens ont trouvé leur nourriture aux frontières de la foi, dans une recherche, certes nécessaire et loyale. Mais le peuple chrétien, dans bien des cas, a été troublé faute de connaissance en théologie fondamentale. On se lancera par exemple dans la théologie de la libération, sans avoir aucune base théologique. On ira fouiller dans l'histoire des sacrements de mariage et de pénitence, pour en connaître l'évolution au cours des siècles, et on ne saura presque rien de ce qu'est en lui-même le sacrement en question. L'enseignement de l'Eglise aussi a manqué de diffusion ou d'écoute : les encycliques relatives au mariage ne sont pas assez connues.

---

1. L'IVI est une secte parmi d'autres. C'est une association fondée par Yvonne Trubert, guérisseuse, pour "aider" l'humanité à accéder à l'équilibre et à la paix intérieure, gnose syncrétiste.

Aussi l'ignorance en théologie sacramentaire a-t-elle été la cause de ce raz-de-marée d'abandon des sacrements.

D'où l'aveu d'un couple qui avait cru pouvoir se passer des sacrements, et se demandait si cela était bien nécessaire pour sa vie :

> Georges : "Dans les enseignements, on a beaucoup insisté sur l'importance des sacrements. Je n'y croyais pas trop. Je me disais : à quoi cela sert-il ? Qu'est-ce que cela peut changer dans ma vie ? Maintenant, je commence à comprendre. J'ai eu de lourds fardeaux à porter depuis mon enfance. Un jour j'ai eu cette image : un rocher dur exposé à la pluie. Après des années, une érosion se poursuit, des fissures vont se dessiner.
>
> Notre coeur est un peu comme cela. Pendant tout un temps, on ne s'aperçoit de rien, puis tout d'un coup quelque chose se dégrade. Mais le Seigneur vient opérer des guérisons par les sacrements; et c'est ce qui se passe maintenant dans notre vie de couple. Il nous donne la grâce de prier ensemble un "Notre Père" et un "Je vous salue Marie" tous les jours".

A sa manière, cet époux disait combien il avait découvert la nécessité de s'ouvrir à la grâce, et tout le temps qu'il avait mis à s'en apercevoir. Et cette grâce passe bien par les sacrements. Car c'est Jésus qui a voulu les sacrements.

Le couple qui a reçu le sacrement de mariage, et qui ignorerait les sacrements de l'Eucharistie et de la Réconciliation serait gravement en danger. N'oublions pas que les sectes recrutent surtout parmi les baptisés..., inconscients de leur baptême.

Le mariage, vécu comme une bénédiction seulement, mais pas comme un sacrement, s'inscrit dans une vie superficielle de relation à Dieu. C'est bien là une cause majeure de l'affaiblissement de la foi dans notre Eglise en cette seconde moitié du XXème siècle.

3 — PRÉVENIR OU GÉRER LA CRISE ?

Il est évident qu'il faut tout faire pour prévenir tout dommage dans la vie d'un couple. Mais si la crise éclate, faudra t-il la gérer ou la résoudre ? La réponse est claire : l'amour ne peut pas supporter que la crise soit entretenue. L'amour la repousse. Mais il faut bien voir quelle est la nature de cette épreuve. Est-ce qu'elle ne se situe pas d'abord entre l'homme et Dieu, à l'intérieur même de chacun, avant d'être entre les époux ?

La spiritualité du "fait accompli"

Elle consiste en ceci : A partir du fait accompli bon ou mauvais, on essaiera de construire une bonne oeuvre. On invoquera le réalisme : il n'est pas normal de demander davantage à des hommes et à des femmes d'aujourd'hui, car la civilisation dans laquelle nous sommes ne permet pas de suivre cette page d'Evangile. D'autre part, ne soyons pas trop pessimistes : regardons les progrès réalisés à la fin de ce siècle dans certains domaines. Même si le mariage n'est pas brillant en ce moment, cette mode va revenir. Il y aurait une sorte de loi dans la vie de l' Eglise, avec des hauts et des bas, et seuls les ignorants pourraient s'en indigner ou, plus grave encore, créer une psychose de peur, alors que tout ne va pas si mal que cela.

En fait, tout le monde le sait, les statistiques le disent et le prouvent : il y a une crise. Certains chrétiens mariés, séparés ou divorcés abandonnent facilement la grâce du mariage et les plus jeunes "oublient" de recevoir ce sacrement, ou même de faire un mariage civil. Si tous connaissent les statistiques, ils n'en tirent pas les mêmes conclusions, tant s'en faut !

Les expressions : "adultère" ou "concubinage" ont presque disparu du vocabulaire usuel. A sa guise, on peut déclarer que c'est le premier mariage qui est mauvais, donc le second est le bon, et l'adultère est effacé. Pour parler de ceux qui vivent en cohabitaion, les plus jeunes emploient volontiers l'expression : faire un "petit mariage". Tel est le nouveau nom du concubinage. Et, d'après la loi, ce "petit mariage" donne les mêmes droits que le "grand mariage", celui que font les imprévoyants, (car "divorcer" coûte cher) ! Et puis ceux qui vivent en concubinage sont moins imposables ! Alors quel avantage reste-t-il au mariage ? Bien sûr il y a Dieu, l'Eglise... mais on nous a dit que l'essentiel c'est d'être en recherche... alors ? Connaissez-vous un jeune qui ne soit pas en recherche ? La vérité, c'est qu'il ne suffit pas d'être en recherche, il faut être en marche, et sur le bon chemin.

En partant du fait accompli, d'autres essaient de soutenir que des couples dans le concubinage ou le mariage civil, sont déjà unis de façon légitime et peuvent prendre ensuite un temps de "catéchumé-nat" qui les conduira au sacrement de mariage. Ce dernier serait alors conscient et solide. Ce projet théologique est plus que surprenant. Il trouve son point de départ et son fondement, non plus en Dieu, mais à partir de la vie des hommes qui en arrivent à la sacramentalité du mariage quand bon leur semble. C'est une autre forme de spiritualité du fait accompli.

En fait il y a un refus de se remettre en cause qui n'est pas évangélique. Cette spiritualité n'a jamais été chrétienne, parce qu'il y a là un manque de foi et d'espérance. Elle est défaitiste, c'est-à-dire qu'elle admet la défaite, or notre vie chrétienne est un combat pour la victoire. Paul résume la chose ainsi, au soir de sa vie :

> *Quant à moi, je suis déjà répandu en libation, et le moment de mon départ est venu. J'ai combattu jusqu'au bout le bon combat, j'ai achevé ma course, j'ai gardé la foi* (2 Tm 4, 6-7).

Il faut dire la vérité : nous avons signé un contrat devant Dieu, et nous allons demander aux hommes de reconnaître qu'il est cassé. C'est nul et non avenu. Cette décision prise par le tribunal humain n'a aucune valeur. La Parole de Dieu, par l'entremise de Saint Paul est précise à ce sujet :

> *On va en justice frère contre frère, et cela devant des infidèles ! De toute façon, certes, c'est déjà pour vous une défaite que d'avoir des procès entre vous. Pourquoi ne pas souffrir plutôt l'injustice ?... Mais non, c'est vous qui commettez l'injustice et dépouillez les autres; et ce sont des frères* (1 Co 6, 6-8) !
> Et l'apôtre ajoute que la justice est déjà rendue, puisque *ni les impudiques, ni les idolâtres, ni adultères... ni voleurs... ni cupides, n'héritent du royaume de Dieu* (1 Co 6, 9-10).

Dans notre monde occidental, à grande majorité chrétienne (les Français se disent encore à 80% catholiques), qui proclame encore cette vérité que les époux s'appartiennent l'un à l'autre, et pour la vie ? Et qui a pu être inquiété en enseignant le contraire ?

Au lieu de cela, c'est "le fait accompli". Il faut faire avec. On va donc lancer de grandes réflexions pour gérer la crise, puisque les hommes ne peuvent pas faire mieux. On a seulement oublié que : *Ce qui est impossible aux hommes est possible à Dieu* (Mt 19, 26).

Prendre le chemin de la foi

Le chemin à reprendre, le bon, c'est celui de la foi, puisque le mariage est sacrement de la foi. *Tout est possible à celui qui croit* (Mc 9, 23).

Un époux séparé de son épouse depuis trois ans, fit un acte de foi, porté par la prière des frères, pour revenir vers son épouse. Un déclic venait de s'opérer en lui, par la grâce de Dieu. Confiant en Dieu, il reprenait confiance en son épouse et en lui-même, pour mener à nouveau la vie commune :

> Jean : "Je suis séparé de mon épouse depuis trois ans, et pourtant notre mariage avait été parrainé par mère Teresa elle-même. C'est elle qui a fixé la date du mariage et qui nous a envoyé un petit mot de Calcutta ce jour-là. Elle nous bénissait. Et puis, voilà trois ans que je suis séparé de mon épouse ! Nous n'avons pas "refait notre vie". Je continue tous les jours à aller voir les enfants. Pendant cette retraite, il y a eu beaucoup de petits signes montrant que le Seigneur va nous réunir de nouveau, et je suis très confiant. D'abord j'essaierai de soigner certaines blessures que j'ai pu faire à Elisabeth, et le reste se fera avec la grâce de Dieu".

C'est l'espérance, qui donne au chrétien d'attendre de Dieu la grâce en ce monde. Vouloir vivre la vie du mariage sans compter d'abord sur la grâce de Dieu tous les jours, est une gageure ou une loterie : certains dit-on, auront du bonheur en mariage, et d'autres, nés sous une mauvaise étoile n'auront que du malheur.

Or c'est par la foi, et dans l'espérance, que les époux vont avoir à revenir l'un vers l'autre toute leur vie.

Quand les sentiments seront battus en brèche, et qu'il semblera que l'amour est devenu impossible, c'est en posant des actes de foi et d'espérance, de part et d'autre, que les époux pourront revenir l'un vers l'autre. *Car présentement, toutes trois demeurent : la foi, l'espérance et la charité*, nous dit Saint Paul (1 Co 13).

Un esprit surnaturel manque, notoirement dans beaucoup de nos communautés chrétiennes ; il y a de l'orgueil à vouloir suivre l'Evangile sans compter vraiment sur la grâce. Le mariage est dans l'Eglise un des lieux les plus voyants de cet oubli.

Effectivement, la crise n'est pas d'abord entre les époux, elle est entre eux et Dieu. Dans la foi et l'espérance, toute crise en amour trouve sa solution.

Dénoncer le mensonge

Discernez ce qui plaît au Seigneur, et ne prenez aucune part aux oeuvres stériles des ténèbres, dénoncez-les plutôt (Ep 5, 10-11). Avec amour, douceur, et humilité, les époux doivent se dire l'un à l'autre "ce qui ne va pas", et ne rien laisser dans l'ombre sous prétexte de ne pas faire de peine à l'autre.

Il y a beaucoup d'aveuglements possibles dans le mariage. L'adultère, par exemple, commence souvent de cette façon-là. Et ce sera le rôle du prophète de le dénoncer. Tel Nathan qui donne à David cette parabole : ... *le riche vola la brebis de l'homme pauvre, et l'apprêta pour son visiteur* (1 S 12, 4).

> *David dit à Nathan : l'homme qui a fait cela est passible de mort ! Nathan dit alors à David : cet homme, c'est toi* (2 S 12, 5-7) *! Et Dieu ne bénit pas David, à cause de son péché : le septième jour, l'enfant mourut* (2 S 12, 18).

Mais Il ne le condamna pas non plus. Par la suite,

> *Bethsabée, l'épouse de son général Urie, qu'il avait fait tuer conçut et mit au monde un fils auquel elle donna le nom de Salomon. Le Seigneur l'aima, et le fit savoir par le prophète Nathan* (2 S 12, 24-25).

Dieu fait la vérité, et demeure fidèle à la promesse. Le Messie naîtra d'une lignée humaine marquée par le péché : *David engendra Salomon de la femme d'Urie, Salomon engendra Roboam..., Jacob engendra Joseph, l'époux de Marie, de laquelle naquit Jésus que l'on appelle Christ* (Mt 1, 7-16).

L'histoire de David est encore très parlante pour nous aujourd'hui : "tu voles une brebis, tu mérites la condamnation et la mort" mais tu voles l'épouse de ton frère, et personne ne te dit rien. Mieux encore : la justice humaine te donne raison, en t'accordant d'abandonner ta première épouse, moyennant un peu d'argent. Et l'on osera critiquer les civilisations où les femmes se vendent et s'achètent, ou bien celles qui pratiquent encore la polygamie !

Il est urgent, non pas seulement de signaler la chose ou de compiler des statistiques, mais de dénoncer la façon dont le mariage a été bafoué, sous couvert même de légalité. Quels seront les prophètes qui, au mépris de leur réputation, de leur situation, ou même de leur vie, auront l'audace de parler ?

Avoir le courage de dénoncer le mensonge, voilà le rôle du prophète. Et il sera persécuté pour avoir mis la lumière là où étaient les ténèbres.Ecoutons Jérémie lui-même :

> *La Parole de Dieu a été pour moi source d'opprobre et de moquerie tout le jour. Je me disais : "je ne penserai plus à lui, je ne parlerai plus en son Nom" ; mais c'était en mon cœur comme un feu dévorant, enfermé dans mes os. Je m'épuisais à le contenir, mais je n'ai pas pu. J'entendais les calomnies de beaucoup : "Terreurs de tous côtés ! Dénoncez ! dénonçons-le !"Tous ceux qui étaient en paix avec moi guettaient ma chute : "peut-être se laissera-t-il séduire ? Nous serons plus forts que lui et tirerons vengeance de lui" ! Mais le Seigneur est avec moi comme un héros puissant ; mes adversaires vont trébucher, vaincus : les voilà tout confus de leur échec ; honte éternelle, inoubliable* (Jr 20, 8-11).

Il faut toujours dénoncer le mensonge, car il crée une injustice notoire que les hommes essaieront de dissimuler. Pitoyable compassion que celle d'un cœur qui s'attendrit sur la nécessité de combler par une seconde union la solitude dégradante engendrée par la séparation. Pendant ce temps, l'abandonnée, au cœur meurtri, n'osera même plus relever la tête de crainte de voir passer devant elle, au vu et su de tous, celui qui lui avait promis fidélité. Le mensonge est là qui s'étale sur nos places, allant d'infidélité en adultère, et d'adultère en injustice. On assassine des cœurs : et la loi le justifie et l'encourage. Ne serait-on pas revenu au temps du prophète Isaïe ?

> *On repousse le jugement, on éloigne la justice, car la vérité a trébuché sur la place publique, et la droiture ne trouve point d'accès. La vérité a disparu ; ceux qui s'abstiennent du mal sont dépouillés* (Is 59, 14-15).

Mais où sont donc les prophètes ?

4 — LES CHEMINS DE l'ESPÉRANCE

Suite à une séparation ou un divorce même, dire la vérité est donc primordial. Mais ni notre foi ni notre espérance ne sauraient s'en arrêter là, car Dieu veut et peut toujours réparer.

Croire à la réconciliation toujours possible

Il nous faut croire en la miséricorde active de notre Dieu, qui veut d'abord pardonner à chacun cette séparation, ensuite le convertir, et par là ouvrir le chemin du retour.

Comment cela peut-il se faire ? Comment pouvoir être exaucé en pareil cas ? Par la prière des enfants, si les époux en ont, et par la prière de la communauté à laquelle ils appartiennent.

En effet n'assistons-nous pas trop souvent à une démobilisation de la communauté, sous prétexte de rester discret pour respecter l'intimité du couple ? Sous ce prétexte, n'y a-t-il pas aussi un manque d'espérance et de persévérance dans la foi ?

Que la communauté se mobilise est très important ! Cela fait partie de son devoir : prier, jeûner même pour éloigner tout esprit de division dans le couple. Il est évident que nous supposons une communauté unie et fervente. Mais n'est-ce pas ce que chacune devrait être ? Croire à la réconciliation possible entre les époux, c'est s'engager à prier à cette intention. Prier pour eux sera donc primordial ; mais il faut aussi leur conseiller de prier, de faire une neuvaine par exemple.

Croire au sacrement de réconciliation

Il faut bien reconnaître que beaucoup de chrétiens pratiquants pensent à aller communier régulièrement, mais oublient trop le sacrement de Réconciliation. Les époux en difficulté, ou déjà séparés découvriront dans ce sacrement les grâces qui leur sont indispensables pour tenir et guérir. En effet, en allant demander pardon pour leur part à chacun d'ingratitude ou d'infidélité, ils recevront personnellement la miséricorde de Dieu. Et comme celle-ci est toujours surabondante, ils en recevront une part supplémentaire qui guérira leur blessure et leur donnera la capacité de pardonner à leur conjoint.

Il faut donc croire que rien n'est perdu. Ce sont les doutes qui risquent en effet d'enterrer les époux, tentés de désespérer complètement de revivre leur amour ensemble. Dans ce sacrement, il y a la guérison des angoisses, puisque le prêtre dans l'absolution ne donne pas seulement le pardon de Dieu, mais encore sa paix. Ce sacrement a une double efficacité de pardon et de paix. Effectivement, il faut d'abord que la paix revienne dans les pensées et les cœurs de chacun, pour que les époux puissent se retrouver. Aussi, demander à un frère en difficulté conjugale, s'il croit toujours au sacrement de réconciliation, ce sera le mettre ou le remettre sur le chemin de la grâce, pour en venir à la réconciliation avec son épouse.

Croire à l'Eucharistie, source de guérison

L'Eucharistie et l'adoration du Saint Sacrement sont des remèdes puissants pour toute crise en amour, à n'importe quel niveau. Que les époux (s'ils ne vivent pas dans l'adultère) n'hésitent pas à communier aussi souvent que possible, pour recevoir la guérison de toutes leurs blessures, dans leur âme, leur mémoire, leur cœur et même leur corps ! En effet, la guérison permet d'aller jusqu'au bout du pardon, et par là de pouvoir se retrouver. Les témoignages de guérison au cours de l'adoration ne manquent pas. Crispation, rejet, agressivité guérissent dans l'adoration pratiquée par le couple.

> Pierre : "Jusqu'ici, j'avais beaucoup de mal dans l'adoration, j'avais du mal à prendre conscience de la présence du Seigneur dans l'Eucharistie. Cette nuit, j'ai réussi à adorer pendant une heure sans m'endormir et sans distraction : dans un cœur à cœur, j'ai rencontré le Seigneur en personne. Ma femme était dans un état de crispation qui déteignait sur moi. Elle a même consulté des médecins, à ce sujet".

> Mélanie : "Je n'étais pas dépressive, mais je vivais sur les nerfs, et le Seigneur m'a guérie par l'intermédiaire du prêtre qui a prié pour moi durant ma confession".

Pierre : "Dans cet état de crispation, Mélanie est venue faire cette retraite en couple. Le prêtre qui nous a reçus a tout de suite vu clair. Il a lié nos problèmes actuels à ceux que nous avions vécus dans notre enfance dont nous n'étions pas conscients, problèmes avec nos pères et mères. Cela nous touche beaucoup par rapport à nos enfants. Par la prière, la guérison a commencé. Nous avons reçu ensuite une effusion du Saint-Esprit pendant la prière des frères. Le lendemain j'ai fait avec elle, l'expérience incroyable, inattendue de la miséricorde de Dieu, de sa grande tendresse. Nous étions très détendus et heureux. Je dis merci au Seigneur et notre espérance, notre certitude est qu'il va effacer de la mémoire de nos enfants le souvenir de nos mauvaises relations".

L'épouse a guéri durant le sacrement de Réconciliation et l'époux dans l'adoration du Saint Sacrement. Ils ont cru en Jésus vivant et agissant. A ce sujet, il y a des milliers de témoignages qui se résument à ceci : j'ai fait une bonne confession qui a changé ma vie, ou bien : nous n'avons pas terminé l'adoration comme nous l'avions commencée car une guérison intérieure et même parfois physique nous a été donnée.Croire à cela, et s'y attendre, ce n'est pas tomber dans l'immédiatisme : c'est croire en la bonté, la fidélité et la toute-puissance de Dieu.Nous devons croire à la grâce sanctifiante, mais aussi à la grâce actuelle, à un moment ponctuel de notre vie, nous devons l'attendre, et la désirer même, mais sans jamais l'inventer.

Devant la face de Dieu, il n'est que vérité, et ceux qui se tournent vers le Seigneur, dans un silence d'adoration se trouvent peu à peu imprégnés de vérité, avec le désir de la pratiquer. Les psaumes nous disent : *Les coeurs droits comtempleront ta face* (Ps 11, 7). *Amour et vérité marchent devant ta face* (Ps 8, 15). C'est le lieu de beaucoup de guérisons pour les couples, quel que soit le point où ils en sont.L'acte de foi en la sainte Eucharistie sera toujours source de vie : *"Je suis le Pain de vie. Qui vient à moi n'aura plus jamais faim. Qui croit en moi n'aura plus jamais soif"* (Jn 6, 35).

Garder l'équilibre dans le couple

Jamais le Seigneur ne peut demander un dévouement qui dépasse nos forces. Il peut y avoir encombrement ou surmenage. De temps à autre, le couple doit refaire le point dans un bon discernement : la vie de prière, la vie du couple et de la famille, ainsi que les diverses tâches de dévouement envers les frères. Un couple en était arrivé à la limite de l'énervement à cause de l'accueil qu'il pratiquait : le Seigneur est venu l' inviter à continuer sa tâche de "serviteur inutile" de l'Evangile (cf. Lc 17, 10) mais autrement, sans se croire indispensable, en tout :

> Joëlle : "J'ai été touchée au cours de la retraite par la paix que le Seigneur m'a donnée ; mais la parole : "aimer c'est tout donner" me fait un petit peu peur. Quand je vois tout ceux que le Seigneur envoie à la maison : des boiteux, des malades, je suis tellement "pompée" que je supporte mal Bruno, mon époux et je pense parfois qu'on va se taper dessus et devoir se séparer.J'avais donc un doute : devait-on se laisser "manger" ainsi ? Hier j'ai vraiment reçu la paix du Seigneur à travers la prière des frères. J'ai compris que le Seigneur me demandait en tant qu'épouse et mère d'être simplement l'âme du foyer, et d'entretenir la petite flamme de la prière. Ce n'est plus moi qui vais donner ; ce n'est plus moi qui vais consoler mais maintenant ce sera le Seigneur. J'ai vraiment senti cette force et cette certitude que nous n'avons rien à craindre quand on est dans la main du Seigneur".

> Bruno : "J'ai demandé la prière des frères parce que j'avais des blocages. J'ai reçu cette parole : "rends grâce au Seigneur, et c'est comme cela qu'il fera le reste". Hier le prêtre m'a dit la même chose, et de lire le psaume 150. Aujourd'hui j'ai été touché par une parole de connaissance : "je veux te donner une vraie passion de moi".

> Joëlle : "Le Seigneur intervient dans nos vie de façon très concrète, parce qu'Il prend soin de nos soucis. Nous avons reçu ensemble cette parole qu'il serait bon de faire bénir notre maison pour que le Seigneur y soit vraiment le maître.Nous nous sommes regardés, Bruno et moi parce que cela fait trois fois en trois mois qu'un frère nous dit qu'il serait bon de faire bénir la maison. Nous allons réaliser ce projet".

Cette triple invitation à faire bénir la maison de cette famille a l'air anodine, mais ne révèle-t-elle pas un manque de paix ressenti par les frères, et dû à la bousculade occasionnée par un accueil intempestif et défavorable à la famille ?

Prier pour la guérison des blessures

La prière de guérison est un remède notoire aux crises qui sévissent dans les couples. Certes, cette demande de guérison n'enlève rien au besoin de conversion pour lequel il faut aussi prier. Mais celui qui ne demanderait que la conversion du couple, manquerait certainement à un devoir de confiance envers Dieu, puisque Jésus est venu *"pour les malades et les pécheurs"* (Lc 5, 31-32) et pour leur donner des guérisons de tous ordres : morales, spirituelles, psychiques ou physiques. Parfois la parole de guérison est indispensable pour libérer l'amour :

> Louis : "J'ai une épouse qui est très têtue mais chez elle c'est une qualité parce que si elle ne l'avait pas été autant, je ne serais pas ici. Cela fait quatre fois qu'elle nous inscrit et trois fois j'ai dit non. La quatrième, j'étais sur le point de dire non, et je suis tout de même venu. J'ai été saisi par l'Esprit Saint. Avant de venir, notre couple était au bord de la catastrophe. Au fur et à mesure des enseignements, je sentais mes torts. Avant j'accusais surtout ma femme, ce qui est fort classique. Hier tout s'est débloqué, et aujourd'hui, on est heureux. Pourquoi ? Parce que nous avons retrouvé l'amour du Seigneur. Nous nous aimons à travers lui maintenant, nous sommes moins fragiles".

> Sylvaine : "J'ai dit que je laisserais parler mon mari parce que c'est tout le temps moi qui parle, et je l'étouffe. Je l'empêche de s'exprimer, si bien qu'il ne me parlait jamais. J'aurais aimé dialoguer avec lui. J'ai tenu par la prière et celle des frères du groupe de prière. J'en ai beaucoup souffert et je trouve extraordinaire que Louis parle maintenant librement devant tous".

Dans la guérison intérieure, il y a cette grâce de libération ou de "déblocage", si nécessaire à la vie de combien de couples ! Assez souvent ce sont des maladies psychosomatiques que traînent les couples : témoin cette épouse ne sachant plus à qui s'adresser pour sortir de cette ornière :

> Marie : "Je dois remercier le Seigneur pour une grande grâce qu'Il m'a donnée. J'avais d'abord des problèmes dans mon corps, et tous les psychiatres ne m'ont jamais guérie. C'est la prière d'un prêtre et des frères qui a pu guérir toutes ces blessures et me redonner la joie de vivre. Je vais pouvoir partager cette joie avec toutes mes amies, même avec celles qui ne croient pas au Seigneur".

Ces demandes de guérison sont indispensables, car la maladie de l'un contamine l'autre, et engendre le rejet. Témoin ce couple, où chacun a reçu sa part de grâces :

> Odile : "Pendant cette retraite nous avons vu s'ouvrir un chemin nouveau. Nous nous sommes laissés guider par le Seigneur. J'ai reçu

une grande grâce, une grâce qui va rejaillir sur le couple. Depuis très longtemps, je souffrais de l'angoisse et de la peur, à un point terrible. J'étais marquée depuis mon enfance. Je souffrais physiquement, spécialement dans le ventre. Je suis sûre maintenant d'être guérie : il y a des signes. J'ai une grande joie, une grande paix, une grande confiance. Avec Jean, nous nous sommes remis au Seigneur, dans l'action de grâces pour toutes les merveilles qu'il a faites pour nous".

Jean : "Je veux témoigner de l'humour du Seigneur, de la manière dont il agit, parce que quand nous sommes arrivés ici, je ne pouvais plus encaisser ma femme. Mais le Seigneur nous attendait. Odile avait rendez-vous avec un prêtre, et je lui ai dit : "je vais penser à toi". Je suis allé dans la petite chapelle des moniales, et je me suis mis à prier, prosterné. Au bout de quelques temps, je suis tombé dans un profond sommeil. Et pendant que je dormais, le Seigneur était en train de me faire une petite femme toute neuve. A mon réveil, je suis allé retrouver Odile, j'ai prié avec le prêtre, et alors la guérison a été complète".

Ce couple avait cru que dans le sacrement de réconcilition, il y a bien pardon, mais également guérison. Il faut ajouter que cette guérison obtenue dans la prière n'est pas une illusion : l'époux n'hésite pas à témoigner maintenant que la guérison du couple a pu être constatée, même s'il est délicat de donner davantage de précisions. Il faut espérer la guérison, la demander et l'attendre, et savoir qu'elle passe souvent par la grâce sacramentelle et la compassion fraternelle. Mais pour recevoir cette guérison intérieure, il est nécessaire d'avoir un cœur vulnérable, tant pour celui qui prie que pour celui qui attend la guérison. Voyons cette qualité de cœur tout particulièrement indispensable à la vie conjugale.

CHAPITRE IV

Un coeur vulnérable
pour aimer

Jésus dit à Marie de Magdala :
"Femme, pourquoi pleures-tu ? Qui cherches-tu ?..."
(Jn 20, 15)

LA MISÉRICORDE SE VIT
DANS LA COMPASSION ET LA CONSOLATION

"Pourquoi pleures-tu ? Qui cherches-tu ?" C'est la question que Jésus pose à tout coeur en désarroi, comme à Marie-Madeleine. Déjà Jésus lui avait tout pardonné. Il vient encore la consoler.

De même pour nous, compassion et consolation vont être ces qualités du coeur, qui ajoutées à la décision de pardonner, ou de demander un pardon, vont faire la profondeur de la démarche, jusqu'à la guérison de toute blessure.

1 — TOUTE COMPASSION VIENT DE DIEU

La Bible ne cesse pas de nous redire la compassion de Dieu pour son peuple :

> *Ephraïm est-il donc pour moi un fils si cher, que chaque fois que j'en parle, je veuille encore me souvenir de lui ? C'est pour cela que mes entrailles s'émeuvent pour lui, que pour lui déborde ma tendresse* (Jr 31, 20).

Dieu nous donne sa compassion, et par là, nous la fait découvrir.

La compassion est cette attitude de coeur qui pousse à partager avec celui que l'on aime ses peines et ses souffrances. C'est au-delà du discours qui ne ferait que plaindre l'autre. Ce n'est pas de l'apitoiement, qui ressemblerait à une condescendance venue de haut. Ce n'est pas non plus de la commisération, qui laisserait entendre un jugement sur la misère de l'autre. C'est de l'ordre de la miséricorde qui dans la compassion devient partage des entrailles, c'est-à-dire des profondeurs de l'être.

La véritable compassion n'a rien à voir avec le sentimentalisme ou la sensiblerie. Cela la rabaisserait à une attitude superficielle, que la nature blessée de l'autre ne saurait accueillir.

Jésus, vrai homme, est venu nous apprendre cette compassion, lui qui en a la capacité infinie par sa divinité. C'est la passion de Jésus qui a engendré la compassion de Marie, et qui va l'engendrer encore dans le coeur de tous ceux qui croient. Se voyant sauvés par Jésus en sa passion, avec lui ils vont pouvoir ouvrir leur coeur aux besoins d'un monde endurci.

La compassion est la clef des relations fraternelles, et plus encore d'un amour conjugal durable et profond. D'où l'importance pour nous d'entrer dans cette grâce, si vraiment, à la suite des saints, nous voulons porter des fruits pour l'Eglise, selon l'impératif que Jésus nous a donné :

> *"Je vous ai établis pour que vous alliez et portiez du fruit et que votre fruit demeure"* (Jn 15, 16).

Notre monde refuse la compassion

L'esprit du monde refuse la compassion. Il passe à côté d'elle comme si elle n'existait pas.

Les époux peuvent s'ignorer mutuellement dans leurs profondeurs. Ils peuvent ne pas vraiment compter l'un sur l'autre. Cela dénote une absence de compassion. Ainsi ce couple dont l'époux s'était endurci, sans bien s'en apercevoir :

> Paul : "Moi, j'ai fait partie de ces chrétiens qui savent qu'il y a un bon Dieu, une Sainte-Vierge, quand ils ont un peu la frousse. J'ai eu cependant l'occasion d'avoir très peur , suite à une intervention qu'a subie ma femme. A ce moment-là, j'ai accepté comme elle le souhaitait depuis longtemps, une retraite ; "j'ai promis, je vais avec toi". Et

je ne regrette pas du tout d'être venu. Je me suis senti trés heureux durant ces quatre jours".

Valérie : "Moi, j'ai remercié le Seigneur car il y a un an, il était absolument impensable que nous fassions quelque chose ensemble, Paul et moi. Le Seigneur sait combien j'ai souffert terriblement de prier toute seule. Je crois simplement que maintenant on va vers une vie nouvelle et que le Seigneur est avec nous. Quand j'ai des problèmes, je ne suis plus seule. Dieu veille sur nous et va bénir notre couple. Il nous a déjà bénis. Non seulement Il veille sur moi, mais ce que l'on a à vivre, on pourra le faire ensemble maintenant".

La peur de perdre un être cher ne suffisait pas pour avoir de la compassion. Une autre illusion est à dépister : le "savoir" n'a jamais donné une compassion automatique. Le savoir pur est un jeu de l'esprit qui est capable de nous tenir à l'extérieur de nous-mêmes. C'est le cas de ces grands étudiants qui savent beaucoup de choses, mais ne sont pas bien motivés, et restent dans une indécision décevante et surprenante, face à l'avenir. Est-ce que ce ne serait pas parce que leur coeur n'a pas été motivé au fil de leurs longues études ? Et, au moment de se donner, la peur du lendemain les surprend.

Pour certains jeunes de vingt-cinq ans, il semblerait actuellement, que la compassion soit un domaine inexploré, et qui pourtant, va structurer toute une vie, beaucoup plus que le savoir ! Lorsque la dimension affective ne s'est pas développée progressivement et à temps, les jeunes, pensant à l'amour conjugal, se précipitent sur l'amour charnel, pour avoir méconnu la dimension du coeur, qui restera toujours première dans l'amour conjugal.

Et cette prédominance du savoir sur le coeur commence très tôt : Luc, quatre ans, est l'aîné de trois enfants. La maman dit à son "grand" : "Je vais t'expliquer, pour aller chercher le pain.Tu marches sur le trottoir, tu mets l'argent dans ta petite poche, tu dis bonjour, tu ne coures pas, tu ne t'attardes pas". Luc revient : note parfaite de la maman 10/10. Le lendemain matin : "Luc, tu vas au pain" réponse : "Non maman, maintenant je sais ! C'est le tour de ma petite soeur" (1 an de moins). Il a appris quelque chose de plus, mais n'a pas rendu service. Alors, à la petite soeur d'apprendre ! Depuis, Luc n'a pas cessé d'apprendre : il est à la recherche scientifique. Il est marié, mais heureusement il a appris à aimer, sinon il n'aurait jamais rien compris à la vie. En un premier temps, il était passé à côté de la compassion pour sa maman, surchargée de travail. Plus tard il fut trés dévoué pour elle. Si la compassion n'est pas naturelle à l'homme, du moins s'apprend-t-elle.

La civilisation actuelle, supprimant de nombreuses relations naturelles, se passe trop souvent de la compassion. Au supermarché, on n'est plus obligé de dire bonjour, ni de parler à personne. La voisine est peut-être malade, mais qui pourra le savoir ? Ainsi c'est le numéro de sécurité sociale qui crée votre personnalité, si l'on peut dire...

Notre monde ne refuse pas toujours la compassion, mais dans son organisation, il l'oublie. Elle n'aura pas été "programmée", ou pas assez. Mais la compassion ne se programme pas. Elle est un mouvement personnel du coeur, qui se donne au-delà de ce qui est demandé, de façon spontanée, et imprévisible, bien souvent.

Il est important de dépister ce manque pour y remédier. Trop de gens maintenant ne se rendent même pas compte qu'ils pourraient faire davantage à ce niveau. C'est pourtant une qualité de vie indispensable...

L'Adversaire, ennemi de la compassion

Demeurer dans sa blessure, qu'il s'agisse du frère par rapport à sa communauté ou de l'époux par rapport à son épouse, sera toujours un péché, car il a la grâce, par la foi, de pardonner *avant le coucher du soleil* (Ep 5, 26).

Sinon, ce serait laisser faire le diable, qui a déjà prise sur la communauté ou le couple en situation de mésentente ou de dispute. Alors la blessure s'envenime avec le temps qui passe et ce venin finit par atteindre tout l'organisme, et c'est la tristesse qui gagne.

Se chercher des circonstances atténuantes, avant de demander pardon, c'est s'exposer "au diable", qui veut retarder la grâce et qui réclame sa proie prête à s'échapper. Il existe de fausses maladies, engendrées par le refus de demander pardon ou de l'accorder à l'autre. Les époux doivent en être prévenus : l'Adversaire emploiera toujours tous les moyens possibles pour faire remettre au lendemain une demande de pardon.

La compassion peut sauver le monde

Le concile Vatican II nous rappelle que l'Eglise doit être *servante et pauvre,* afin qu'aucun de ces petits qu'il ne faut surtout pas scandaliser (cf. Mt 18, 6) ne la voie supérieure à soi, et par là, ne puisse se laisser aimer par elle.

Ainsi, Mère Térésa, et ses filles, dans leur compassion, donnent-elles une bonne vision de l'Amour du Père qui vient au secours de ses enfants, particulièrement les plus abandonnés. Là où il y a la compassion, il y a déjà évangélisation. Mais sans elle, l'évangélisation ne serait jamais qu'un vain mot, un discours stérile qui ne servirait qu'à remettre l'amour à demain. Contre la lèpre, le choléra, la tuberculose, le sida, à chaque siècle, l'Eglise a vu se lever dans ses rangs, les volontaires nécessaires, qui à la suite de Jésus y engagent leur vie, touchés de compassion devant tant de misère. La compassion, c'est l'amour en action, un amour immédiatement disponible au "prochain", c'est-à-dire, au plus proche, (sans pour autant oublier les plus éloignés).

La véritable compassion doit pousser à plus de justice et d'équité, sans négliger les élans de charité nécessaires pour parer à l'imprévisible (sécheresse, cataclysmes, etc.)

Mais ce n'est pas la justice seule qui va sauver notre monde, comme le pensent certaines idéologies. Il y faudra, plus profondément, la compassion qui mettra dans le coeur de tous un désir de justice vraie, autant pour qui manquent des biens de la terre que pour les nantis. Dans la compassion, les coeurs se donnent librement, et les portefeuilles aussi. Sans elle, les pauvres doivent arracher l'argent que les riches ont en trop. On va donc organiser un rapport de forces pour en arriver là. Le païen est excusable d'une telle démarche ; le chrétien ne l'est pas. La compassion est bien la clef de la justice sociale.

La première tâche de l'Eglise ne sera donc pas de reprendre des théories économiques, scientifiques ou philosophiques et de les enseigner en laissant croire que c'est parole d'Evangile. Elle devra périodiquement, revenir à la contemplation de son Dieu qui est *tendresse et pitié* (Ps 145, 8) pour le monde. Car l'Eglise n'enseigne rien d'autre que d'avoir recours aux remèdes de l'Evangile.

Au plan conjugal, les époux, souvent séparés des journées entières, devront beaucoup partager, pour demeurer dans la compassion et l'entraide pratique au coeur des soucis de leur vie personnelle. Tous les couples, du plus riche au plus pauvre, sont appelés à la compassion. Mais c'est d'abord entre eux qu'ils devront la pratiquer, et cela quel que soit le métier prenant, ou l'emploi du temps difficile. La compassion n'est-elle pas le secret d'un amour délicat et fidèle ?

Et n'est-ce pas l'écoute de l'autre, qui va permettre à la compassion de naître et de se développer ?

Ainsi, la compassion de cette épouse, faite de patience, de foi, et de prière persévérante a-t-elle obtenu la conversion de son mari, sans regarder d'abord à l'injustice que lui causait sa fermeture de coeur.

Une "nouvelle naissance" engendra ce bouleversement. Et en retour cette même grâce de libération jaillit sur les enfants eux-mêmes. C'est la sainteté de la famille tout entière qui est là, en germe quand les coeurs sont touchés l'un après l'autre :

> Jean-Paul : "Je voudrais louer le Seigneur parce qu'il m'a permis de venir ici dans cette maison de prière, où il a fait crouler la citadelle dans laquelle je m'étais barricadé. Je dis merci à Dieu d'avoir mis Thérèse sur ma route parce que c'est elle qui, par sa persévérance et son amour, a commencé à saper les murs de cette citadelle. Et cela m'a permis d'aller au sacrement de Réconciliation, ce que j'avais envie de faire depuis longtemps mais je n'en avais pas le courage ; je pensais que les péchés que j'avais commis, Dieu ne pourrait pas les pardonner. Merci Seigneur".

> Thérèse : "J'ai rencontré le Seigneur d'une façon trés forte il y a six ans et ça a remué toute ma vie. Mon premier désir a été de pouvoir le vivre avec Jean-Paul. C'était une grande souffrance d'avoir un tel bonheur en moi, et de ne pas pouvoir en parler, parce que cela le dérangeait. J'ai vécu cela toute seule, avec des moments extraordinaires, parce que le Seigneur me donnait tout son amour, et toute sa confiance, mais en même temps, il y avait des moments de tristesse profonde. Il y a deux ans, la bergère du groupe de prière m'a dit : "tu vas mettre ton mari au monde spirituellement". J'ai trouvé cela merveilleux et en même temps, je ne comprenais pas. A partir de ce moment-là, j'ai commencé à le porter vraiment dans mon coeur, dans mon sein, comme on le fait pour son enfant. Pour nous deux, c'est une nouvelle vie qui commence et c'est pour nos enfants une trés grande espérance parce qu'ils ne connaissent pas le Seigneur, ils ne pratiquent pas, ils ont peur de Dieu. Alors, j'espère que depuis que le Seigneur nous a touchés tous les deux, toutes ces peurs s'évanouiront, et que nous serons témoins de son amour".

La compassion, faite de douceur et de patience, est souvent indispensable pour sauver le couple quand le Seigneur donne cette grâce à l'un, et l'autre peut se convertir. Alors tous deux sont "sauvés", et deviennent aptes à transmettre cette compassion, qui peut à elle seule, sauver le monde.

2 — LES DEUX SACREMENTS DE L'AMOUR

Eucharistie et Pénitence, indissociables

L'Eucharistie est sacrement de l'Amour. C'est là où l'amour du Père nous est donné en son Fils Jésus, là "où l'Esprit Saint aussi nous rassemble en un seul corps" (deuxième prière eucharistique). Toute Eucharistie est donc grâce de fraternité. Et combien de coeurs ont pu se rapprocher l'un de l'autre, tout particulièrement, au cours d'une messe. C'est l'expérience que firent un homme veuf et la femme qu'il fréquentait. Tous deux étaient dans l'indécision la plus totale quant à leur avenir. Et tous deux avaient besoin d'une grâce de libération pour rentrer dans la certitude de leur amour :

> Claude : "Il y a six ans, ma femme est morte et je suis passé par quatre ans de désert épouvantable. Petit à petit, au cours de cette retraite, Dieu a changé mon deuil en allégresse. Et j'ai entendu un chant. Je peux dire par ce chant, j'ai été touché. C'était le jour de la sainte Claire, le prénom de ma femme rappelée par le Seigneur. C'est Catherine qui me l'a fait remarquer".

> Catherine : "Il y a un peu plus de trois ans, petit à petit, j'ai vu le Seigneur changer le coeur de Claude, et lui permettre d'aimer à nouveau. Il y a eu de grands moments, en particulier une retraite que j'ai faite, il y a un peu plus d'un an. Au début de celle-ci, il était encore impossible que Claude conçoive d'aimer à nouveau quelqu'un. Or c'est une intention de prière que j'avais confiée à la communauté. Avant cette retraite, j'avais moi aussi un problème : il m'était difficile d'être certaine de l'amour de Claude. C'est ici, pendant l'Eucharistie, alors que ni lui, ni moi ne pensions que c'était la Sainte Claire, qu'a eu lieu cette libération. J'ai senti une grande force et une grande grâce de paix. Je suis sortie avec beaucoup de joie et j'ai réalisé que Claude avait reçu cette même force. C'était la première fois qu'il y avait un peu de soleil en sortant de l'Eucharistie : pour nous c'était Claire qui l'avait envoyé. Au cours de toutes ces années de cheminement où on se déchirait, c'était très dur. J'ai toujours su que c'est le Seigneur qui faisait tout et qu'on était déjà unis l'un à l'autre en lui, parce qu'humainement c'était impossible. Maintenant nous avons un tas de projets devant nous, avec certitude. En venant à la retraite, nous

nous demandions si nous pourrions vivre l'un pour l'autre.Mais un frère nous a dit qu'on ne devait pas demander cela mais plutôt l'humilité. C'était une réponse, car nous ne pouvions pas prier ensemble faute d'humilité. Et c'est dans l'humilité que nous avons eu la lumière pour prendre la décision de nous épouser".

L'Eucharistie est le mystère de la nouvelle et éternelle alliance : alliance qui récapitule et couronne toutes les alliances de Dieu avec son peuple. C'est le sacrifice parfait de Jésus. Il est remarquable de constater que l'alliance des coeurs de ces futurs époux s'est réalisée pendant la célébration de la messe.

Mais dans cette alliance avec Dieu, nous sommes remplis de faiblesses.C'est là que le sacrement de Réconciliation est un chemin indispensable pour le chrétien, qui, en fils prodigue, revient vers le Père et fait l'expérience de l'amour de son Dieu demeuré fidèle.

Que ce soit le péché grave qui nous ait coupés de Dieu, par exemple : *"Tu ne commettras pas d'adultère !"* (Ex 20, 14) ou bien la tiédeur : *"Puisque te voilà tiède, ni chaud ni froid, je vais te vomir de ma bouche"* (Ap 3, 16), dans les deux cas, nous avons ce besoin impérieux de revenir à l'amour miséricordieux de notre Dieu. C'est *"la miséricordieuse tendresse du coeur de notre Dieu"* (Lc 1, 78), dont nous parle le cantique de Zacharie.

La miséricorde engendre la miséricorde. Un époux qui n'était pas allé, depuis fort longtemps, recevoir le sacrement de Réconciliation, décide d'y aller et y retrouve la paix. Du coup son épouse, fortement déprimée, se voit autrement prise en compassion par son époux, et reçoit dans un second temps la certitude d'être aimée de lui, à partir même de sa faiblesse :

Philippe : "Je remercie le Seigneur de la paix dans laquelle je suis et que je ai retrouvée au travers du sacrement de Réconciliation. Il y a des années que je ne m'en étais pas approché. Pour cela, je suis passé par l'intermédiaire d'un frère de la communauté et il m'a dit des mots tout simples : "On commence à traîner un sac-poubelle derrière soi, puis deux sacs-poubelles et ensuite, on a un container". En effet, j'en avais un. Il m'a dit qu'il fallait le lâcher et je l'ai largué".

Micheline : "Merci Seigneur, parce que tu me guéris petit à petit. Tu me fais cheminer de petites choses vers de plus grandes. Tu t'es servi de ma dépression pour que nous te retrouvions et maintenant j'en suis certaine. A travers toute ma souffrance, je repars avec l'amour de Philippe".

Quelle merveille de faire ainsi l'expérience de la miséricorde qui gagne de proche en proche, capable à elle-seule de nous donner à nouveau de croire en l'amour, à partir de ce que nous sommes et de notre misère !

L'une des causes pour lesquelles le sacrement de Réconciliation a été si souvent abandonné depuis quarante ans, n'est-elle pas l'ignorance des baptisés ? Ils ont pu oublier qu'il était avec la sainte Eucharistie l'un des deux sacrements de l'Amour de notre Dieu pour l'intimité du coeur de chacun.

N'avoir cette nécessaire ferveur que dans l'Eucharistie est une erreur grave et très préjudiciable à la vie spirituelle. Il y a une façon notoirement indigne de s'approcher de la Sainte communion sans la confession fréquente. L'Eglise, forte de l'expérience des siècles l'a toujours recommandée. Le chrétien de la fin du XXème siècle, qui prend l'habitude d'espacer ses confessions, en les réservant aux grandes "occasions" (une grande fête, un grand péché !) tombe dans la présomption et se prive d'une abondance ce grâces.

Deux époux expliquent cette intimité avec le Seigneur dans le sacrement de Réconciliation, institué par Jésus, par amour et pour faire grandir l'amour :

Alain : "Bernadette et moi avons découvert que le mariage, c'est un ménage à trois. Nous avons reçu tellement de grâces cette semaine, et plus particulièrement celle de la confession. Nous nous connaissons depuis 1979, et depuis le lycée nous avons essayé de vivre sans le Seigneur. Nous avons été élevés dans des familles chrétiennes. Bernadette avait gardé sa foi, moi je l'avais mise au panier, suite à plusieurs problèmes. Et pendant sept ans nous avons galéré, faisant un pas en avant, quatre en arrière. Puis nous sommes passés par le renouveau charismatique, et il y a eu ma conversion. Ce que nous n'avions pas pu faire en sept ans, le Seigneur l'a fait en six mois. Nous avions reçu la grâce du mariage, mais pas toujours facile à vivre sans Dieu. "A lui, rien n'est impossible". Sans son pardon, comment pardonner ? Sans son amour, comment s'aimer ? Quand on se frictionne un peu, et qu'après on prie, le Seigneur vous dit : "Regarde-toi un peu, tu dis que tu m'aimes, et tu as le coeur complètement fermé". On se rend compte qu'on ne peut plus passer par la prière si on n'a pas pardonné à son épouse. Sans Dieu et sans la prière, nous ne serions pas là où nous en sommes. Et Dieu continue à donner ses grâces, car Il est fidèle".

Bernadette : "J'ai reçu une grâce pour me confesser. J'ai toujours éprouvé d'abord une révolte et un refus d'y aller. Et puis, pendant cette retraite, j'ai reçu cette grâce de faire confiance au prêtre qui représente le Seigneur. Dans la vie de couple, on a souvent des combats, il faut faire confiance au Seigneur et Il résoud tout. Je combattais pour ne pas aller me confesser, je combattais contre moi-même pour aller vers mon mari, et ça fait une heure que je combats pour ne pas venir témoigner. J'ai dit "oui" au Seigneur, et alors tout change".

Les époux, pour grandir dans leur amour conjugal, iront donc régulièrement boire à la source de l'amour qui est dans le sacrement. Il est bien vrai que la vie sacramentelle est un trésor de grâces pour tout baptisé. Mais pour les couples, c'est plus remarquable encore.

Une rencontre personnelle avec Dieu

Quand nous vivons cette rencontre intime voulue par Dieu dans le sacrement de Réconciliation, oeuvre de l'Esprit Saint (cf. Jn 20), nous réalisons mieux tout ce qui manque à l'absolution collective dans ce qu'elle a d'impersonnel et de tronqué.

Ce sacrement est un sacrement d'amour personnel du Christ pour chacun, institué pour la croissance spirituelle du chrétien, tout comme l'Eucharistie.

Ainsi voyons-nous Jésus, dans un échange personnel et discret, donner le message à la Samaritaine, seul à seul. *Et les disciples s'étonnaient qu'il parlât à une femme.* (Les habitants d'Ars furent étonnés au début que le Saint Curé soit allé rendre visite à une femme du même genre dans sa paroisse). C'était, pour cette pécheresse, l'occasion d'avancer dans un désir de purification et de repentance personnelle indispensable : *"Tu as eu cinq maris, et celui que tu as maintenant n'est pas ton mari"* (Jn 4, 17) !

Jésus s'invite aussi chez Zachée. C'est un appel direct, et personnel, qui touchera son coeur et le convertira (cf. Lc 19). Et l'Evangile ne nous fait pas mention de beaucoup d'autres invités.

Jésus aussi touche d'abord le coeur de Lévi, publicain, qui répond oui à l'appel. Ensuite seulement, il y aura le grand banquet avec tous (cf. Lc 5). Mais Jésus avait d'abord fait cette rencontre personnelle avec Lévi.

Pour la femme adultère, pécheresse condamnée par la Loi et les hommes, Jésus attendra d'être seul avec elle pour lui dire : *"Je ne te condamne pas. Va, désormais ne péche plus !"* Il attendra que l'assemblée soit dispersée (Jn 8, 1-17).

Lors de l'onction de Béthanie, chez Simon le lépreux, la femme s'approche de Jésus pour lui montrer toute sa reconnaissance *en brisant le flacon d'albâtre, parfum très précieux qu'elle verse sur sa tête* (Mt 26, 7). Ses disciples s'indignent devant un tel "gâchis". Simon le pharisien, ne comprend pas non plus le geste personnel de cette femme *qui se met à lui arroser les pieds de ses larmes, et les essuie avec ses cheveux, les couvre de baisers, les oint de parfum* (Lc 7, 38). Il faudra à Jésus la parabole du créancier qui avait deux débiteurs pour se faire comprendre. Décidément, le coeur de l'homme laissé à lui même, ne comprend rien à la miséricorde divine.

En effet, c'est un don de Dieu. Sainte Thérèse de l'Enfant-Jésus nous en donne le témoignage. Mais pour nous qui ne connaissons pas cette profondeur spirituelle des saints, c'est seulement par expérience personnelle du sacrement de pénitence que nous pouvons rentrer dans ce mystère d'amour. Qui ne l'a pas fait aura beaucoup de peine à saisir la différence entre les deux absolutions, celle qui est collective, et celle qui est personnelle ! C'est pourquoi les époux eux-mêmes devront recevoir ce sacrement chacun, individuellement.

Ainsi, cette épouse fit-elle l'expérience de la miséricorde divine et son mari également. Aller chacun de leur côté, vers le sacrement de pénitence fut, selon leur témoignage, non seulement un pardon reçu mais aussi une libération. Au départ de leur amour, ils avaient oublié de compter sur Dieu. En même temps, ils prenaient conscience de toutes les grâces reçues dans le sacrement au fil des années :

> Evelyne : "Nous sommes mariés depuis neuf ans. J'ai été trés touchée par une phrase donnée au cours d'un enseignement : "c'est une grande offense à Dieu que de s'unir avant le mariage parce que c'est vivre l'amour sans compter sur Dieu, comme si on déclarait n'avoir pas besoin de Dieu pour vivre ensemble". Puis je me suis rendue compte que c'est ce que nous avions vécu, et que, malgré toutes les confessions que j'avais faites, je n'en avais jamais demandé pardon à Dieu. C'est une lumière qu'Il m'a donnée cette semaine. J'en ai parlé à mon mari qui pensait la même chose, et nous sommes allés nous confesser tous les deux. Nous sommes sûrs que le Seigneur nous a pardonnés et libérés".

Pour eux, ce fut une certitude encore plus grande de tenir dans la main de Dieu. Tout leur passé était maintenant dans le coeur de Dieu.

Une rencontre par la grâce du sacerdoce

Cette rencontre peut se faire à travers les conseils du prêtre à un couple, mais elle se fera surtout dans le sacrement de Réconciliation.Recevant ce sacrement avec ferveur, les époux y trouveront les grâces de miséricorde indispensables à leur vie conjugale. C'est pourquoi les pères du synode de 1983 et le pape Jean Paul II demandent de n'employer l'absolution collective qu'"en cas de grave nécessité"[1]. C'est une décision pastorale d'une grande importance : il en va de la santé du peuple de Dieu. Il nous faut écouter la voix des "bergers" que Dieu donne à son Eglise : *Sur des verts pâturages il me fait reposer pour y refaire mon âme* (Ps 23). Le prêtre est pasteur, et c'est auprès de son sacerdoce, que les fidèles laïcs pourront tout particulièrement "refaire leur âme".

> *"Alors, je serai leur Dieu, et ils seront mon peuple. Ils n'auront plus à instruire chacun son prochain, chacun son frère, en disant : 'Ayez la connaissance du Seigneur !' Car tous me connaîtront, des plus petits jusqu'aux plus grands, parce que je vais pardonner leur crime et ne plus me souvenir de leur péché"* (Jr 31, 33-34).

C'est au coeur du sacrement de pénitence que le chrétien est appelé à faire la connaissance de l'amour miséricordieux de son Dieu. Expérience unique, selon le besoin de chacun, selon l'ouverture de son coeur, et selon le dessein d'amour que Dieu a pour lui. Cet acte d'amour dépasse autant le prêtre que le pénitent.

Au coeur de l'alliance, il y a l'Eucharistie, mais il y a aussi le sacrement du pardon, où Dieu va si loin dans son amour qu'il en oublie même le péché de l'homme.

Au clivage entre le pécheur repentant et *Dieu riche en miséricorde* (Ep 2, 4) il y a un homme, un pauvre homme, le prêtre. Il y sera toujours pauvre, mais ce n'est pas pour cela qu'il doit fuir, sous des formes plus ou moins déguisées, ce ministère qui lui est confié.

Le prêtre est le témoin de la miséricorde de Dieu pour exhorter à la repentance et donner les conseils spirituels qui accompagnent le sacrement. Il évitera donc le renvoi inconsidéré à des absolutions collectives, ou le renvoi pur et simple à des accompagnateurs laïcs.

---

1. Exhortation apostolique *"Reconciliatio et Paenitentia"*, 1984, n°33.

Ce serait faire une brèche dans le grand sacerdoce qu'il a reçu un jour et pour toujours. Ce serait certainement, sans que ce soit volontaire de sa part, préparer une Eglise sans prêtre. Ce serait donner à la génération suivante un modèle de sacerdoce tronqué, provoquant une crise de l'identité du prêtre et un manque d'attrait pour le sacerdoce.

Ce grand sacrement de l'amour miséricordieux de Jésus confié au prêtre, fait de lui un berger pour chacune de ses brebis. *"Je suis le Bon Pasteur, je connais mes brebis et mes brebis me connaissent"* (Jn 10, 14).

Dans le sacrement de Réconciliation, il y a la santé du troupeau. La désaffection de ce sacrement ne serait-elle pas l'une des causes qui empêchent nos paroisses de devenir des communautés vivantes ? Pour faire une assemblée vivante, ne faut-il pas que chacun soit d'abord en bonne santé ?

Le prêtre est là pour transmettre au couple chrétien cette double grâce de l'amour divin contenu dans ces deux sacrements. Le prêtre n'a-t-il pas la charge "de soutenir la vocation des époux dans leur vie conjugale et familiale", comme le demande Vatican II :

> "Il appartient aux prêtres, dûment informés en matière familiale, de soutenir la vocation des époux dans leur vie conjugale et familiale par les divers moyens de la pastorale, par la prédication de la parole divine, par le culte liturgique ou les autres secours spirituels, de les fortifier avec bonté et patience au milieu de leurs difficultés et de les réconforter avec charité pour qu'ils forment des familles vraiment rayonnantes."[1]

Le prêtre sera amené non seulement à s'occuper du salut de l'âme des époux, mais il aura encore une grâce toute particulière pour prier, afin qu'ils soient fortifiés dans les "combats".

Comme le prophète Elie qui redonna la paix à Anne, cette épouse désespérée de ne pas enfanter, il semble que les hommes de Dieu aient cette grâce, cette onction qui repose sur eux de pouvoir consoler la misère des couples sans enfant. Elie commence par croire Anne dans l'ivresse, tellement elle est affligée par l'épreuve. Revenant de son erreur, ému de compassion, il lui dit : *"Va en paix, et que le Dieu*

---

1. *Gaudium et Spes*, n°52, paragraphe 5.

d'Israël t'accorde ce que tu lui as demandé". Anne mangea, et son visage ne fut plus le même (1 S 1, 17).

Ainsi le prêtre, lorsqu'il est vraiment vu comme l'homme de Dieu, (ce qu'il est par ordination), reçoit-il ces époux dans l'épreuve, et voit-il parfois leur prière exaucée. Les époux, toujours consolés, sortent de cette prière "avec un autre visage". Beaucoup de couples stériles demandent ainsi la prière. C'est la suite logique du mariage. Le prêtre leur a dit : "puissiez-vous voir vos petits-enfants jusqu'à la quatrième génération". C'est normal qu'il soit convoqué pour prier avec foi, à cette intention. Ainsi, un couple fit-il cette démarche spirituelle :

> André : "Je suis représentant, et il y a plus de huit jours, une amie m'a dit qu'il faudrait que nous allions en retraite dans une communauté. Nous n'avions pas envie d'y aller. Les affaires qui étaient habituellement calmes se précipitaient. Nous avons quand même déposé nos congés pour venir. Depuis que nous sommes mariés nous n'arrivons pas à avoir d'enfant. Nous sommes allés voir un tas de spécialistes depuis cinq ans, et ici nous nous sommes rendu compte que nous n'en avions jamais parlé à un prêtre".

> Annie : "Pendant cette retraite, un prêtre a prié pour cette guérison. Nous attendons dans la paix que le Seigneur vienne à notre secours".

Il faudrait pouvoir donner ici le témoignage de tous les couples qui furent ainsi exaucés, et le témoignage des autres aussi, qui reçurent à partir de ce moment-là une suréminente grâce de paix. En effet, c'est un des pouvoirs du sacerdoce que de donner la paix au peuple fidèle. Souvent aussi, suite à cette prière de demande, les époux reçoivent une lumière leur indiquant comment se dévouer autrement, en couple, pour suivre la volonté de Dieu.

Le concile Vatican II nous rappelle aussi que le prêtre a la charge du Christ, chef et pasteur, au nom de l'évêque :

> "Les prêtres auront encore une attention particulière pour les jeunes, et aussi pour les époux et les parents. Il est souhaitable que ceux-ci se réunissent en groupes amicaux, où ils s'entraideront pour vivre plus facilement, et plus totalement leur christianisme dans une existence souvent difficile..."[1]

---

1. *Décret sur le ministère et la vie des prêtres*, n°6.

En octobre 1984, alors que 6000 prêtres étaient réunis au Vatican, pour une retraite, il y eut parmi les prédicateurs, une femme, une religieuse : Mère Térésa.

Voici un extrait de ce qu'elle dit dans son exhortation aux prêtres venus du monde entier :

> "Le monde a faim de Dieu. Vous les prêtres, rassasiez-le. Comblez-le de la tendresse et de l'amour du Christ.Transmettez-lui ce Jésus qui enflamme vos coeurs. Il nous faut apporter Jésus dans toutes les familles divisées, dans tous les foyers brisés, leur apprendre à prier et à réciter le chapelet. Il faut revenir à la consécration des familles au Sacré-Coeur. Jésus doit pouvoir se servir de vous sans vous consulter au préalable. Vous Lui appartenez, vous êtes à Lui, et exclusivement à Lui..."

Tous, nous fûmes frappés par ce message, qui nous rappelait notre mission de pasteur du troupeau, au nom de l'évêque. Prendre soin de ceux et celles que le Seigneur a voulu unir pour la vie n'est pas facultatif. C'est un devoir pour le prêtre. Mais pour accomplir la mission reçue, il a la grâce, la grâce du sacerdoce. Et particulièrement celle de compassion.

Le saint curé d'Ars[1] disait : "Le sacerdoce c'est l'amour du coeur de Jésus". N'est-ce pas dans l'adoration de la sainte Eucharistie qu'il avait trouvé cette compassion pour le pécheur, qui fit accourir les foules assoiffées de conversion ?

> Au jour de ma première messe, au village natal, pour la procession qui précéda l'Eucharistie, de la maison familiale à l'église, les paroissiens avaient tendu cette banderole entre deux poteaux électriques : "Le prêtre est un autre Christ".

> Quelle surprise et quel choc devant une telle responsabilité qui dépassera toujours les hommes ! Mais n'était-ce pas ce que tout ce petit peuple, dans sa foi profonde et aussi simple que vraie, attendait de son prêtre ? Alors, oui, "des petits prêtres pour un grand sacerdoce", témoins de la compassion de Jésus, cette compassion communicative qui vient au secours des couples en difficulté et peinant à se retrouver au coeur de leur premier amour.

---

1. *J. M. Vianney curé d'Ars, sa pensée, son oeuvre*, Bernard Nodet, Ed. Xavier Mappus, page 100.

Pour la vie spirituelle de la famille, des prêtres sont attendus. Souvent essoufflés par leurs activités apostoliques multiples, qu'ils sachent comme le divin Maître, fatigué par une marche trop longue, s'asseoir sur la margelle du puits. Là où il n'y avait que le souvenir d'un *lieu où Jacob, ses fils et ses troupeaux avaient bu* dans leur traversée du désert, a pu s'inscrire la présence éternelle du *sauveur du monde* (Jn 4, 12-42).

Peu importe la fatigue du prêtre, pourvu qu'il sache encore s'asseoir et attendre comme Jésus dans sa compassion.

Cette compassion communicative pour les époux guérira les coeurs blessés, redonnant l'espérance, et forgeant au travers des fragilités et des faiblesses humaines, les évangélistes indispensables à la seconde évangélisation. "Elle avait eu cinq maris et celui qu'elle avait maintenant n'était pas le sien", c'est vrai, mais elle avait bon coeur, et Jésus a vu son coeur. Il a pu l'inviter à la conversion totale. Ce fut oui, c'était gagné ! L'évangélisation s'est faite d'elle-même, ensuite. L'évangélisation à partir de la grâce du mariage, ce n'est pas un vain mot...

Et le prêtre est là humblement, voyant les coeurs, lui aussi, des coeurs qui sont beaux, même s'ils ont été infidèles. Alors, Jésus les prend dans sa compassion, les purifie, les transforme, les convertit de fond en comble, les rassemble, les unit, et les fait éclater d'amour. A leur tour, saisis de compassion, ils deviennent *"les bons ouvriers pour la moisson qui est abondante"* (Mt 9, 37-38). Mais Jésus a voulu des prêtres pour leur transmettre l'eau vive indispensable à la conversion et à la route.

Qui osera encore nous faire croire que le prêtre dans son célibat consacré puisse être coupé de la vie ? S'il oubliait son sacerdoce, il risquerait alors, certainement, d'être à côté de sa mission, et par le fait même séparé du peuple qui lui a été confié.

Mais tout prêtre qui se met au service de la grâce du mariage, voit sa vie se dérouler en pleine pâte humaine, et il rejoint ici la vision du sacerdoce telle que l'a eue le concile Vatican II, à savoir que la vie des prêtres soit bien insérée au coeur de la vie du monde :

> "Pris du milieu des hommes et établis en faveur des hommes, dans leur relation avec Dieu, afin d'offrir des dons et des sacrifices pour les péchés (cf. He 2, 17 ; 4, 15), les prêtres vivent avec les autres hommes comme des frères. C'est ce qu'a fait le Seigneur Jésus... Par leur vocation et leur ordination, les prêtres de la nouvelle alliance sont d'une

certaine manière mis à part au sein du peuple de Dieu.., dispensateurs d'une vie autre que la vie terrestre. Mais ils ne seraient pas non plus capables de servir les hommes s'ils restaient étrangers à leur existence et à leurs conditions de vie..."[1]

Des diacres mariés, au service de la miséricorde

Le concile Vatican II parle des "diacres auxquels on a imposé les mains, "non pas en vue du sacerdoce, mais en vue du service". La grâce sacramentelle, en effet, leur donne la force nécessaire pour servir le peuple de Dieu dans la diaconie de la liturgie, de la parole et de la charité, en communion avec l'évêque et son presbyterium". Un peu plus loin on lit : "Les diacres ont à se souvenir de l'avertissement de saint Polycarpe : "être miséricordieux, zélés, marcher selon la vérité du Seigneur qui s'est fait sauveur de tous"[2].

Très souvent, les diacres permanents sont choisis par l'évêque parmi les hommes mariés, comme le prévoit le concile. Munis de cette double grâce sacramentelle, ces diacres témoignent de la façon dont le Seigneur leur a donné ce coeur doublement vulnérable au service de leur famille et de l'Eglise. Voici l'expérience spirituelle de l'un de ces couples dont l'époux est diacre depuis quatorze ans :

Jean : "Nous nous sommes mariés en 1945. Il nous a fallu quatre ans et demi de luttes et d'épreuves. Tout paraissait se liguer contre nous. En 1974, c'est mon évêque qui m'a proposé d'être diacre. Huit jours après, les chrétiens de notre paroisse m'ont demandé la même chose. Après accord avec Henriette mon épouse et une formation de deux ans, j'ai été ordonné en 1976 par le Père Riobé qui m'a dit : "Je ne t'envoie pas à la porte de l'Eglise, mais aux portes, c'est-à-dire au-delà". De plus il nous a confié un ministère d'accueil à la maison : "... au service de ceux qui ont davantage besoin d'être accueillis, aimés, aidés, respectés, gratuitement...". Et continuellement depuis, nous voyons les merveilles de Dieu. Quand saint Paul nous dit : *N'oubliez pas l'hospitalité, car c'est grâce à elle que quelques-uns, à leur insu, hébergèrent des anges* (He 13, 2), plusieurs fois avec Henriette, nous avons pu vérifier que c'était vrai, même si nous avons eu de "fichus quarts d'heure". Par deux fois le SAMU a été à notre porte.

---

1. *Décret sur le ministère des prêtres*, Concile Vatican II, n°3.
2. *Lumen Gentium*, n°29.

Nous avons cinq enfants et onze petits enfants qui nous comblent de joie, (après nous avoir comblés de soucis...). Ils sont mariés ou non à l'Eglise, nos petits enfants ne sont pas tous baptisés, mais ils ont pu et peuvent toujours compter sur nous, car ils ne cessent pas pour autant d'être nos enfants. J'ai passé beaucoup de temps à préparer des mariages chez des frères et soeurs défavorisés qui ne s'embarassaient pas du superflu, mais qui allaient à l'essentiel : Jésus-Christ. C'est Lui qui signe un contrat avec nous dans le sacrement de mariage, et ce n'est jamais Lui qui le rompt. Pour moi la joie suprême est de baptiser les petits enfants. Quel bonheur ! Avant notre mariage, des religieuses amies nous appelaient : "les fiancés de l'amour infini". Jamais l'amour du Seigneur ne nous a fait défaut à travers de grandes difficultés : dès le début de notre mariage, j'ai eu la tuberculose et j'ai été trois fois au chômage. Nous nous souvenons avec émotion du premier billet de cent francs qu'Henriette a réussi à mettre de côté. Au moment de la retraite, quarante-neuf photocopies ont été nécessaires pour reconstituer ma (ou mes) carrière. Au milieu de nos épreuves et souffrances, je n'ai jamais vu Henriette pleurer, mais je sais maintenant qu'elle le faisait quand je n'étais pas là. Depuis bientôt cinquante ans que nous nous connaissons, notre amour conjugal n'a pas cessé de grandir gratuitement, parce que Dieu est fidèle et miséricordieux. Nourris par les autres sacrements, le mariage et l'ordination diaconale se fortifient, chaque sacrement étant source de grâces énormes. A travers la prière des frères, le Seigneur m'a en quelque sorte révélé sa tendresse. Humainement, je ne savais pas ce que c'était que la tendresse. Cela a été l'occasion pour le Seigneur de me guérir en particulier vis-à-vis d'Henriette. Je lui ai demandé pardon parce que je vivais bien tranquille. Le Seigneur m'a accordé aussi une grâce de pardon pour mon père, décédé depuis vingt-six ans. Ce pardon a provoqué la guérison de maladies psychosomatiques. Et ce n'est pas fini ! Merci, Seigneur, béni sois-tu" !

Henriette : "Bien souvent, j'ai expérimenté ce que le père Jean Chabbert, archevêque de Perpignan, disait à la messe du dimanche 6 mars 1988 à Lourdes, au cours du rassemblement national des diacres : "En effet, par la grâce du sacrement de mariage, vous êtes mises en situation de participation spirituelle et apostolique au sacrement de l'ordre qu'a reçu votre mari. Et, de ce fait, vous êtes leur collaboratrice". J'en ai fait l'expérience dès le lendemain de l'ordination de Jean en 1976. Un jeune drogué s'est présenté à nous. Jean n'était pas là. Le jeune avait besoin de réconfort et j'ai senti que je lui parlais différemment à cause de l'ordination. Je participe réellement à la grâce du sacrement de l'ordre en recevant quotidiennement des personnes de tous genres, même des homosexuels. Nous prions tous les jours ensemble. Notre vie de prière et de couple a eu toute une autre dimension, à partir du diaconat de Jean. Merci Seigneur" !

Manifestement la miséricorde est là à tous les niveaux, en couple, pour les enfants et dans l'accueil des pauvres selon la mission explicitement reçue de l'Eglise. Au travers de ce diaconat permanent que le concile Vatican II a voulu redonner au peuple de Dieu, il y a cette vocation de "service", où se manifeste tout particulièrement ce coeur vulnérable pour aimer.

L'Esprit Saint était là à Rome, voyant et prévoyant combien l'Eglise allait avoir besoin de vivre et de signifier au monde, le service qu'elle pouvait lui rendre afin de le sauver.

3 — LA COMPASSION DU DISCIPLE

Notre Dieu est la compassion même : *Dieu est tendresse et pitié*, nous dit le livre des Psaumes (Ps 103, 8). Il nous appelle à lui ressembler : *Aussi puisque vous êtes les élus de Dieu, ses saints et ses bien-aimés, revêtez des sentiments de tendre compassion...* (Col 3, 12). La compassion est la clef de tout amour, elle en est aussi le point de départ. C'est là où l'autre ne m'est plus anonyme, et où il ne le sera jamais.

Pas vraiment naturelle

Chacun peut constater que la compassion n'est pas vraiment naturelle.Certains couples tombent dans un activisme (même au service de l'Eglise), qui peut leur faire oublier l'intimité de coeur absolument nécessaire au couple. Cependant, l'Esprit de Vérité ne s'accomode jamais de ces manques de conversion dissimulés.

Parfois, l'absence de compassion sera due à un péché d'omission, maintes fois répété. Les époux ne vont pas chercher compensation ailleurs ; mais ils deviennent de plus en plus "froids" l'un pour l'autre. C'est comme une entente tacite : "nous ne sommes pas des sentimentaux ni l'un ni l'autre". Traduisez bien : "nous avons peur de nos sentiments ; avoir des sentiments de compassion nous emmè-nerait trop loin", c'est-à-dire, demanderait une conversion supplémentaire. Parfois, il y a besoin de guérisons indispensables. Ainsi ce couple blessé par son passé, découvrit-il la joie de se laisser aimer librement :

> Sylvie : "Le Seigneur m'a fait comprendre que mon coeur n'était pas encore ouvert, que je n'avais qu'à lui ouvrir pour me laisser aimer et que tout s'arrangerait dans mon couple".

> Claude : "Je veux remercier le Seigneur de m'avoir "reconverti".Je suis baptisé, j'ai fait ma communion. Je suis un enfant de la DASS, ballotté dans beaucoup de maisons. J'ai laissé tomber Dieu et quand j'ai connu ma femme, je lui ai dit qu'Il m'embêtait. Puis j'ai compris que Jésus était quand même là. Je faisais le métier de charpentier-plombier que je ne pratiquais plus parce que j'en avais horreur. Puis j'ai été atteint d'arthrose aux jambes. A Lourdes, je suis allé à la piscine et maintenant, je peux témoigner d'une guérison reçue : je n'ai plus du tout mal aux jambes ni aux bras. Je peux faire ce que je veux. Le Seigneur m'a aussi rendu le sommeil depuis que je suis ici".

A cet orphelin, le Seigneur a montré sa bonté paternelle, tant pour sa santé que pour son coeur. Il lui a donné aussi la délicatesse de l'amour qu'il n'avait pas connue, de sorte que son épouse, à son tour, se laisse aimer par lui. C'est le don de la miséricorde qui les a attendris et leur a donné ce coeur vulnérable qui est indispensable à l'amour conjugal.

La conversion nécessaire : un coeur vulnérable

Vivre de bonnes fiançailles, c'est apprendre à s'aimer. C'est tout un chemin à parcourir : " voir, savoir, s'émouvoir". Beaucoup de réflexes d'auto-défense doivent tomber. Il devient impossible d'en rester aux bonnes paroles...

C'est le chemin biblique de "la vie en abondance" dont nous parle Jésus : *"Moi, je suis venu pour qu'on ait la vie et qu'on l'ait en surabondance. Je suis le bon pasteur"* (Jn 10, 10-11). C'est Jésus qui donne la vie, et qui la fait passer de l'un à l'autre dans le couple. Et cela ne se fait jamais sans une blessure d'amour.

> *Venus à Jésus, quand ils virent qu'il était déja mort, ils ne lui brisèrent pas les jambes, mais l'un des soldats de sa lance, lui perça le côté, et il sortit aussitôt du sang et de l'eau* (Jn 19, 33-34).

Les époux doivent avoir l'un pour l'autre ce coeur vulnérable de Jésus. C'est là que s'approfondira leur amour d'étape en étape, dans une vie conjugale parsemée d'épreuves. Ce coeur vulnérable, loin d'affaiblir les époux, sera leur force. Dans les épreuves, où il n'y a plus rien à comprendre, ni rien à entreprendre, les époux se rejoindront en *celui qui est plus grand que notre coeur et qui connaît tout* (1 Jn 3, 20).

Les époux doivent avoir ce coeur vulnérable aussi pour ceux de leurs enfants qui peuvent être handicapés, de façon notoire, à la naissance même. Ils auront facilement ce coeur de compassion qui leur fera aimer l'enfant infirme, tout autant que ses frères et soeurs, et davantage même.

Mais si, avant la naissance, ils vont demander conseil à une pseudo-science sur laquelle règne l'égoïsme le plus affreux qui soit (en raison de son caractère), ils pourront succomber à la tentation de la "facilité" qui va à la mort. Ils en sortiront le coeur meurtri et seul Dieu pourra leur enlever le remords. Car l'amour a besoin de voir éclore la vie.

Il y a des lois qui ratifient le mal. Cela ne devrait rien enlever aux parents, qui sont dans leur droit : celui d'avoir un coeur vulnérable. Ce n'est pas raisonnable ! penseront certains. Allez donc raisonner l'amour, et vous verrez bien vite ce qu'il en reste ! A l'origine, il y avait un acte d'amour vrai dans l'échange de l'intimité charnelle, et le fruit de cet amour, c'était l'enfant. Quel orgueil démesuré de proposer "d'intervenir" pour briser cet élan d'amour et de vie ! Curieuse "intervention" ! et que lui reste-t-il de "médical" ? Où sont les soins et la guérison ? Non seulement c'est une démarche "anti-scientifique", mais également anti-évangélique. C'est pourquoi les Papes, les uns après les autres se sont faits les défenseurs de la vie, au nom de l'Evangile et des droits de l'homme. Jean-Paul II, récemment encore, s'exprimait ainsi :

> "L'Eglise est appelée à manifester de nouveau à tous, par une conviction plus vive et plus ferme, sa volonté de promouvoir la vie humaine par tous les moyens et de la défendre contre toute menace, en quelque condition et à quelque stade de développement qu'elle se trouve.
>
> C'est pourquoi l'Eglise condamne comme une grave offense à la dignité humaine et à la justice, toutes les activités des gouvernements ou des autres autorités publiques, qui

essaient de limiter, en quelque manière, la liberté des conjoints dans leurs décisions concernant les enfants. Par conséquent, toute violence exercée par des autorités en faveur de la contraception, voire de la stérilisation ou de l'avortement provoqué, est à condamner absolument et à rejeter avec force."[1]

En fait, il y a quatre-vingts millions d'avortements par an dans le monde ! Où est donc la cause de cet aveuglement massif de notre temps dans l'accueil de la vie ? A la racine, c'est la compassion qui manque, celle qui donne un coeur vulnérable, seul capable de pratiquer l'Evangile. C'est le coeur qu'il faut changer. Et cela s'appelle la conversion. *J'ôterai de votre chair le coeur de pierre et je vous donnerai un coeur de chair* (Ez 36, 26).

Le disciple doux et humble

En un raccourci saisissant, Jésus s'était présenté lui-même à ses disciples : *"Mettez-vous à mon école, car je suis doux et humble de coeur"* (Mt 11, 29). *"Mettez-vous à mon école"* pour être de bons disciples, de vrais disciples. *"Doux et humbles"* ? On croit rêver.
Douceur et humilité, telle est donc la " chair" du chrétien.
C'est un don de Dieu. Tout comme la terre promise a été donnée par Dieu à son peuple, mais qu'il a fallu encore conquérir, ainsi le baptisé devient-il "chrétien" de jour en jour, en étant vraiment disciple.
Si un non-croyant parvient à la foi, c'est une affaire de coeur. Se convertir c'est rencontrer le coeur de Jésus, "Ce coeur qui a tant aimé les hommes qu'il n'a rien épargné jusqu'à s'épuiser et se consommer pour leur témoigner son amour" dira Jésus à Sainte Marguerite-Marie à Paray-le-Monial. Durant sa vie Jésus s'est révélé à nous *"doux et humble"* en paroles et en actes. C'est en ce sens que les époux chrétiens seront de vrais disciples ou essaieront de le devenir tout au long de leur vie.
Le jour où Jésus lave les pieds de ses disciples, nous sommes au coeur du mystère d'amour de Dieu pour les hommes, car ce geste est l'acte engageant du serviteur, qui se met à genoux devant chacun

---

1. *Familiaris consortio*, n°30.

de ses apôtres : un coeur de Maître pour ses disciples, oui mais de Maître qui reste "doux et humble". C'est là où Jésus livre le meilleur de lui-même. C'est le secret de sa vie offerte, ce devra être celle de ses disciples. L'enseignement qui en ressort est clair : *"C'est un exemple que je vous ai donné, pour que vous fassiez vous aussi, comme moi j'ai fait pour vous"* (Jn 13, 15).

Ce message d'humilité, seul, peut sauver l'homme. Quel gâchis, quel retard pour le Royaume, chaque fois que les hommes, dans l'orgueil de leur savoir, refusent de se laisser "émouvoir", et de se mettre à genoux aux pieds de leurs frères.

Jésus est allé jusqu'à la croix et cela par amour. Combien de couples ne peuvent être sauvés qu'en regardant vers la croix de Jésus. Ainsi, cette épouse reçut-elle pendant l'Eucharistie, qui est le renouvellement du sacrifice de la Croix, la grâce de porter sa croix. Elle est allée jusqu'à dire : "J'aime ta Croix". (Ce sont ses propres termes) :

> Michelle : "Je remercie le Seigneur de tout ce qu'il m'a donné pendant cette session. Il y a un frère qui a eu une parole de connaissance, et j'ai vraiment reçu l'amour du Seigneur au moment de l'Eucharistie. Je me sens fortifiée maintenant, ma vie passée est vraiment balayée et je suis sauvée par la croix du Christ. Seigneur, j'aime ta Croix".

Cela peut surprendre, mais nous sommes ici au coeur du message de l'Evangile. C'est en cela que notre monde pourra faire la différence entre un philanthrope et un chrétien. Alors dans sa découverte des profondeurs du coeur de l'homme enfin ajusté à celui de son Dieu, ne trouvera-t-il pas le désir de se convertir ?

Les époux, dans leur écoute l'un de l'autre, donnent ce témoignage de douceur et d'humilité, qualités essentielles de l'amour.

A vivre en Eglise, loin des dieux de l'étranger

La lourde et magnifique tâche de l'Eglise est de révéler cet amour de Dieu pour le monde, qu'il veut sauver !

Jésus est sauveur et sauveur unique. La terre promise est là. Mais pour y entrer, il faut "laisser les dieux de l'étranger" comme l'a demandé Josué au peuple de Dieu. Sinon il est impossible "d'incliner son coeur" vers Celui d'où ont jailli l'eau et le sang, vie et salut du monde.

"Alors, écartez les dieux de l'étranger qui sont au milieu de vous, et inclinez votre coeur vers le Seigneur, Dieu d'Israël', demande Josué à son peuple (Jos 24, 23).

Il y a un choix à faire. D'où l'importance primordiale, pour ceux qui forment l'Eglise du Christ, de se laisser purifier de tous ces "dieux de l'étranger" qui essaient de regagner du terrain. Il faut veiller " à la vie spirituelle intense" des baptisés, comme l'a rappelé le cardinal Thiandoum, rapporteur général du synode pour les laïcs, en 1987, dans sa conclusion :

"Sans une intense vie spirituelle, l'aliment nécessaire manque aux fidèles laïcs pour remplir leur vocation et leur mission ecclésiale."[1]

Jean Paul II et nos Evêques également prennent soin de nous dévoiler quels sont ces faux dieux.

A l'aube du troisième millénaire, Jean Paul II, mis par Dieu à la tête de son peuple, tel Josué devant l'assemblée de Sichem, s'adresse à nous en termes clairs et précis sur les conditions à remplir pour entamer cette seconde évangélisation, nouvelle conquête de la terre promise.

Tel encore l'apôtre Paul dénonçant les *régisseurs de ce monde de ténèbres, les esprits du mal qui habitent les espaces célestes* (Ep 6, 12), Jean Paul II a dénoncé, devant 500 000 jeunes, à Saint Jacques-de-Compostelle, "la pollution des idées et des moeurs qui peuvent conduire à la destruction de l'homme". Il a ajouté : "Cette pollution, c'est le péché d'où naît le mensonge. Je veux parler du péché qui consiste à nier Dieu, à refuser la lumière".

C'est le cri de Dieu lui-même, à travers le prophète Jérémie :

Mon peuple a commis deux crimes : ils m'ont abandonné, moi la source d'eau vive, pour se creuser des citernes, citernes lézardées qui ne tiennent pas l'eau (Jr 2, 13).

Les dieux de l'étranger n'ont pas de coeur et leur subtile théorie, qui échappe à l'intelligence des pauvres, c'est de refuser d'avoir volontairement du coeur maintenant en attendant d'en avoir un très grand plus tard... Donc on n'est pas obligé d'être doux et humble de coeur, on le sera plus tard, quand on aura réglé les problèmes. C'est

---

1. *Documentation Catholique*, 6 décembre 1987, col 1040, .

la fausse religion de l'idéologie. Ce n'est plus du tout l'Evangile de Jésus.

Les "dieux de l'étranger" n'ont pas non plus d'humilité, ils n'aiment pas l'humilité. Ils ont tôt-fait de l'enlever aux disciples de Jésus.Alors, c'est la ruine d'une oeuvre qui aurait dû être féconde pour l'Eglise et le monde. Par exemple, au coeur même du couple, l'un des deux perçoit bien l'amélioration à apporter à la famille, pendant que l'autre est sans ressort, ou n'est pas du même avis. Alors, attention de ne pas aller chercher la solution chez les "dieux de l'étranger", hors de l'Evangile, là où l'esprit domine le coeur ! Car ils ne peuvent pas susciter la réconciliation. Au contraire, ce sont eux qui engendrent la séparation.

Pour éviter cet écueil, le couple devra s'entourer de frères et trouver sa place dans l'Eglise, par exemple, dans une paroisse. Et le chemin pour ce faire, ce sera l'humilité.

Le couple chrétien fait confiance à l'Evangile et à l'Eglise. Ainsi, il ne risque pas de s'égarer vers des religions, qui ont une autre philosophie de l'amour. Ce n'est pas manquer de tolérance, que de s'attacher à notre Dieu, le vrai Dieu, et d'attendre tout de Lui, notre créateur. Au début du monde, Il créa l'homme et la femme. Ce serait donc inutile et néfaste d'aller chercher auprès d'autres dieux, qui sont faux, le sens de l'amour, et les secrets du bonheur du couple. A ce sujet, la parole de Dieu est absolue.

> *Ainsi parle le Roi d'Israël,*
> *Seigneur Sabaoth, son rédempteur,*
> *Je suis le premier et je suis le dernier.*
> *A part moi il n'y a pas de dieu.*
> *Qui est comme moi ? qu'il crie,*
> *qu'il le proclame et me l'expose* (Is 44, 6-7).

Non, vraiment, les "dieux de l'étranger" ne connaissent rien de la compassion si nécessaire à la vie des hommes. Les dieux de l'idéologie, du salut de l'homme par l'homme, ou de l'argent devenu maître, même s'ils pratiquent parfois une certaine philanthropie, sont incapables d'avoir ce coeur de compassion.

Quant aux grandes religions monothéistes, leur conception de la compassion, dans la non-violence par exemple, n'ajoute rien à la véritable compassion, telle que nous l'enseigne la Bible et l'Evangile. Car celle-ci ne trouve pas sa source dans la seule contemplation d'un dieu unique, mais dans la passion de Jésus, le fils de Dieu fait homme : *Qui a le Fils a la vie ; qui n'a pas le Fils n'a pas la vie* (1 Jn 5, 12).

Au coeur de ce monde où le "religieux" est à la mode, à cause du vide laissé par l'anticléricalisme et par l'athéisme, il est urgent que les couples et la famille répondent bien fort à la question toujours actuelle de l'Evangile :

Jésus posa à ses disciples cette question :

"Au dire des gens, qui est le fils de l'homme..." ? Simon Pierre répondit : "Tu es le Christ, le Fils du Dieu vivant" (Mt 16, 13-16).

Le bonheur de la famille est en Christ. Qu'il règne donc, Lui qui est *"doux et humble de coeur"*, et par là, qu'Il étende son règne sur toute la terre, mais pas à la façon des *grands de ce monde*, car "son royaume est de justice, d'amour et de paix ."[1]

Là est la protection des familles, consacrées au coeur de Jésus. Quel dommage ce serait d'y voir seulement une dévotion !

4 — LA CONSOLATION, FRUIT DE LA COMPASSION

La consolation, don de Dieu

Il est vrai que la compassion s'exprime souvent par des paroles ou des gestes de consolation. La douleur et la peine, la souffrance et la blessure trouvent apaisement et réconfort dans la rencontre du frère qui est là pour consoler. C'est une façon d'exprimer l'amour, rejoignant la peine de celui qui a touché notre coeur. C'est vrai et nécessaire au plan fraternel. Mais combien plus au plan conjugal !

La compassion pourra revêtir bien des formes différentes dans son expression : un regard, un geste, une écoute silencieuse, une marque d'affection ou une parole.

Mais si elle va assez loin, et peu importe la forme, la compassion apportera à celui qui est blessé une grâce de consolation. Cette

---

1. Préface du Christ-Roi.

dernière pourra revêtir une marque de sentiment, mais elle sera au-delà du sensible ; elle devra être purifiée de tout sentiment possessif. Elle aura été gratuite, parce que donnée par Dieu lui-même à l'âme blessée, par l'intermédiaire d'un frère.

La compassion est un don de Dieu, la consolation également. Quand Dieu vient mettre le baume de son amour sur la blessure, offensé est enfin vraiment consolé.

Dieu est amour, Dieu est compassion, Dieu est consolation. Et les hommes ne doivent jamais prendre la place de Dieu.

> *"C'est moi, je suis celui qui vous console ; qui es-tu pour craindre l'homme mortel, le fils de l'homme voué au sort de l'herbe ? tu oublies le Seigneur ton créateur..., et tu ne cesses de trembler tout le jour devant la fureur de l'oppresseur"* (Is 51, 12-13).

Celui qui t'a blessé, celui qui te fait peur n'est qu'un homme ; tandis que celui qui vient te consoler c'est ton Dieu, semble nous dire le Seigneur.

> *"Comme celui que sa mère console, moi aussi je vous consolerai, à Jérusalem vous serez consolés"* (Is 66, 13).

C'est vrai que la parole de Dieu rassure, encourage, mais aussi console.Et c'est au coeur de cette consolation, véritable don de Dieu, que l'espérance nous est redonnée. Un couple en fit l'expérience, lors d'une retraite. La consolation fait plus que remettre "à niveau" celui qui était accablé par la tristesse :

Colette : "J'ai été touchée dans les enseignements. Je crois avoir reçu une grâce d'espérance dans le sacrement de réconciliation, car je portais en moi une tristesse : il m'a été dit que j'avais un pardon à donner à Christian et qu'il fallait que je dépose mes fardeaux. Nous avons eu deux enfants au début de notre mariage. Après, j'en désirais d'autres, mais Christian n'était pas d'accord, et après nous n'avons pas pu en avoir. Je portais ça vraiment comme une trés grande tristesse, et j'en voulais à Christian. J'ai été consolée".

Christian : "J'ai reçu aussi une grâce d'espérance, l'espérance dont on a besoin chaque jour. Avant d'aller l'un et l'autre vers le sacrement de Réconciliation, on était, comme toujours, quand on abordait certains problèmes, un peu hargneux. Depuis on vit dans une paix profonde. J'ai l'impression de repartir avec une femme qui a dix ans de moins".

On croirait entendre le Psaume 103 (1-5) :

> *Bénis le Seigneur, ô mon âme, n'oublie aucun de ses bien-*
> *faits, Lui qui pardonne toutes tes offenses, qui te guérit de*
> *toute maladie..., qui te couronne d'amour et de tendresse...*
> *Comme l'aigle se renouvelle ta jeunesse.*

Ainsi le mal-aimé en ce monde, celui qui a pu être blessé par les uns et les autres, à cause de son incapacité à se faire aimer, souffre d'une grande insatisfaction. Il trouvera auprès de Dieu la seule consolation capable enfin de guérir les blessures de son coeur labouré par tant de rejets ou d'ingratitudes. Les époux eux-mêmes sont appelés à faire l'expérience de la présence du Seigneur dans la consolation réciproque qui dépasse de loin la tendresse échangée.

Si la compassion engendre la consolation, il est bien vrai que la consolation redonne la paix, qui est encore don de Dieu. Nous voyons ainsi quel chemin le Seigneur prend, suite à la blessure ou à l'injure, pour venir réparer les dommages causés. Il est vraiment l'Agneau de Dieu qui prend pitié de nous, qui a porté nos péchés et nous a rendu la paix.

Heureux les affligés, ils seront consolés (Mt 5, 5)

Dans sa compassion, Dieu demande que son peuple soit consolé : *"Consolez, consolez mon peuple", dit notre Dieu, "parlez au coeur de Jérusalem et criez-lui que son service est accompli, que sa faute est expiée"* (Is 40, 1-2).

Dans la béatitude de Jésus, nous pouvons voir Dieu qui accomplit sa promesse : *"Vous serez consolés"*. Cette promesse se réalise avec l'enseignement de Jésus, la guérison des malades, et les péchés qui sont remis. L'homme a-t-il un besoin si impérieux de consolation ? C'est évident. Il n'est que de regarder toutes les tristesses qui nous entourent. D'ailleurs, nous portons souvent nous-mêmes des tristesses profondes inavouées, que nous savons habilement dissimuler, ou justifier.

Bien souvent, c'est par nos pensées seulement que nous sommes en relation avec Dieu, dans la confiance en l'Esprit Saint : "on a compris.., on a appris beaucoup de choses". C'est juste, car *"l'Esprit Saint vous enseignera tout et vous rappellera tout ce que je vous ai dit"* (Jn 14, 26). Mais n'est-il pas également l'Esprit consolateur ?

Les Eglises des Actes des Apôtres, *fidèles à la communion fraternelle* (Ac 2, 42), et vivant dans la compassion, savaient accueillir cette grâce venue d'en-haut : *elles étaient comblées de la consolation du Saint-Esprit* (Ac 9, 31).

Reconnaître que l'on a besoin d'être consolé, et accepter de l'être, c'est indispensable pour laisser la compassion de notre Dieu s'exercer à notre égard. De même, il nous faudra aller au devant de nos frères qui ont besoin de consolation : la béatitude dit que les affligés seront consolés... par Dieu, c'est certain, mais aussi... par nous.

> *Béni soit le Dieu et Père de notre Seigneur Jésus Christ, le Père de miséricorde et le Dieu de toute consolation, qui nous console dans toutes nos tribulations, afin que, pour la consolation que nous-mêmes recevons de Dieu, nous puissions consoler les autres en quelque tribulation que ce soit* (2 Co 1, 3-4).

Mais tout d'abord, acceptons-nous de nous laisser consoler par Dieu ?

Pour retrouver la paix du coeur, souvent il faut connaître la consolation. C'est là que Dieu vient toucher le coeur directement, et guérit tout particulièrement les tendances dépressives, ainsi que les phénomènes de rejet aux motifs multiples. Les barrières tombent, la simplicité revient : comme pour un enfant qui a fini de bouder en acceptant la consolation. A nouveau, un courant d'amour passe à l'intérieur du couple et avec Dieu. L'orgueil s'est effacé devant la tendresse à nouveau accueillie. Dieu est là, à l'intérieur du couple, et surtout dans la prière :

Monique : "J'avais été frappée par la paix rayonnante de certains couples qui nous entouraient, après une retraite.Cela m'a donné envie de venir. Depuis la mort de mes parents, je ne me portais pas bien, j'étais dépressive, je rechutais sans arrêt. Le deuxième soir, aux vêpres, j'ai reçu une parole de connaissance : il y avait "une femme qui avait du mal à se rapprocher de son mari depuis la naissance d'un garçon, et elle allait pouvoir retourner vers son époux, elle était guérie". J'ai vraiment senti que c'était pour moi. C'est formidable, je ne m'y attendais pas du tout. J'avais été voir les psychiatres depuis des années, cela ne donnait rien. Et là, j'ai senti vraiment que ça me dégringolait dessus, c'est extraordinaire" !

Jean-Louis : "On ne savait pas prier ensemble, on était trop orgueilleux. On a découvert hier soir qu'on pouvait le faire, et c'était merveilleux".

Cette consolation est donc le point de départ de toute vie spirituelle profonde, et elle sera encore nécessaire plus tard en maintes
circonstances. Cependant, il y a une première fois, qui coûte cher
souvent. Car cela suppose une guérison de l'orgueil. Se laisser
consoler, c'est un acte qui engage. C'est une expérience spirituelle
d'une grande valeur, à partir de laquelle Dieu va pouvoir enfin
construire. Ainsi, les époux auront-ils besoin de descendre dans les
profondeurs de leur pauvreté, et humblement accepter d'être consolés, pour construire un amour vrai et solide. A l'inverse, combien de
couples ne doivent-ils pas la fragilité de leur union à ce manque
d'aveu de leur misère profonde. Au-delà des pleurs qui peuvent
accompagner une expérience aussi profonde, et qui n'est pas dénuée
de sentiments, il faudra voir la profondeur de la démarche. Elle est
source de paix. Et surtout, elle ouvre une voie spirituelle souvent
inexplorée.

Un Dieu qui console l'inconsolable

Une maman ne peut pas toujours accorder à son enfant ce qu'il
lui demande, soit parce qu'elle ne l'a pas, soit parce qu'il ne faut pas
le lui donner. Mais elle peut toujours consoler son enfant, qui pleure
parce qu'il est déçu.

Ainsi, sommes-nous pour Dieu notre Père, des enfants souvent
insatisfaits, qui nous adressons à lui avec confiance certes, mais aussi
le coeur blessé de ce qui nous manque, et s'il ne nous accorde pas
immédiatement ce que nous lui demandons, il voit cependant notre
chagrin, et toujours, il veut nous en consoler.

Mais lorsqu'il faut consoler l'inconsolable, seul Dieu peut le
faire ; et quelquefois c'est à travers nous. Un souvenir personnel qui
marque ma vie et que je peux redire ici, parce qu'il fut public,
exprime bien le drame actuel, à savoir que les plus grandes détresses
ne peuvent trouver consolation qu'auprès du coeur de Jésus.

A Paray-le-Monial, lors d'une session-retraite, organisée par la
communauté de l'Emmanuel[1], nous étions peut-être une vingtaine
de prêtres à confesser sur la grande pelouse : une chaise, un prêtre
en aube avec l'étole, et des pénitents qui défilent à n'en plus finir.

---

1. La communauté de l'Emmanuel organise également des sessions pour couples appelées
"Amour et Vérité", 39 rue N.D. des Champs, 75006 Paris.

Une jeune fille se présenta à moi. Très vite, ce fut autre chose qu'une confession : un cri, que beaucoup purent entendre.Quand je lui parlai de l'amour du Père, de son Père qui est dans les cieux mais aussi tout proche d'elle, elle s'écria : "où est mon père ? qui est mon père" ? Etait-ce une orpheline ? Non, pire ! A vingt ans, elle apprit qu'elle était née par insémination artificielle ; mais de qui ? Sa mère elle-même n'avait pas pu lui dire de qui, alors qu'une mère célibataire, même si elle ne peut pas avouer de qui est née sa fille, porte quand même dans ses yeux le visage d'un homme qu'elle a rencontré, ne serait-ce qu'un soir. Mais cet anonymat dans la paternité peut-il être supportable ? Comment pouvait-elle se consoler d'avoir été conçue en dehors de tout échange d'amour ? De qui et de quoi était-elle le fruit ? A vingt ans, elle n'avait aucun point de référence pour faire mieux, bien sûr, pouvoir comparer,... rêver à un fiancé qui, lui, la respecterait..., un mari qui, lui, ne la trahirait pas ! Non, rien ! Le vide..., le vide complet. Un grand vertige l'avait saisie, je lui parlai encore de l'amour de notre Père du ciel, elle me tomba dans les bras, et hurla encore. Au milieu de cette prairie, j'offrais ma réputation de prêtre aux regards de la foule des pénitents, en expiation pour ce péché d'orgueil, ce péché de l'homme qui avait voulu se rendre le maître complet de la vie, et de la vie à transmettre. C'est un appren-ti-sorcier, qui en fait, avait transmis la mort, car cette jeune fille n'en pouvait plus de survivre à son immense solitude. Je demandai à la Vierge Marie de continuer à la protéger, avec elle je récitai un "Pater". Avant de me quitter, comme elle me demandait de regarder mes yeux et de m'embrasser, j'acceptai dans le calme revenu. Et qui de nous aurait osé la repousser ? Au loin, le service médical s'inquiétait, je leur fis signe de l'inutilité de leur intervention : aucune hystérie, le diagnostic était facile et ne relevait pas de la médecine. Maintenant c'était à Dieu de réparer, Dieu seul peut réparer la sottise des hommes.

Mais qui dénoncera ce désastre organisé par l'homme lui-même lorsqu'il va demander à la médecine, ce qu'en conscience, elle ne devrait pas donner ? Il faut que cesse l'aveuglement de "grands esprits" qui entraînent avec eux au précipice (tel un aveugle qui conduit un autre aveugle) un peuple anesthésié par des discours rassurants, sur le fait que notre temps n'est pas pire que celui des siècles passés. On dira encore que c'est une période de mutation à vivre en attendant mieux. Oui, mais alors ce n'est plus de l'attente, mais de l'attentisme, et peut-être même de la lâcheté. Il est difficile de ne pas penser à Jérémie :

> *Car du plus petit au plus grand, tous sont avides de rapine ;*
> *prophète comme prêtre, tous ils pratiquent le mensonnge.*
> *ils pensent à la légère la blessure de mon peuple en disant :*
> *"Paix ! Paix !", alors il n'y a point de paix. Les voilà dans*

la honte pour leurs actes abominables, mais déjà ils ne
sentent plus la honte, ils ne savent même plus rougir. Aussi
tomberont-ils parmi ceux qui tombent, ils trébucheront
quand je les visiterai, dit le Seigneur (Jr 6, 13-15).

Eh bien, si ! Ces temps que nous vivons, pour ce qui est de
l'accueil de la vie, sont pires que les précédents : j'ai trouvé sur ma
route des orphelins, des orphelines, de père, de mère, des deux à la
fois, abandonnés à la naissance, jamais je n'avais trouvé pareil
désarroi. Des orphelins, il y en a toujours eu, mais pour le coup il a
fallu l'intelligence des hommes pour faire pire ! Et c'est le vingtième
siècle qui l'a fait.

Il semble que l'on n'ait plus le droit de dénoncer le mensonge ni
de proclamer la vérité, sans tout de suite être taxé de défaitisme. Et
pourtant ce sont ceux-là-mêmes à qui le Seigneur donne le courage
de mettre en lumière toutes ces turpitudes du vingtième siècle, qui
prêchent en même temps l'espérance. Une génération nouvelle se
lève, que Dieu lui-même a suscitée : ce sont ces "enfants de lumière"
dont nous parle saint Paul (cf. Ep 5, 8 ; 2 Co 4, 6). Alors, tout est
possible à nouveau, à une seule condition cependant, avoir l'humilité
d'avouer s'être trompé.

Dieu seul peut réparer la sottise des hommes. Mais cette jeune
fille aura sa part à faire pour en sortir, et surtout un grand pardon à
donner. Je n'ai pu dire ici, bien évidemment, que ce qui fut public.

Elle n'était certainement pas capable d'accepter d'un coup tout
ce que Dieu avait à lui proposer pour en sortir, tout ce qui correspondait sûrement à ce qu'elle attendait elle-même, pour retrouver
l'amour.

Mais déjà Dieu voulait la consoler de ce qu'elle imaginait être
inconsolable. Et peut-être a-t-elle eu besoin d'être à nouveau consolée le soir même. C'est le temps de la patience de Dieu, jusqu'au
moment où le coeur écorché vif, acceptant enfin la consolation et
cessant de hurler sa peine, peut écouter la voix de son Seigneur qui
lui murmure doucement qu'Il l'aime, qu'Il l'a toujours aimé.

Posons-nous cette question : devant les 9076 embryons congelés
dans 49 centres, en 1988, et pour la plupart transplantés, les chercheurs en bioéthique, les juristes, les théologiens et les couples
concernés, ont-ils bien mesuré les tonnes de consolation nécessaires
pour que ces corps bien constitués tiennent aussi "debout" ? Heureusement pour l'homme, la rédemption n'est pas achevée : Dieu ré-
pare. La vie de Dieu est trop grande, trop belle, et trop riche pour

tenir "in-vitro". Dieu restera toujours le maître de la vie, dans sa miséricorde infinie.

C'est encore Lui qui aura le dernier mot : il consolera l'inconsolable, et par là, il redonnera encore la vie.

Marie, consolatrice des affligés

Dans l'épreuve, la Vierge-Marie est là, toute proche des couples dans la souffrance ou la difficulté. Au coeur de la maladie, la prière à Marie faite avec ferveur par le couple, est source de consolation inestimable. Les témoignages sont multiples. Voici l'un d'eux :

> Georges : "Depuis ma très grave opération, il y a deux ans, ce qui m'a soutenu, c'est mon chapelet, la prière et l'Eucharistie. Mes camarades et autres malades n'en revenaient pas de me voir blaguer, à l'hôpital".

> Marie-Josette : "En fait, mon mari a été gravement opéré, et depuis nous sommes obligés de vivre dans la continence. C'est l'année dernière, à Lourdes, que nous avons eu la grâce de pouvoir supporter cela. La première chose qu'il m'a réclamée en se réveillant de son opération, c'est son chapelet".

> Georges : "Nous avons beaucoup à remercier Marie qui est une bonne mère et qui aime ses enfants. Nous passons toujours par elle. La plus belle des guérisons, c'est celle de l'âme et cette guérison, je l'ai eue. J'en remercie le Seigneur et surtout Marie".

C'est que Marie est allée jusqu'au bout du sacrifice avec son fils. Au pied de la croix, la Vierge Marie est là pour recueillir les dernières paroles de son fils Jésus. Elle entend sa dernière parole dans un grand cri : *"Père, entre tes mains je remets mon esprit"* (Lc 23, 46).

Dans les mains du Père, Jésus remet son esprit, et dans les bras de sa mère, son grand corps pantelant. La souffrance de Marie est immense, mais la consolation qu'elle reçoit est à la dimension de la blessure : son fils martyrisé et mort, c'est également son Dieu. Et à cause de cela, nulle mère n'aura été visitée à ce point dans les profondeurs de son coeur.

La plus grande consolation, c'est Marie qui la reçoit de son fils, que par la foi, elle ne peut pas voir mort. Aussi, quand elle transmet le cadavre de Jésus à ceux qui vont l'ensevelir, ses bras ne sont pas pour autant devenus vides. L'Eglise y demeure désormais : Marie, Mère de l'Eglise.

Le coeur de Marie s'ouvre aux dimensions du monde, de la multitude qui, par son péché, est la cause du sang de Jésus versé sur la croix. Et le corps du Christ qui est l'Eglise, va demeurer entre ses bras de Mère jusqu'au retour du Seigneur dans la gloire. Chaque membre du corps va y trouver sa place, et sa consolation pour les siècles des siècles. Ses bras seront toujours assez grands et assez forts, assez doux et assez accueillants, pour recevoir toute souffrance humaine. Les bras qui peuvent recueillir le corps d'un Dieu, peuvent aisément porter le corps de son épouse qui est l'Eglise. Marie, consolatrice des affligés... de tous les affligés, et avec quel amour !

Qu'on n'imagine pas là une piété doloriste. Les cent-cinquante petits séminaristes dont je faisais partie il y a cinquante ans se souviendront toute leur vie du "Stabat Mater dolorosa" que leur professeur de chant, prêtre, leur avait appris pour l'enterrement de leur camarade de quatrième, mort subitement. Jamais je n'avais vu des prêtres pleurer comme cela, mais jamais je n'avais vu pareille consolation donnée à la famille, aux prêtres et aux petits séminaristes que nous étions.

"Notre-Dame des sept douleurs", "Notre-Dame de pitié",... d'autres noms peut-être encore, mais une même réalité, une seule et même expérience : la Vierge Marie qui intervient là, dans les plus grandes profondeurs du coeur blessé. Aussi est-ce à l'intérieur des familles qu'il faut savoir redire cette confiance à Marie. Dans la souffrance et le deuil, il arrive que l'homme ait des paroles de révolte contre Dieu, mais il semble bien qu'il ne puisse en avoir envers Marie, la Mère de Dieu.

Je fus frappé par cela lors d'un deuil accidentel dans la famille d'un camarade d'usine :

> Ce camarade était davantage pour moi qu'un compagnon de travail, un frère. J'avais pu lui parler de Jésus, lui faire cadeau d'un évangile qu'il avait déjà lu, un peu, dans sa jeunesse. Père d'une famille nombreuse, voici qu'un de ses fils, âgé de quatorze ans, meurt accidentellement, écrasé sur la route. J'allai donc jusque chez lui, après la journée de travail, à cinquante kilomètres de là pour le voir, lui et sa famille, et lui apporter la consolation du Seigneur par une visite. Tout le long de la route, le Seigneur me demandait de ne pas calculer à l'avance ce que j'allais pouvoir dire ou faire. Il ne me permettait même pas de savoir à l'avance si j'allais simplement me taire, comme il arrive souvent dans ces visites où la souffrance profonde de la famille ne saurait supporter une phrase de trop. A vrai dire, ce fut lui qui parla le premier : "Tu sais Jacques, je ne comprends rien à ce qui

nous arrive, mais je suis certain que Dieu nous le montrera au fur et à mesure". Je rentrai donc et fis connaissance avec le reste de la famille. Au moment de partir, un regret, je revins sur mes pas et rentrai à nouveau dans la maison. Il me manquait quelque chose et à eux aussi. Je revins vers la maman de ce garçon, et là le Seigneur me donna les mots. Voici qu'elle me dit : "Mon chapelet ne m'a pas quittée, il ne m'a jamais quittée". Je lui proposai alors de prier quelques "Je vous salue Marie". Elle accepta tout de suite, en me disant : "Ce n'est pas parce que le corps n'est pas là, et qu'il est encore à l'hôpital, que vous ne pouvez pas prier pour mon petit". Quand je la quittai, elle souffrait encore autant, mais au moment où mes yeux croisaient les siens, je la vis déjà consolée. "Marie, consolatrice des affligés". En sortant, son mari m'embrassa : "Tu as bien fait de venir, surtout pour elle. Elle a repris le dessus, ça va aller". Lui aussi avait fait un bond dans l'espérance. Et le fils aîné, qui refusait de prier depuis quinze ans venait de se convertir, au cours de ces quelques "Je vous salue Marie".

Ce sera aussi au coeur d'un amour brisé, sans qu'il soit question de deuil, que la confiance en Marie sauvera le coeur brisé de la dépression, et donc de la désespérance. C'est là aussi que l'intervention des autres saints, telle sainte Thérèse de l'Enfant-Jésus sera d'un puissant secours : ce sont ceux et celles qui nous ont précédés dans l'épreuve, et en sont sortis vainqueurs.

Ainsi, cette jeune épouse, profondément atteinte dans son âme et dans son coeur, découvrant et vivant un amour véritable, mais demeurée fragile dans son psychisme, suite à l'épreuve de sa jeunesse :

Marie : " A dix-sept ans, un jour de 15 août, j'avais rencontré un jeune homme avec qui j'ai failli me marier. Nous avons parcouru cinq ans ensemble, dans la chasteté. C'était une famille qui n'était pas croyante. Je m'imaginais convertir la famille et peu de temps avant le mariage, tout s'est écroulé. Et c'est moi qui suis tombée. J'ai senti une très forte amertume envers le Seigneur, parce que je me disais : "tu voulais faire de grandes choses et tout s'écroule". J'ai beaucoup prié la Sainte-Vierge et quelques années après, j'avais vingt-six ans, un jour de 15 août, j'ai rencontré celui qui allait devenir mon mari. C'était vraiment la miséricorde de Dieu et la Sainte Vierge qui me remettaient "un mari" sur ma route. Je suis venue ici avec des difficultés. J'ai fait de la dépression. Et j'ai été frappée de ce qui a été dit sur sainte Thérèse de l'Enfant-Jésus. J'ai un coeur vide, un amour insuffisant pour mon mari. Je souffre de fatigue mentale et Thérèse disait que monter la première marche, c'est difficile et un jour le Seigneur vous y aide. J'ai pensé que je devais faire cet effort de monter chaque jour cette première marche avec sainte Thérèse".

Que de couples, au sein-même de leur pauvreté après combien de déceptions successives, doivent à Marie consolatrice, ou aux saints, si proches de nous dans le corps du Christ, d'être restés unis, où d'être encore là, en vie. Le "Je vous salue Marie", avec son "pauvres pécheurs" dit bien cette assurance en la consolation de Marie, mère de Dieu et mère des hommes. Ainsi en témoigne cette parole de Jean-Paul II :

> "Elle qui fut la Mère douloureuse au pied de la croix, qu'elle soit là pour alléger les souffrances et essuyer les larmes de ceux qui sont affligés par les difficultés de leurs familles."[1]

5 — VRAIE ET FAUSSE COMPASSION

La compassion est faite de vérité et de consolation à la fois, sinon elle est fausse. La compassion exprime les deux attributs de Dieu : *fidélité et miséricorde* (Ex 34, 6). La fausse compassion consiste souvent à s'attendrir devant la personne blessée et en même temps devant le mal. On va donc plaindre la personne qui est tombée dans une embûche du démon (vol, mensonge, non respect de son corps, fornication, adultère même) et pour être plus certain qu'elle soit bien consolée, et plus vite, on va éviter de lui dire qu'elle doit regretter son péché ; on va lui dire que tout cela n'est pas grave, et qu'elle n'a plus à y penser.

Pourquoi ? parce que si le péché avait été dévoilé, il y aurait à craindre que cela puisse lui causer une blessure supplémentaire ! Mais la miséricorde de Dieu existe, et il faut croire au sacrement de Réconciliation, fait pour pardonner, libérer et guérir les coeurs blessés, en passant par le repentir, c'est évident.

Voici donc dévoilé cet esprit de fausse compassion, dû à un raccourci qui ignore la grâce, et laisse délibérément de côté la vérité ; c'est l'illusion qu'un grand coeur et de bonnes paroles vont suffire pour consoler et guérir.

---

1. *Familiaris Consortio*, n°86.

Dans le cas d'accompagnement spirituel de divorcés-remariés, il faut bien prendre garde de ne pas se laisser aller à ce raccourci, qui laisserait le couple dans l'illusion de sa faute. Cela ne peut que scandaliser les autres époux séparés, qui chaque jour, luttent pour ne pas laisser prendre leur coeur par un autre amour et rester fidèles au sacrement de Mariage reçu. Jamais un discours, ni une homélie, ni un écrit chrétien, ni une parole de théologie catholique, ne devraient laisser d'ambiguïté à ce sujet. Dans tous les cas, la vérité objective de l'Evangile doit être proclamée. Tomber dans le subjectivisme, laisser à chacun "sa" morale, nous éloigne de l'enseignement de l'Eglise et à plus forte raison des exigences de l'Evangile.

La fausse compassion repose souvent sur une spiritualité mensongère qu'on peut appeler la spiritualité "du fait accompli".

La spiritualité du fait accompli, c'est partir avec bonne volonté du point où l'on est arrivé, sans remettre en cause le bout de chemin déjà parcouru, qui lui, n'a pas été bon.

Par exemple : "Tu es faible dans la chair, il te faut bien faire avec ; tu as donc des préservatifs à portée de la main pour ne pas être atteint du SIDA[1]. Et tu fais bien, pour ne pas aussi propager la maladie. Tu penses aux autres même. Oui mais, tu as bâti tes relations fraternelles sur la fornication. Et la Sainte-Ecriture, parce qu'elle enseigne la vraie compassion, condamne la fornication :

> *Fuyez la fornication !... celui qui fornique, pèche contre son propre corps* (1 Co 6, 18).

> *On sait bien tout ce que produit la chair : fornication, impureté, etc., ceux qui commettent ces fautes-là n'hériteront pas du Royaume de Dieu* (Ga 5, 19-21).

Ou encore : "Tu es divorcé, et vivant un second mariage civil ; à partir de là, si tu ne remets pas en cause le chemin déjà parcouru, comment vas-tu pouvoir vivre l'Evangile" ? Crois-tu pouvoir mettre Dieu devant le fait accompli et ensuite aller chercher sa bénédiction pour une seconde union ? Le bien, le mal, tout est pêle-mêle. Moyennant quelques pages d'Evangile qui te plaisent bien, tu vas essayer de rebâtir quelque chose de beau sur les décombres. C'est *la maison bâtie sur le sable* (Mt 7, 26). La maison sera vite lézardée,

---

1. La Communauté de l'Emmanuel accueille les malades du Sida, à Tibériade, 75007 Paris, tel. : 40.49.07.64.

elle va s'écrouler, et ce sera d'autant plus décevant que tu y auras mis de la bonne volonté. Il faudra bien admettre que tu t'étais laissé berner par de mauvais conseillers :

> *Au gré de leurs passions..., ils se donneront des maîtres en quantité et détourneront l'oreille de la vérité* (2 Tm 4, 3-4).

Et pourtant, le message de Jésus est clair ; Jésus vint en Galilée, proclamant l'Evangile de Dieu, et disant *: "Les temps sont accomplis et le royaume de Dieu est tout proche. Repentez-vous et croyez à l'Evangile"* (Mc 1, 14-15). Les faux prophètes se reconnaissent à ce qu'ils annoncent la Bonne Nouvelle sans repentance, ni conversion.

La religion chrétienne est la religion de la conversion. La vie du mariage est un chemin de conversion et de sanctification. La carmélite dans son cloître se demande parfois, dans la nuit, si elle va tenir jusqu'au bout. Le couple, de même, pourra traverser des nuits qui lui feront crier vers Dieu : mais où est donc notre Amour ? S'ils crient ainsi vers Dieu, Il leur gardera la foi. Et par la foi, ils traverseront l'épreuve, car les épreuves spirituelles ne sont pas que pour les moniales, mais pour tous les baptisés. C'est l'enseignement de l'Eglise de siècle en siècle.

La spiritualité du "fait accompli", parce qu'elle est mensongère, ne saurait porter de bons fruits. Elle est fallacieuse, parce qu'elle part du bon sens de l'homme, mais elle oublie Dieu. Ne tenant pas compte de la Parole de vérité, elle engendre particulièrement cet esprit de fausse compassion, qui s'attendrit sur un mal soit-disant inévitable et inguérissable. Trop vite, on va se contenter du moins mauvais : quand la vie conjugale est devenue un enfer, ou un péril pour les enfants, mieux vaut se séparer, pensera-t-on, acculé à choisir le moindre mal. Finalement on se séparera, la mort dans l'âme ; après avoir signé un contrat d'amour ensemble, on signera un contrat d'échec. Il semble qu'en amour, le couple soit de plus en plus déstabilisé. Pendant que l'homme, à force de travail et de recherche, voit la technique et la science avancer à grand pas, dans le domaine de l'amour, il semble en train d'avouer qu'il est plus incapable que jamais de "réussir". L'une des causes en est cette fausse spiritualité.

La spiritualité du "fait accompli" ne libère pas. Non seulement, elle ne libère pas, mais c'est comme si on laissait pourrir dans le fond du panier une pomme qui risque de gâter toutes les autres par dessus : l'enlever, c'est-à-dire regarder en face les dégats causés par le péché, c'est repartir sur des bases saines.

"La vérité vous rendra libres", nous dit Jésus (Jn 8, 32). C'est pourquoi la vérité, même si elle est difficile à reconnaître et exigeante à pratiquer, donne déjà une grande joie à celui qui a pu avouer sa faute, même s'il n'est pas encore pardonné. C'est que son fardeau est déposé : le pardon va se saisir ensuite de ce fardeau et l'enlever pour toujours : *Nous devons rejeter tout fardeau et le péché qui nous assiège* (He 12, 1).

Prêchant un jour une retraite pour couples, et n'ayant fait qu'affirmer la parole de Jésus : *"Tous deux, ils seront une seule chair, que l'homme ne sépare donc pas ce que Dieu a uni"* (Mt 19, 6), j'en tirais immédiatement la conclusion logique : "Si vous êtes remariés après un divorce, vous n'avez pas le droit de dire "mon ex-épouse", puisqu'elle le demeure toujours, si elle est vivante, et que votre second mariage ne peut pas en être un vrai". Et j'ajoutai, au milieu de l'enseignement : "Toi à qui l'on a dit le contraire pour te rassurer : que la seconde était la bonne, alors que tu te souviens bien maintenant, comment, au bout de quinze jours de mariage déjà, il y a eu ce pardon que tu n'avais pas voulu accorder, et plus tard, tous les autres refusés également, et ton épouse a agi pareillement à ton égard ; vois cependant combien au point de départ, cet amour conjugal était grand et beau, et digne d'un sacrement. Reviens à la vérité maintenant, et mesure le fardeau qui t'est enlevé".

A la sortie de cet enseignement, un homme de la soixantaine m'accoste, passant devant les autres : "je n'en ai que pour cinq minutes, Père. Cet homme dont vous avez parlé, c'est moi : effectivement au bout de quinze jours c'était la dispute, nous ne nous sommes pas demandé pardon, et tout le reste ensuite s'est dégradé, et à partir de là, ce fut la séparation. Je suis là avec ma compagne, celle que j'ai longtemps cru être ma seconde épouse. Depuis dix ans que nous sommes convertis, tous deux nous vivons en frère et soeur. C'est vrai que j'aime toujours ma première femme, c'est plus fort que moi. Depuis dix ans, je fais une retraite par an. Jamais on ne m'avait dit la cause profonde de mon divorce, qui fut le manque de pardon, et pour me faire plaisir, on m'avait laissé entendre que la deuxième, avec laquelle je suis à cette retraite, était la bonne. C'était faux. Vous, vous m'avez dit la vérité. De grâce, continuez à dire la vérité dans toutes vos retraites. Je repars avec un poids en moins que je portais depuis trente ans, car j'ai toujours eu la foi. Et cela n'enlèvera rien à la compagne fidèle que Dieu m'a donnée, comme une soeur très chère, avec laquelle j'ai élevé nos enfants".

Voilà où peut conduire le faux esprit de compassion, jusqu'au mensonge. Et cela ne donne jamais la vraie consolation. Cet homme demeurait, malgré tout, tourmenté dans sa conscience depuis trente ans, luttant pour refouler ce premier amour marqué du sceau du sacrement. Les plus beaux discours ne pourront jamais effacer l'empreinte de Dieu, l'autosuggestion encore moins.

Quant à l'épouse, que je recevais peu après, elle me dit sur un ton revendicatif : "Nous n'avons eu qu'une petite bénédiction dans le bureau d'un prêtre qui nous avait dit de nous considérer comme "mariés" puisque, vivant en frère et soeur, nous n'étions plus dans l'adultère, donc bien dans le coeur de Dieu". Mais alors me dit-elle : "Ma seconde union, ce n'était pas un véritable mariage, mais une fraternité". Elle aussi était entrée dans la vérité.

La fausse compassion, pour consoler d'un premier mariage brisé, avait dit de se considérer comme mariés dans la continence et cela n'avait rien arrangé du tout. Cela avait même laissé cette femme, avec un coeur aigri et une pensée revendicative, sans issue. En lui redisant que l'Eglise n'avait jamais marié un frère avec une soeur, et que l'une des fins du mariage, c'est l'union de la chair, il était bien évident qu'il s'agissait là d'un compagnonnage fraternel et profondément spirituel, dans leur responsabilité commune des enfants qui leur étaient nés. Toute la grâce de Dieu était là maintenant pour les accompagner, mais non plus dans l'illusion mensongère d'appeler mariage ce qui n'en était pas un. En reconnaissant à son tour le "premier" mariage, comme le seul, et le vrai, elle recevait elle aussi, dans la lumière, la grâce de la vérité qui simplifiait sa vie, et lui enlevait cette désagréable impression qu'il lui manquait toujours quelque chose puisqu'à la fois on la disait mariée, et qu'elle ne l'était pas, faute d'union à son mari. *"La vérité vous rendra libres"* (Jn 8, 32) nous dit Jésus.

Une autre fois, une femme d'une cinquantaine d'années vint me demander conseil pour savoir, si étant divorcée-remariée, elle pouvait communier à la retraite que je prêchais. Ce faisant, elle tira de son sac deux autorisations écrites. Je lus et lui rendis les documents. Je la regardai et lui demandai : "Voici donc les deux permissions écrites que tu as obtenues en les demandant par lettre. Et toi, que te dit le Seigneur à cet instant ? (Nous venions de prier ensemble)". La réponse ne se fit pas attendre : "Je ne dois pas communier tant que je serai dans cette situation illégitime".

Je lui répondis : "Je ne te le fais pas dire. Mais alors pourquoi es-tu venue me poser la question d'une permission ? -"Parce que j'attendais que vous me disiez non. J'avais besoin que vous me disiez non ; Je n'étais pas tranquille chaque fois que je communiais". "Maintenant tu le seras, je pense, en ne communiant pas" ! "Oui me dit-elle, je me sens toute libérée".

Que s'était-il passé ? Dans un faux esprit de compassion, on décrète des exceptions : on croit alors satisfaire une demande, en n'accordant que la demi-mesure. Il continue à planer un doute malsain, engendré par une demi-vérité qui met finalement mal à l'aise la personne ainsi conseillée. A vrai dire, ce n'était pas un passe-droit qu'était venue chercher cette personne auprès d'un prêtre ou d'un évêque, mais la vérité. Quand on enseigne la vérité, les coeurs ne sont jamais troublés.

Le concile Vatican II, dans son chapitre sur la dignité du mariage et de la famille, s'exprime clairement sur les exigences du sacrement de mariage :

> "Cet amour des époux, ratifié par un engagement mutuel et par dessus tout consacré par le sacrement du Christ, demeure indissolublement fidèle, de corps et de pensée, pour le meilleur et pour le pire, il exclut donc tout adultère et tout divorce... Pour faire face avec persévérance aux obligations de cette vocation chrétienne, une vertu peu commune est requise : c'est pourquoi les époux, rendus capables par la grâce de mener une vie sainte, ne cesseront d'entretenir en eux un amour fort, magnanime, prompt au sacrifice, et ils le demanderont dans la prière."[1]

Sur un point comme celui-çi, il est bien vrai que vingt-cinq ans après, nous avons encore beaucoup de peine à appliquer ce que le concile Vatican II a demandé à toute l'Eglise, aussi bien aux pasteurs qu'aux fidèles.

C'est la parole de vérité qui évite le piège de la fausse compassion. Jamais, les concessions, les compromissions, les ambiguïtés, ni les adaptations subjectives ne seront compatibles avec l'Evangile parce qu'il est "parole de vérité". Le diable est "prince de l'équivoque", aimait nous dire notre supérieur de grand séminaire, en dénonçant ce qui n'était ni juste ni vrai dans nos vies.

Cet enseignement n'est pas périmé. Et Dieu sait si ce supérieur de grand séminaire était un homme bon, à qui plusieurs générations de prêtres doivent cet enseignement précis, avec la profondeur

---

1. *Gaudium et spes*, n°49.

spirituelle qui l'accompagne. Mais lorsque l'ombre d'un mensonge était dépistée, la parole de vérité tombait, juste, brève, à haute et intelligible voix, avec un regard sur les uns et les autres, comme pour vérifier que nous avions bien entendu et retenu ce qu'il venait de nous expliquer ! Et toujours suivait une parole de miséricorde et d'encouragement, car nous aurions pu désespérer de notre cas, tellement il se montrait exigeant...non, pas lui, mais la parole de Dieu : *Vivante, en effet, est la Parole de Dieu, efficace et plus incisive qu'un glaive à deux tranchants... Elle peut juger les sentiments et la pensée des coeurs...* (He 4, 12). C'était la vraie compassion, celle qui "ne passe pas de la pommade", mais celle qui fait des hommes :

> *Veillez, demeurez fermes dans la foi, soyez des hommes, soyez forts. Que tout se passe chez vous dans la charité* (1 Co 16, 13-14).

La vraie compassion relève celui qui est blessé, ou qui est tombé. Elle le remet dans la lumière et lui redonne la force de repartir sur le juste chemin. C'est de cette façon que tout se passe dans l'amour, le véritable amour, celui qui va sauver l'âme en danger, au sein de l'épreuve qui l'avait abattue. Car la vraie compassion, même si elle vient au secours des misères physiques et morales de notre prochain, a pour but principal d'atteindre son âme. Et notre sang ne fait qu'un tour quand nous rencontrons un frère qui risque fort de la perdre, son âme. Les époux, dans leur compassion et leur consolation mutuelles, travaillent à leur sanctification réciproque. Au coeur de cette compassion, celui qui est tombé sera relevé de sa faute par la tendresse de celui ou celle que Dieu a mis tout proche de lui, pour l'aider à faire son salut. C'est ainsi que les époux ne vivent pas dans l'utopie lorsqu'ils préparent ensemble, "dans cette vallée de larmes", ce jour où ils seront "compagnons d'éternité".

Saint Paul nous parle de *ceux qui doivent croire en Christ en vue de la vie éternelle* (1 Tm 1, 16). Chaque acte d'amour des époux ne doit-il pas être vécu lui aussi, en vue de la vie éternelle ? Oui, mais sans un coeur ouvert jusqu'à devenir vulnérable, il n'est guère possible de rentrer dès cette terre dans cette dimension d'éternité qu'est la communion dans l'amour.

Les coeurs vulnérables, quand ils se rencontrent, entrent en communion. La grâce du mariage est grâce de communion qui engendre et nourrit la famille. Et l'amour conjugal se construit dans l'intimité d'une communion toujours faite pour grandir.

Voilà qui est exaltant !

Dans l'amour, c'est cette communion de chaque jour et de chaque instant, qui va construire l'unité à laquelle les époux sont appelés par vocation. Car le mariage est bien une vocation toute particulière à l'unité avec Dieu et selon le coeur de Dieu. Dans la grande prière qu'il fait à son Père, Jésus n'a-t-il pas osé demander pour ses disciples :

> *"Qu'ils soient un comme nous sommes **un**, moi en eux, et toi en moi, afin qu'ils soient parfaits dans l'unité"* (Jn 17, 22-23).

CHAPITRE V

Appelés à l'unité
dans l'amour

Aussi, je vous en conjure,
par tout ce qu'il peut y avoir
d'appel pressant dans le Christ,
de persuasion dans l'amour,
de communion dans l'Esprit,
de tendresse compatissante ;
mettez le comble à ma joie
par l'accord de vos sentiments :
ayez le même amour, une seule âme, un seul sentiment.
(Ph 2, 1-2)

CHAPITRE V

1 — UN SEUL COEUR, UNE SEULE ÂME ET UNE SEULE CHAIR

L'unité du couple dans cette triple communion

La communion dans le couple est complexe. Essayons cependant de la décrire.

Dès le jour de leur première rencontre, les fiancés forment déjà un seul coeur, même si tout le chemin reste encore à parcourir. Et ce chemin sera de miséricorde, car dès le lendemain de leur rencontre, ils vont expérimenter leurs différences, leurs carences, et bientôt leurs négligences, et leurs rejets.

Aimer vraiment, c'est tout "donner". Mais c'est également tout "recevoir".

La plupart des couples ne découvrent qu'au fil des années ce que cela veut dire. C'est la cause de combien de blessures!

Au point de départ, il n'existe pas de couple qui connaisse le prix de cette communion merveilleuse à laquelle ils sont appelés. C'est normal qu'il y ait des illusions, tout comme pour le novice qui entre au monastère.

Ces illusions sont souvent causes de blessures. Mais les fiancés ou les époux pourront constater qu'au sein de ces épreuves successives, leurs coeurs se sont fortement rapprochés, pour une unité plus profonde et plus solide. C'est là que les fiancés recevront l'assurance nécessaire, pour pouvoir envisager un engagement dans une véritable fidélité.

Au commencement, c'est l'union des coeurs qui se vit. Mais déjà existe ce besoin de miséricorde pour y progresser.

Il y a parfois un autre obstacle à l'union des coeurs: c'est un grand décalage spirituel entre les époux. Il peut engendrer des jalousies, par exemple quand l'un des deux avoue un jour en avoir voulu à Dieu de lui avoir "pris" son époux ou son épouse. Inutile de dire que la progression spirituelle du couple en sera fortement altérée, et surtout que l'unité du couple en souffrira terriblement. C'est une des ornières les plus néfastes à la communion des coeurs.

Témoin cet époux libéré dans l'adoration de l'Eucharistie, là où se "refait le contact" avec Dieu, selon son expression même :

> Yves : " Nous étions venus pour résoudre un décalage spirituel. Odile était allée à Lourdes avec la communauté du Lion de Juda ; j'ai refusé d'y aller. Au retour, elle était transfigurée. Il y avait un décalage qui s'était manifesté. Il existait déjà un peu avant et pratiquement je lui ai fait une scène: j'étais jaloux de Dieu. Et d'entendre que Dieu est la troisième personne du couple, je me révoltais : à trois ce n'est plus un couple! En fait, c'est vrai : vivre son couple avec Dieu, c'est ce qu'il faut faire. Pour le première fois de ma vie, hier j'ai réussi à adorer le Seigneur devant le Saint Sacrement, autrement. Car auparavant, quand j'adorais, le contact ne se faisait pas. J'essayais d'atteindre le Seigneur, je n'y arrivais pas. Devant lui, j'ai revu toutes les difficultés de notre couple, et quand nous sommes revenus dans notre chambre, nous sommes tombés dans les bras l'un de l'autre. Je lui ai demandé de me pardonner, ce qu'elle n'arrivait pas à faire avant".

Au-delà des mots, cette union des coeurs se fera dans une présence amoureuse qui continuera par la pensée en cas d'éloignement momentané. Cela permettra aux époux de vérifier la qualité profonde de cette union des coeurs, la pensée prenant le relais d'une présence visible et tangible.

En plus de l'unité des coeurs, déjà si belle, va se découvrir cette unité de l'âme à laquelle sont destinés les époux, pour une prière commune et une sanctification réciproque. Ils le vivront avec beaucoup d'amour et de délicatesse, en partageant les plus grandes profondeurs de leur être, c'est-à-dire leur âme. Et cela pourra se faire grâce à la présence de Dieu lui-même, *lui dont l'Esprit scrute jusqu'aux profondeurs divines* (1 Co 2, 10). C'est en se laissant visiter par Dieu que les époux iront dans leur amour.

Cette unanimité de l'amour se vit donc dans une intimité spirituelle qui ne se crée pas du jour au lendemain. Mais quand elle fait défaut, le couple est particulièrement fragilisé. Témoin ce couple tombé dans l'athéisme, compensant à l'extérieur ce qui manquait à l'intimité de leurs retrouvailles en Dieu :

> Marc : "Je voudrais remercier le Seigneur d'avoir donné la force à ma femme de me supporter pendant seize ans et de m'avoir amené ici. J'ai fait ma valise jeudi, et puis je l'ai défaite, et je suis resté. Je commence seulement à comprendre".
> Lucie "Je crois qu'il n'y a jamais un coupable et un non coupable, dans un couple. Cette retraite nous a permis de revenir en arrière. On pensait que c'était une crise : en fait on était tombé dans une ornière, parce que depuis quinze ans on n'avait pas eu d'intimité spirituelle. Je me suis aperçue que la prière que je faisais toute seule était difficile, justement parce qu'elle n'était pas faite à deux. Du fait que nous étions mariés, il manquait quelque chose et je ne m'en étais jamais rendu compte. Et maintenant, depuis que tout est débloqué, je retrouve l'amour de Dieu. De plus nous avions beaucoup trop d'activités. On se donnait à fond. Nous avons eu six enfants en dix ans. On s'est donné beaucoup aux autres Finalement, il n'y avait pas cette dimension, on ne pouvait plus avancer".

Illusions, erreurs, indépendance, ingratitudes, lâchetés même, tout cela doit être pardonné. Cela se fait dans la prière commune. En retrouvant l'intimité de l'âme, les époux pourront vivre la communion des coeurs. Nous savons quelle richesse réciproque peuvent s'apporter un frère et une soeur dans une amitié spirituelle! Il est bien évident que les époux y sont destinés, au coeur même de leur union, là où leurs deux êtres, par grâce et par sacrement, sont appelés à faire une seule chair. Si les époux ne demandent pas cette amitié spirituelle pour leur couple, ils iront la chercher ailleurs, avec tous les dangers que cela comporte, en particulier, un coeur vite partagé.

A l'intimité du coeur et à l'intimité de l'âme, il faut encore ajouter l'intimité de la chair. C'est un terrain de communion profonde que cette union dans la chair, qui, associée de façon fort complexe à l'union des coeurs et des âmes, réalise complètement le plan divin sur les époux : *Ils seront une seule chair* (Gn 2, 24).

C'est la compassion qui sauve le couple, mais il faudra qu'elle soit réellement "conjugale", c'est-à-dire vécue à ces trois niveaux, du coeur, de l'âme et de la chair. Alors le couple grandira dans l'unité et se fortifiera dans la fidélité. Mais n'oublions pas que cette triple communion est un don de Dieu par excellence.

Le Pape Jean-Paul II nous le rappelle:

"Le don de l'Esprit est règle de vie pour les époux chrétiens et il est en même temps souffle entraînant, afin que croisse chaque jour en eux, une union sans cesse plus riche à tous les niveaux -des corps, des caractères, des coeurs, des intelligences et des volontés, des âmes-, révélant ainsi à l'Eglise et au monde la nouvelle communion d'amour donnée par la grâce du Christ."[1]

Intimité et non pas fusion

Au-delà de la communion fraternelle, le couple entre dans une intimité où se vit la grâce du mariage, dans un échange de personne à personne. Cette intimité n'a rien de statique, rien qui refermerait les époux sur une suite de petits bonheurs passagers. Elle peut donc aller très loin, mais elle ne devra jamais être une "fusion".

Il faut trouver un équilibre entre l'intimité charnelle et spirituelle. L'une ne doit pas être en concurrence avec l'autre. Il faut parfois beaucoup de patience et de persévérance pour le découvrir et le vivre. Mais tous les couples doivent y croire. C'est le cas de ce couple, qui non sans quelques doutes au passage, y est parvenu, et s'est trouvé béni par Dieu au delà de ce que *l'on peut oser demander, ou imaginer* (Ep 3, 20):

Agnès : "Il y a trente trois ans que nous sommes mariés. Nous étions un couple heureux et tout à coup deux événements sont survenus. D'abord un renouvellement de ma foi, puis une période pour moi assez critique qui a fait que ma nature s'est complètement déréglée. J'étais complètement tiraillée entre deux choses : entre mon amour pour le Seigneur et mon amour pour mon époux. Entre les deux, je ne savais plus comment faire, et Jacques ne me comprenait pas trop bien. Alors j'ai dit au Seigneur : "Je ne sais plus ce que je dois faire ; maintenant c'est à toi de me le dire". En allant me confesser un prêtre m'a dit : "Tu vas me croire, quand vous allez rentrer, vous allez vous mettre à prier en couple. A ce moment-là, vous pourrez vous montrer toute la tendresse qui est dans votre coeur. Comme cela vous serez en paix". J'ai ri sur le moment et pensé que cela n'était pas possible. Quand je l'ai dit à mon époux, cela a été pire que ma réaction, il a dit

---

1. *Familiaris consortio*, n° 19.

que c'était une plaisanterie. Nous n'avons pas pu revoir le prêtre et nous sommes repartis de la retraite. Arrivés à la maison je me mis à croire à la parole du prêtre, car c'est Dieu qui me le demandait. J'ai dit à mon mari : "Nous allons faire la prière du couple". Nous nous sommes agenouillés dans notre coin prière et là, nous avons dit: "Seigneur que ta volonté soit faite, que notre amour grandisse en sainteté". C'était il y a dix mois, le Seigneur nous a exaucés entièrement, et nous le remerçions".

Jacques : "La victime là-dedans, c'était moi ! Elle est "mystique" et moi, je suis "physique". Cela se passait plutôt mal à la maison. Les prêtres que nous avions vus jusque là n'avaient pas trouvé de solution à notre problème. C'était insoluble. Il y avait beaucoup de points où je rejoignais la foi, mais sur ce plan de l'amour humain il y avait une distance. Arrivé ici, j'étais imperméable. Quand mon épouse est revenue de sa confession et qu'elle m'a sorti la méthode, je suis parti. Le soir, nous avons appliqué la méthode, c'est-à-dire la prière du couple. Nous avons prié et j'ai dit : "Seigneur, tous les ennuis que j'ai eus jusqu'à maintenant, tu les a résolus, que ce soit professionnel, santé, etc. Peut-être que tu vas m'apporter une solution, fais ce que tu voudras". J'avais quand même confiance.
Maintenant nous avons commencé une vie extraordinaire, parce que j'ai retrouvé un amour que je n'avais pas connu depuis trente trois ans ; j'aime ma femme, je peux la prendre dans mes bras, la cajoler. Nous sommes en paix avec le Seigneur, en paix entre nous. Et maintenant je comprends que quand le Seigneur veut donner quelque chose à son enfant, il lui en donne les moyens. En fin de compte, ce n'est pas moi qui ai réussi, c'est Dieu. Je suis heureux et en paix, j'en remercie le Seigneur. Je voudrais dire à tous : n'attendez pas de sentir des choses, mais faites confiance. Quel que soit votre problème, priez-le en couple. Je vous conseille cette prière du matin : je me réveille le premier, je prends ma femme dans mes bras et je dis : "Merci Seigneur pour la femme que tu m'as donnée".

Agnès : "Les premières fois, le matin quand il a dit : "Merci Seigneur", et qu'il m'a prise dans ses bras, moi qui n'arrivais pas à me réveiller, je bredouillais ; et maintenant, si je dors à moitié, dans mon sommeil ça sort, et je dis : "Merci Seigneur pour le mari que tu m'as donné".

Souvent, quand il y a échec sur ce triple plan de l'intimité conjugale, on va éviter le contact de personne à personne qui risque fort d'être blessant. Pour revenir l'un vers l'autre, le remède est alors de se pardonner. Mais lorsque le pardon est exclu, que faire On va chercher la solution contraire : la fusion, par tous les moyens.

C'est une erreur grave, car c'est une déviation de l'amour : la communion épanouit la personne, tandis que la fusion ne la respecte pas. Tout essai en ce sens provoque une crise d'identité intolérable, qui est source d'anéantissement si elle est acceptée, ou de révolte violente si elle est refusée. Manifestement, elle n'apporte pas les fruits de l'amour.

Souvent la fusion est le résultat d'une "fuite en avant", due à la peur d'échapper l'un à l'autre. C'est la fuite inconsciente des exigences de l'amour. Ce dernier suppose l'échange, dans l'écoute et le respect de l'être aimé, qui sans crainte répond "oui" à l'amour qui lui est librement offert.

Dans le cas de la fusion, ce n'est plus la confiance qui fait le rapprochement dans l'intimité de l'amour, mais le désir captatif de posséder l'autre. Alors, le couple passe à côté du bonheur, pour avoir ignoré ou oublié que la communion seule pouvait lui donner de vivre l'amour en vérité et dans sa plénitude.

Nous voyons donc combien cette déviation, qui fait glisser de l'intimité profonde à l'amour fusionnel est absolument néfaste en elle-même, car elle est de l'ordre de l'aveuglement.

L'amour fusionnel, qui vise une fausse perfection, cherche à éviter toute "friction" pour pouvoir faire l'impasse du pardon. C'est la solution "païenne", qui engendre finalement tant de séparations conjugales.

En effet, comme la fusion complète est impossible, il y a toujours une porte ouverte à la mésentente. Au lieu d'un épanouissement, c'est une déception de plus en plus grande, qui crée un traumatisme et provoque une accusation réciproque. Et c'est dans des cas comme ceux-là, où la personnalité se trouve atteinte, que sera revendiquée, par exemple, l'émancipation de la femme.

L'amour humain tel que nous l'enseigne la Bible n'a rien de commun avec cette déviation. Chacun dans le couple garde sa responsabilité propre. Adam reçoit de Dieu une autre personne, qui devient son vis-à-vis. Chacun a sa volonté propre et sa sensibilité particulière, l'une masculine et l'autre féminine. Ils vont se compléter, ce qui ne veut pas dire fusionner. Ce sera une alliance, mais non pas un "alliage" à la façon de deux métaux, qui en fusionnant, n'en font plus qu'un.

C'est pourquoi, Eve et Adam pécheront par désobéissance envers Dieu, l'un après l'autre - et non pas ensemble. Leur responsabilité sera identique dans cette faute, mais restera distincte.

Dieu commencera par interpeller Adam après la chute, et non pas Eve. Certainement, parce qu'il n'a pas su la protéger, comme *un être plus fragile* (1 P 3, 7), alors qu'il avait été institué *chef de sa femme*, comme le Christ est chef de l'Eglise (cf. Ep 5, 22).

Adam alors reportera la faute sur sa femme, qui gardant sa responsabilité propre va se voir à son tour, questionnée par Dieu : *"Qu'as-tu fait là" La femme répondit : "C'est le serpent"* (Gn 3, 13). Et le récit se termine encore par une adresse particulière de Dieu, à la femme d'abord, et à l'homme ensuite.

Toute la Bible nous montre la responsabilité propre de l'homme et de la femme, pour en arriver à Joseph et Marie, qui resteront toujours le modèle du couple parfait : Dieu envoie successivement son ange à l'un puis à l'autre, selon leur responsabilité propre de mère du Sauveur, et de protecteur de la sainte Famille.

Nul doute à avoir sur cette communion profonde entre Joseph et Marie : dans le respect complet qu'a toujours eu Joseph pour son épouse, mère du Fils du Très-Haut, et dans la fidélité de Marie au don total de sa personne à Dieu, non seulement ils ont été protégés de tout glissement vers la fusion, mais ils ont vécu un amour plus grand que ce qu'ils pouvaient attendre. Comment ne pas voir là l'oeuvre de l'Esprit Saint. C'est ce que soulignait récemment le Pape Jean-Paul II, dans sa lettre apostolique sur la figure et la mission de saint Joseph :

> *"Joseph... prit chez lui son épouse mais il ne la connut pas jusqu'à ce qu'elle eut enfanté un fils* (Mt 1, 24-25). Ces paroles indiquent une autre proximité sponsale. La profondeur de cette intimité, l'intensité spirituelle de l'union et du contact entre personnes, de l'homme et de la femme, proviennent en définitive de l'Esprit, qui vivifie (cf. Jn 6, 63). Joseph, obéissant à l'Esprit, retrouva précisément en lui la source de l'amour, de son amour sponsal d'homme, et cet amour fut plus grand que ce que "l'homme juste" pouvait attendre selon la mesure de son coeur humain[1].

La véritable et bonne intimité du couple est donc dans une communion, où chacun a bien sa place privilégiée, qui n'est pas celle de l'autre :

> *Le mari est chef de sa femme, comme le Christ est chef de l'Eglise, lui, le sauveur du corps ; or, l'Eglise se soumet au*

---

1. *Redemptoris Custos*, 1989, n° 19.

> *Christ. Maris, aimez vos femmes comme le Christ a aimé l'Eglise : il s'est livré pour elle* (Ep 5, 23-25).

Les richesses du Seigneur, au lieu de se concurrencer, se conjuguent. Saint Paul nous dit bien que *tous les membres du corps, en dépit de leur pluralité, ne forment qu'un seul corps* et il ajoute : *ainsi en est-il du Christ* (1 Co 12, 12). Nous sommes membres du corps du Christ, c'est-à-dire du "corps mystique" dont la beauté vient de la diversité et de l'unité en même temps : *Aussi bien est-ce en un seul Esprit que nous tous avons été baptisés en un seul corps, juifs ou grecs, esclaves ou hommes libres, et tous nous avons été abreuvés d'un seul Esprit* (1 Co 12, 13).

Amour conjugal, et non plus amical

Il se pourrait que nombre de jeunes qui vivent en couple hors mariage n'imaginent pas ce qu'est un véritable amour conjugal.

L'amour conjugal est une vocation qui n'a rien à voir avec l'amour d'amitié, devenu si important dans les temps actuels.

Auparavant, les fiancés passaient bien souvent de l'amour fraternel à l'amour conjugal. Certaines amitiés existaient également, solides et vraies ; mais elles étaient un peu exceptionnelles et ne tenaient pas toute la place qu'elles ont maintenant dans le milieu "Jeunes". Il y a d'ailleurs un milieu "Jeunes" qui n'existait pas en tant que tel, voilà seulement quarante ans. Cela tout simplement parce que de nombreux jeunes fondaient un foyer aussitôt le "régiment", comme on disait alors, ou même avant. On faisait le métier de papa, à la mine à quatorze ans, à la ferme, ou à l'artisanat à dix-huit ans. C'était alors la jeunesse jusqu'à vingt ans : donc des amitiés d'adolescents.

Avec la scolarité prolongée, et maintenant avec le manque de travail fixe, nous avons vu l'amitié adulte se développer très tard et en très grand. Grands étudiants et chômeurs, pour "survivre", (car on ne peut pas vivre sans amour), ont construit un petit réseau d'amitié, dans lequel on aura un "petit copain" - une amitié particulière - de cohabitation, souvent. Et la génération précédente devra bien se garder d'y mettre l'étiquette "mariage". Ainsi, cete courte conversation entendue dans une famille de tradition chrétienne; c'est le papa qui s'adresse à sa fille de vingt ans, Jocelyne :

"Tiens, j'ai appris que ta copine qui a ton âge n'est pas en retard : elle va se marier, m'a dit sa mère. -Tu n'es pas fou papa ! Fais attention à ce que tu dis, tu te moques d'elle en disant cela ! Elle a un petit copain avec qui elle s'entend bien, un point c'est tout. Elle n'est pas folle, quoi ! Pour qui tu la prends" ?

Et pourtant, cette jeune fille est la sixième d'une famille dont le papa et la maman, responsables de leur union, heureux d'avoir eu une famille nombreuse, ont pu donner un bon témoignage à chacun de leurs enfants.

Dans la foulée de l'amour fraternel, l'amour d'amitié, très réduit dans le passé a pris une telle amplitude, grâce à la mixité aussi, qu'il craque de partout ; et l'amour conjugal qui devrait naturellement lui faire suite, se raréfie, soit par ignorance, soit par impossibilité d'être vécu, à cause de longues études supérieures, par exemple.

Et l'habitude se développe de partager son coeur avec plusieurs amis, ou amies, chez lesquels on prend le meilleur. C'est alors que la cellule de base qu'est le couple, a du mal à naître et à se souder dans la profondeur conjugale. Dans un tel flou, quand deux jeunes se marient, ils pourront bien rester fidèles l'un à l'autre, mais ce ne sera pas sans souffrances : témoin ce couple qui, dans cette situation, s'est tourné vers Dieu et a crié vers lui. C'est alors que le Seigneur les a éclairés. Ils avaient confondu association et mariage :

Claire : "Ce que nous avons vraiment compris, c'est que nous avons porté une grande souffrance et que cette souffrance m'empêchait de vivre. J'avais l'impression que c'était perdu. Et dans cette souffrance, je me suis tournée vers Dieu, j'ai crié, j'ai pleuré, j'ai prié. C'est là que nous avons compris tout ce qui n'allait pas dans notre couple, bien que la bonne volonté ne nous manquait pas".

Gérard : "En fait, c'est vrai que nous faisions une très bonne "association" mais pas un véritable couple. Je me suis aperçu que c'est pratique de mener sa vie chacun de son côté, mais ce n'est pas ce qui est demandé le jour où on se marie. J'ai eu beaucoup de mal à voir clair. Ou plutôt, je m'en apercevais mais ne voulais pas en tenir compte".

En effet le mariage est un choix, une décision et une réponse qui fait suite à un appel. Vivre le sacrement de mariage est effectivement une vocation.

Si la génération des parents l'oublie ou l'ignore, celle des enfants le ressent cruellement à partir même de la façon dont ils sont accueillis : double profession des parents, crèche, éducation faite par le milieu "Jeunes" et par l'école et non plus par la famille, etc. La part d'influence de la famille s'est trouvée très vite réduite à sa plus simple expression.

Pas étonnant dans ce cas que la jeune génération se pose le pourquoi d'un mariage, qui apporterait sans retard la naissance d'un ou plusieurs enfants. Comment envisager de reproduire ce qu'a fait la génération précédente, quand on n'a pas appris à goûter les joies d'une vie familiale ?

L'amour amical, qui se prolonge loin dans le temps, permet de fuir ou de retarder l'étape de l'amour parental, par ignorance de la beauté de cet état ou à cause de l'impossibilité de le vivre en grand, comme Dieu l'a voulu : *L'homme quittera son père et sa mère...* (Mt 19, 5).

Parfois, l'amour amical peut être si fort qu'il empêche de passer à cet amour unique des épousailles.

C'est ainsi que, récemment, deux jeunes ingénieurs de trente ans, homme et femme, mariés religieusement depuis quatre ans donnèrent ce témoignage :

> "Grâce aux enseignements qui nous ont été donnés, nous avons perçu que nous n'étions pas encore passés au plan conjugal de notre amour ; en effet, durant toutes nos études, nous étions les meilleurs amis qu'on puisse trouver, et un soir nous nous sommes posés la question et l'avons trés vite résolue par l'affirmative, que nous pourrions bien habiter ensemble en vue du mariage. Nous sommes donc allés à l'Eglise... Le lendemain tout a continué comme avant ; ayant besoin de tout acheter et en attendant une situation plus stable nous avons remis à plus tard les enfants.

> Cependant, nous avions fait un choix nous-mêmes, quant à la fidélité. (C'est l'époux qui parle) quand il y a quatre mois, mon épouse me confie avoir couché avec un ancien ami... pour une fois. Et je fus étonné de n'en n'être pas plus blessé que cela. A vrai dire, il n'y avait eu aucune demande de pardon : une erreur, et un retour en arrière peut toujours arriver ! pensais-je. Mais de jour en jour, une tristesse profonde naquit entre nous, et c'est là que nous décidions de venir participer à cette retraite pour couples, afin d'y voir plus clair.

> Eh bien, ajoute le mari, en parlant au nom des deux à la fois, "notre mariage" a commencé hier, quand d'un seul coup le voile est tombé. Dans l'intimité nous avons pu vivre un amour où nous étions vraiment "unique" l'un pour l'autre. Jusque là, nous étions demeurés les meilleurs amis du monde, et c'est en cela qu'a consisté notre aveuglement.

Maintenant, je crois que si l'un de nous était infidèle à l'autre, nous en tomberions malades l'un et l'autre. Et puis, tout de suite, nous nous sommes promis d'avoir un enfant, l'enfant de notre amour, non pas retrouvé, mais enfin trouvé.

Il nous a fallu cette prière des 5 jours de retraite pour entendre l'appel de Dieu, la vocation au mariage ; auparavant, nous ne l'avions jamais écouté, et l'on nous prenait pour de bons chrétiens. Nous aussi, nous nous prenions pour des chrétiens honnêtes, puisque comparativement à beaucoup de nos amis qui le refusaient, nous avions bien voulu recevoir le sacrement de mariage."

Nous n'avons pas demandé à ce couple ce que furent leurs fiançailles. Car elles devraient bien être ce temps favorable où les amis passent d'étape en étape à l'amour conjugal, en se pardonnant combien de maladresses ! Au travers de cette intimité du coeur et de l'âme, si fondamentale pour vivre un amour fidèle de toute une vie, les fiancés en arrivent enfin, comme dans une apothéose à la grâce du mariage et à l'intimité de la chair. C'est la beauté de la grâce d'un sacrement voulu par le Seigneur pour consacrer lui-même ce qu'un jour il avait créé.

Aussi ne manque-t-il pas d'époux avouant ne pas être parvenus jusqu'à l'harmonie dans cette intimité de la chair. Et c'est là que réside particulièrement la différence entre l'intimité amicale et l'intimité conjugale. Alors, devant l'"échec", certains couples décideront-ils de s'en passer. Mais souvent, ce sera l'enfer. Et d'autres couples, parvenus à un certain âge feront-ils l'erreur de croire qu'ils pensent "chrétiennement" s'en passer.

Un couple témoigne de la lumière et de la guérison reçues à ce sujet, redisant bien cette nécessité de l'intimité de la chair, aussi nécessaire que celle du coeur et de l'âme.

Georges : "Nous sommes parents de quatre enfants. J'ai été "retourné" par le Seigneur il y a 5 ans. Il est venu au milieu de nous, dans le couple. Mais je crois que c'est par mon épouse, Marie qu'il a pu passer au plus fort, et cela va certainement rejaillir sur nos enfants et notre entourage. C'est un jour nouveau qui s'ouvre devant nous pour nos enfants et nous-mêmes".

Marie : "En venant, dans la voiture, je me demandais ce que je venais faire à cette retraite. En arrivant, on nous a donné une chambre : nous avions des lits séparés. Ensuite, il y a eu la messe, le repas. Je ne comprenais rien. Je ne voyais pas ce que je venais faire ici. Et dès le lendemain, j'avais tous les chants dans la tête, toute la journée et pour finir je chantais durant les offices. J'ai demandé beaucoup de guérisons, surtout la guérison de ma mémoire et de celle de mon mari. Nous sommes mariés depuis 16 ans. Nous avons vécu l'enfer pendant douze ans, depuis le jour de notre mariage. Ensuite mon mari a été converti, il était merveilleux mais c'est moi qui ne l'étais plus. Je n'arrivais pas à vivre avec lui, je ne l'aimais plus. Nous avons "fait" deux enfants depuis sa conversion, ce qui en fait quatre. Mais je n'arrivais pas à l'aimer. Je l'aimais en tant que frère mais pas en temps qu'époux. Il a fallu guérir cette mémoire. Ce matin on m'a ouvert les yeux, on m'a ouvert le coeur, Jésus m'a guérie. Je peux regarder mon mari maintenant, je le vois en tant qu'époux. Je vois qu'il existe. Je ne pouvais pas lui donner de tendresse, je donnais tout à mes enfants et rien à mon mari. Quand il arrivait, je tricotais. J'avais avec lui une conversation mais pas de dialogue, tout, mais pas d'affection. Je n'arrivais pas à me donner. Et ce matin, j'ai eu un bon dialogue. Il y aura un long chemin à faire mais j'y crois fermement. J'espère que je pourrai tout donner à mon mari parce que pendant ces quatre ans, il a dû souffrir terriblement. Par sa conversion il me donnait tout son amour, et moi je ne lui donnais rien. On pourra donner la paix à nos enfants parce que c'est un cirque infernal que quatre enfants à table, et, en plus, mon mari que je considérais comme un gosse. Je dressais tout le monde, un vrai gendarme!"

Tous ces témoignages font la démonstration d'un surcroît de communion toujours nécessaire pour les couples. Encore faut-il en être convaincu, et en connaître le chemin. Tous les couples sont faits pour grandir dans l'amour, et dans une communion accrue. Cette communion, à tous les niveaux, est don de Dieu; mais les époux doivent aussi poser des actes : des actes de foi, d'espérance et de charité. C'est ce qui s'appelle, sans se payer de mots : construire l'amour.

2 - LE MARIAGE, CHEMIN DE SAINTETÉ DANS LA COMMUNION

Le mariage, un acte de foi

Accueillir la présence réelle dans le Saint-Sacrement, c'est le grand acte de foi des chrétiens, et à partir de cet acte de foi, nous reconnaissons Jésus qui se manifeste dans son amour pour nous.

On peut dire que le mariage est lui aussi d'abord sacrement de la foi. Au coeur de ce sacrement toutes les grâces sont prêtes pour les époux. Et Jésus s'y manifeste aussi.

Sans la foi, l'amour est terriblement fragilisé. La réalité tangible de l'alliance de Dieu avec les hommes, vécue dans le couple, est trop souvent bafouée. Le témoignage de l'amour vrai, fait de fidélité et d'engagement, est battu en brèche. A partir de là, sur quelle valeur sûre pourra s'apppuyer le petit ou le pauvre, pour grandir et se fortifier, à travers les relations parentales, filiales, ou fraternelles ? Au sein de la famille, tous doivent pouvoir compter les uns sur les autres. Le point de départ de cette confiance mutuelle, c'est la foi en Dieu.

Nul ne peut nier le désarroi de tant de jeunes qui se réunissent par bandes, dans un silence creux, pour se reposer des discours encore plus creux des adultes. Que leur reste-t-il de la foi ? objectera-t-on. Justement ils attendent qu'on leur enseigne le chemin de l'amour, par des actes qui engagent et qui s'appuient sur la foi. Des témoignages sont attendus :

> Un jeune couple qui n'était pas marié, saisi par une célébration de mariage très priante, avouait aux nouveaux époux, à l'issue de la cérémonie :"Vous nous avez redonné l'envie du mariage". Cette cérémonie de mariage avait été un véritable témoignage de la grâce de Dieu venant visiter ces nouveaux époux. Et cette grâce rayonnait sur leur visage, à tel point que le photographe lui même, n'ayant jamais vu pareil rayonnement d'amour sur des visages d'époux, leur demanda l'autorisation d'un agrandissement pour sa devanture. Au-delà du témoignage de leur amour était passé un témoignage de foi en Dieu.

Le sacrement de mariage n'a plus été compris. Il a été oublié ou refusé en même temps que la foi se dégradait ou disparaissait. L'analyse le montre. Monseigneur Julien l'exprime ainsi :

> "La crise du mariage et la crise religieuse présentes ont la même racine. C'est une crise de la fidélité. On ne se marie plus, on divorce, parce qu'on n'a plus confiance en l'autre ni en soi. On ne croit plus assez en l'autre ni en soi pour se donner pour toujours. C'est une crise de l'alliance, crise du mariage et crise de la Foi en même temps. Les deux se tiennent, quand on ne croit plus en Dieu, il est difficile de croire durablement en l'autre, et même en soi, en l'homme."[1]

---

1. *La Croix*, 1er juin 1985, p. 15.

C'est vrai que pour vivre ce qui est impossible aux hommes, il faut la foi. Et c'est vrai que tous ceux qui retrouvent la foi, même à un certain âge, veulent vivre leur amour conjugal en se tenant au coeur de Dieu.

Et il faudra faire encore ces actes de foi au sujet des enfants autant pour leur santé physique que pour leur avenir spirituel. Le témoignage de ce couple montre qu'on peut transformer une épreuve en offrande à Dieu :

> Rémi : "Nous avons trois enfants et je suis médecin. Je suis un chrétien de fraîche date. Peu après ma conversion, notre fils aîné Denis a eu une méningite virale. Il est resté peu de temps à l'hôpital et il est revenu à la maison avec de violents maux de tête. Il guérissait quelques jours, puis cela recommençait. Il lui arrivait même de vomir. J'étais très inquiet. Un confrère m'a conseillé de lui faire passer un scanner. Le soir, j'ai beaucoup prié pour lui, je l'ai confié au Seigneur en lui disant : "Guéris-le moi, et je te le donne, tu feras de lui ce que tu voudras". J'ai senti qu'Il me répondait en me disant : "C'est d'accord". J'ai su à ce moment-là qu'il était guéri. Il n'a plus jamais eu mal à la tête et n'a jamais passé le scanner. La suite s'est passée il y a quelques jours".

> Cécile : "Au cours d'une prière à la chapelle, nous avons entendu cette parole : "Quelques couples ici reçoivent l'appel de prier pour la vocation de leurs enfants". Nous l'avons prise l'un et l'autre pour nous. A ce moment-là, le Seigneur m'a fait revivre toute ma vie avec mes enfants. Au moment du baptême de Denis, Remi n'était pas encore converti et moi bien tiède, mais je sentais qu'il fallait porter cet enfant sur les fonds baptismaux, qu'il n'était pas à moi. J'ai voulu faire comme Joseph et Marie : confier mon bébé, dès sa naissance, au Seigneur. J'ai fait de même pour les autres ensuite. Quand le temps fut arrivé pour Denis de faire sa profession de foi, il ne voulait pas. Il nous reprochait même de l'avoir baptisé sans sa permission. J'étais toute décontenancée, je lui ai promis de prier pour lui. Quelques jours après, il me dit : "Tu peux le dire à papa, je vais faire ma profession de foi, parce que cela va être mon vrai baptême". Tout est parti de là. Nous marchons dans la foi".

Le mariage, un acte d'amour de tous les jours

C'est la beauté du mariage qui se renouvelle tous les jours. Mais la merveille ne se fait pas toute seule; il faut que chacun s'y mette. Tel est l'engagement du mariage et donc du véritable amour, qui demande que chacun paie de sa personne. Dans le langage de l'Evangile, cela s'appelle le "renoncement" à soi-même pour aimer l'autre, et non pas s'aimer soi-même à travers l'autre.

Ce renoncement nous est souvent révélé au moment où notre amour pour l'autre n'est pas reçu comme nous l'attendions. Tout de suite, c'est la blessure. En effet, nous attendions si fort que l'amour fasse l'aller-retour, que la surprise de n'être pas accueilli crée la blessure, et révèle en même temps le caractère limité d'un acte d'amour que nous avions cru désintéressé. Si l' échec est répété, la désespérance peut s'y ajouter. Mais un jour, après beaucoup d'incompréhensions, par la grâce de Dieu, l'amour finit par triompher. Encore faut-il que l'amour puisse s'exprimer de façon sensible. Au creux de la vague, le Seigneur est venu visiter un couple qui doutait de son amour, faute d'expression.

> Patrick : "Nous sommes mariés depuis treize ans et nous avons trois enfants. Il y a trois ans, j'ai fait une dépression avec tentative de suicide, j'ai perdu mon emploi, je suis au chômage. Tout s'est écroulé. Après des échanges que nous avons eu avec des frères j'ai dit à Chantal : "Depuis que nous sommes mariés, je pense qu'il ne nous reste plus que notre amour". Quand nous nous sommes promenés, hier matin, je lui ai dit : "Je ne me souviens pas que tu ne m'aies pris une fois la main, que tu aies posé ta main sur mon épaule, que tu aies eu un geste de douceur envers moi devant quelqu'un". Chantal m'a répondu : "Se tenir la main devant les autres, c'est extérieur, ce n'est pas primordial". En fait c'était l'expression de cet amour qui m'avait manqué. A cause de mon travail, je ne revenais pas déjeuner à la maison et voyais moins les enfants. J'allais les chercher à l'école et la tendresse que Chantal ne me donnait pas, mes enfants me la prodiguaient. J'essayais aussi de trouver une compensation dans le sport".

> Chantal : "Pendant l'office il y a eu une parole de connaissance : "Dans l'assemblée, il y a un couple à qui cela était impossible et qui va arriver à se donner la main". Je voyais bien des couples qui le faisaient, mais moi je ne pouvais pas. Dans mon coeur je demandais au Seigneur de me donner la grâce d'y arriver. Hier soir, quand j'ai entendu la parole, j'ai su que le Seigneur allait venir à mon secours. Nous avons rencontré un prêtre qui m'a fait comprendre l'importance du sensible et du regard, pour l'amour conjugal".

> Patrick : "L'homme a besoin de l'amour et de la tendresse de sa femme et réciproquement. Lors de ma tentative de suicide, j'allais mourir par manque d'amour, par manque d'expression, de tendresse. Je me voyais seul".

Pour vivre vraiment d'amour, les époux doivent quitter toutes peurs et toutes fiertés, et dans la simplicité, s'en remettre à l'amour de l'autre. En effet, il n'y a pas d'amour profond entre les époux sans un acte d'abandon, qui est abandon au coeur de l'autre. Mais il faut que toutes craintes tombent : *Il n'y a pas de crainte dans l'amour; au contraire, le parfait amour bannit la crainte* (1 Jn 4, 18). L'amour jusqu'à l'abandon sera toujours un don de Dieu.

Le mariage, un acte d'espérance

Que le mariage soit un acte d'amour, nul n'en douterait. Qu'il soit un acte de foi, pour être vrai, solide et fidèle : c'est la conviction de ce livre. Mais qu'il soit un acte d'espérance, c'est tout aussi important. L' espérance est absolument indispensable pour tenir de jour en jour, en attendant l'exaucement auquel on croit. Ainsi ce qui fera revenir l'époux vers son épouse, c'est la certitude que son épouse espérait encore son retour. Sans cette espérance, la blessure se creuserait encore davantage entre les époux, et le retour de celui qui a quitté serait rendu d'autant plus difficile, sinon impossible.

Parfois aussi des époux semblent proches l'un de l'autre, tout en souffrant d'un grand isolement. Cette mauvaise solitude dans le couple peut être cause de désespérance. Et pourtant le don de Dieu, reçu le jour du mariage, est là dans le conjoint tout proche, sans qu'on cherche à l'atteindre. C'est le cas de cet époux, indépendant, qui gardait ses problèmes pour lui :

> Alain : "J'ai découvert ici que j'avais cette capacité de garder et de résoudre mes problèmes, seul, sans en parler avec Annie. Maintenant j'ai envie d'être libre de tout ce que je portais en égoïste. Je me prenais pour un chef, et ne consultais jamais ma femme pour prendre une décision. C'est dur de reconnaître que je ne suis pas assez fort tout seul. C'est une nouvelle voie qui s'ouvre devant moi".

> Annie : "Je puis confirmer; car moi j'avais envie de changer. J'ai beaucoup souffert du manque de dialogue et de concertation dans notre couple. Je repars confiante puisque je sais que Dieu est là pour nous aider et que Alain m'a ouvert son coeur".

L'angoisse peut aussi refermer sur soi-même, et aveugler au point de ne plus voir l'amour que l'autre veut donner. C'est alors qu'on peut mettre le paradis dans le passé et envisager le pire pour l'avenir :

on ne voit plus où va la vie. Dans ce cas la prière redonne l'espérance, et les époux peuvent se retrouver et reprendre goût à l'amour.

Ainsi, cette épouse de nature angoissée, voit-elle venir à elle une vie nouvelle, et l'époux reprend courage lui-aussi :

> Suzanne : "Je suis trés angoissée et je ne voyais pas bien où allait ma vie. J'avais l'impression que j'avais passé les meilleures années et que maintenant j'attendais la mort. Mais aujourd'hui, c'est un grand jour pour moi parce que, en fait, j'ai l'impression qu'une nouvelle vie s'ouvre à moi. J'ai quarante ans et je crois que c'est le plus beau cadeau que je pouvais recevoir, c'est-à-dire tout cet amour que j'ai reçu et d'avoir retrouvé Maurice, mon époux".

> Maurice : "On était d'accord pour faire mieux, mais impossible de commencer. Il ne suffit pas de vouloir les choses avec des moyens humains, nous n'arrivions pas à construire ce que nous voulions. Et ici nous avons reçu comme grâce d'avoir les moyens de faire ce que nous voulions faire."

L'espérance est véritablement une vertu conjugale. Sans elle, les responsabilités du couple ne peuvent pas s'accomplir. Avec elle, le couple peut construire une famille.

L'espérance sera donc là tout au long d'une vie conjugale et familiale. Au point de départ, à peine les coeurs s'étaient-ils rencontrés, que c'était l'espérance du mariage et d'une longue vie d'amour. Ensuite c'est l'espérance de la naissance de l'enfant, dans une attente amoureuse, où l'imagination ne fait pas que rêver, puisque ce bébé ressemblera un peu aux deux coeurs qui se sont aimés.

Et puis ce sera l'espérance de la conversion de l'autre, une espérance remplie de bonté, de tendresse et de persévérance; et aussi l'espérance de la conversion personnelle qui mettra fin aux blessures infligées à l'être aimé. Et puis ce sera la joie de voir les enfants et petits-enfants grandir selon le coeur de Dieu. Si ce n'est pas le cas, il y aura encore l'espérance d'un exaucement.

Il est impossible d'imaginer ce que peut porter le coeur d'un père ou d'une mère dans l'espérance pour leurs enfants, le nombre de fois où ils pensent à eux dans une journée. Et les grands-parents de même ! Alors que leur santé se dégrade, on voit des parents âgés ne plus avoir de coeur et de pensée que pour leur famille. Les activités sont réduites, les responsabilités aussi, mais le coeur, lui, est toujours en mouvement et s'aggrandit avec les générations successives.

Je me souviendrai toujours de cette bonne grand'mère de quatre-vingt-cinq ans, qui avait perdu la mémoire depuis plus d'un an. Elle avait du mal à reconnaître ses enfants et ne se souvenait plus du nom de ses petits enfants. Et comme on lui posait la question : "Ton petit fils est venu te voir ? - lequel ? - l'aîné, le plus grand, le premier...! Alors elle rassembla tous ses esprits, ce qu'il lui restait de mémoire, et répondit : "Ah, oui ! Maurice ! Mais ses enfants ne sont pas baptisés" ! Puis elle retomba dans cet état d'absence qui était le sien depuis un an. Ce fut sa dernière conversation. Il est certain que l'espérance était là, et bien au-delà de sa mémoire défaillante, son coeur était toujours là, car elle ne cessait pas de prier en attendant l'exaucement. Aussi, ses yeux repartant dans le vague, elle se remit à égrener son chapelet.

Dans l'espérance, elle continuait à se tenir au coeur de Dieu, dans l'amour, malgré sa peine immense de voir ses arrière-petits enfants non baptisés. Elle avait encore donné à sa famille un exemple de sa foi, (c'est le baptême qui comptait), et démontré que l'espérance jamais ne vous lâche dans la prière. Quant à l'amour, il était d'autant plus visible que ses pensées n'y faisaient plus écran. Mariée à vingt ans, elle était veuve depuis cinquante ans, mais son amour conjugal était bien là avec son époux invisible et dans ses enfants jusqu'à la troisième génération, sans plus pouvoir mettre un nom sur leur visage. Et puis, un jour, comme Abraham, "espérant contre toute espérance", l'heure de Dieu était venue : elle partit... "pour un pays que Dieu lui montrerait". Et qui oserait ne pas croire et espérer qu'elle n'y soit vite parvenue, puisqu'en cette terre promise, il ne reste plus que l'Amour... l'Amour de Dieu ? C'est cet amour-là qu'elle avait demandé toute sa vie pour sa famille. Alors que fait-elle maintenant, sinon le demander encore... mais autrement, et bien mieux encore!

Mais cet amour d'éternité n'est donné sur cette terre qu'à ceux qui savent attendre "la grâce de Dieu en ce monde", et "le bonheur éternel dans l'autre". Aussi, l'espérance est-elle bien l'assurance infaillible du bonheur en famille, et pour la famille. L'espérance est cette vertu formidable par laquelle jamais l'amour ne peut nous échapper, c'est une attente amoureuse qui permet d'aimer par anticipation.

Un groupe de prière intercédait pour une épouse éplorée à cause du départ de son mari, et les frères se mirent à demander pour elle au Seigneur de refaire le plein de l'amour dans son coeur. Or sa peine était encore plus grande. L'assemblée fut surprise, et en conclut à la profondeur de la blessure. D'où la nécessité semblait-il, de la consoler. Hélas rien n'y fit...

Ce n'était pas la bonne prière. C'était un raccourci : il fallait d'abord demander pour elle l'espérance. En effet, plus la communauté priait pour que le Seigneur augmente l'amour en elle, plus elle avait l'impression qu'elle allait éclater. Car de l'amour en elle, elle en avait pour son époux, mais elle ne pouvait pas le lui donner. Il lui manquait seulement et d'abord, l'espérance de le voir revenir.

Quand tout amour semble disparu, il reste encore l'espérance au sein même de l'épreuve. Heureux, et heureuses, ceux et celles qui ont pu en faire l'expérience ! Ils se voient déjà les bien-aimés de Dieu, et effectivement, ils le sont : c'est *Déjà, les noces de l'Agneau*.

Ceux qui sèment dans les larmes, moissonnent en chantant (Ps 126).

Certains parents, ayant beaucoup pleuré au sujet de leurs enfants, peuvent "moissonner", dès avant l'éternité, ce qui avait été semé sur un terrain d'amertume et de révolte. Que sainte Monique, modèle des mères chrétiennes, ayant obtenu auprès du Seigneur la conversion de son fils Augustin, exauce les prières de toutes les mamans dans la peine ! Mais pour cela, il leur faudra garder l'espérance, jusqu'au bout.

3 — LA PROFONDEUR SPIRITUELLE DE LA FAMILLE

La prière du couple

C'est le lieu d'écoute et de partage, où la délicatesse du pardon porte des fruits d'amour.

Il est certain que si tous les couples chrétiens avaient une prière quotidienne ensemble, en couple, la grâce de leur mariage, faite d'abord de fidélité, serait protégée d'une façon quasi absolue. Pourquoi ? Parce que Dieu est fidèle, Lui, et ne peut qu' exaucer pareille prière.

Tous les couples doivent se poser la question de la prière, et en demander la grâce à l'Esprit Saint. Ainsi ce couple fut-il amené à refaire le point devant Dieu :

Serge : "Voilà trente-cinq ans que nous sommes mariés. Nous n'avons jamais fait de retraite de couple. Nous pensions ne pas en avoir le temps. Dès les toutes premières paroles, le prédicateur a dit : "Ensemble, venez, établissez-vous dans le Seigneur pour y demeurer; allez boire à la source". Christine et moi avons reçu cette phrase en plein coeur. Huit jours avant, une de nos filles nous avait dit de venir ici pour prendre du temps pour nous. Nous nous étions un peu bagarrés et lui avions répondu : "Nous avons assez de choses à faire à l'extérieur, comment peux-tu nous demander d'aller là-bas, ne rien faire à deux" ? A la maison, nous prions un peu le matin, à table et un peu le soir, souvent une demi-heure sans rien dire ! Nous n'avions pas compris l'importance de la prière en couple avant de venir ici".

Christine : "Quand on était ensemble pendant cette demi-heure de prière, Serge m'agaçait. Le Seigneur vient de me donner la grâce de pouvoir lui demander pardon, alors que je suis un peu susceptible et orgueilleuse".

C'est une vérité de Lapalice de dire que le plus grand remède à l'infidélité c'est de pratiquer la fidélité de chaque jour. Il est bien évident que le couple qui pratique la fidélité dans la délicatesse et la persévérance des plus petits moments de la journée va être supérieurement protégé de toutes les attaques du Mauvais. Mais cette délicatesse ne pourra grandir que dans le partage vrai, en présence du Seigneur, dans une transparence où apparaîtront tous les détails à se pardonner mutuellement. C'est là que va s'approfondir l'amour, qu'il va s'affirmer de jour en jour, pour en arriver à une communion indicible. Quel foyer, quel couple ne désirerait cette profondeur ? Combien peu, pourtant, en prennent le chemin ! Ce chemin de prière, d'écoute et de partage, où Dieu, dans sa lumière, vient visiter les coeurs et les esprits, invitant encore à de nouveaux gestes de tendresse.

Aimer, c'est d'abord écouter. Et écouter Dieu, c'est prier. Ecouter Dieu ensemble dans la prière, donne toujours aux époux cette écoute réciproque indispensable. A partir de là le partage redevient possible et grandit en vérité.

Voyons l'exigence et la richesse de la prière du couple :

Disons tout de suite qu'elle est difficile à tenir chaque jour. Le motif en est triple : l'inconstance des époux, leur manque de conviction, et l'oppression du Mauvais qui, connaissant ce canal de grâces susceptible de l'annihiler, va tout faire contre.

En rentrant dans cette prière, les époux s'engagent à travailler concrètement finalement à la sanctification réciproque.

Ils vont y découvrir l'intimité spirituelle, qui s'ajoutera à l'intimité du coeur, de l'esprit et du corps, et les englobera. Alors ils vont devenir un rocher imprenable.

Ils seront une pierre solide dans l'édifice de la communauté dont ils font partie quoiqu'elle soit là aussi pour les épauler, jamais pour se substituer à leur intimité.

Ils vont devenir des serviteurs du Royaume, et le Seigneur pourra enfin les utiliser, car ils ne seront plus toujours à se plaindre, ni à regarder à l'intérieur de leur couple ce qui ne va pas. Ils pourront alors valablement accomplir un service d'Eglise. Tous les couples doivent demander cette grâce; mais parmi eux, tout spécialement, les diacres permanents mariés, qui verront leur ministère personnel multiplier ses fruits, si leur foyer a bien accueilli toutes ces grâces du sacrement de mariage.

Enfin, n'oublions pas que le tentateur contre lequel Jésus a toujours la victoire, mais qui ne s'avoue jamais vaincu, est là qui cherche à ruiner cette intimité spirituelle basée sur la prière de chaque jour. Le couple devra donc vivre le combat spirituel, ce qui est le lot de tout chrétien personnellement. Tel fut le combat de Tobie contre ce mauvais démon, Asmodée, qui fut vaincu par la prière des nouveaux époux au premier soir de leurs noces :

> *Tobie se leva et dit à Sarra : "il faut prier tous deux et recourir à Notre Seigneur, pour obtenir sa grâce et sa protection..."*

Et il commença ainsi :

> *"Tu es béni Dieu de nos pères et ton nom est béni dans tous les siècles des siècles... daigne avoir pitié d'elle et de moi"*
> (Tb 8, 4-5).

Et Dieu les exauça.

Ainsi les couples doivent-ils avoir la même confiance absolue envers Dieu, lorsqu'ils traversent de grandes difficultés dans leur union.

Les grâces de force vont se conjuguer dans le couple en vue de la victoire. Quelle joie pour les époux de pouvoir ainsi s'épauler l'un l'autre, à la fois affectivement et spirituellement! L'état du mariage devient alors le lieu des victoires les plus retentissantes de Jésus contre les puissances du mal. L'Esprit Saint le sait bien, qui crée toutes ces communautés nouvelles composées de couples et de familles. C'est une richesse pour l'Eglise de Vatican II. Et ces grâces du laïcat pour l'Eglise sont à peine explorées... A partir même du creux de la vague où sont descendus combien de foyers, quelle espérance pour l'avenir de l'Eglise !

Dans la prière, il y aura souvent à demander la libération de certains blocages, plus ou moins importants, et qui entravent la relation d'amour des époux avec Dieu et entre eux.

Ainsi ce couple chrétien, bien considéré de l'extérieur, vivait une épreuve intérieure de taille : leur amour conjugal était bloqué. Le Seigneur les a délivrés :

> Isabelle : "Nous avons onze ans de mariage et trois enfants. Nous participons tous les deux depuis douze ans à un groupe de prière du renouveau. Je précise cela car les gens pensent souvent que grâce à lui, nous n'avons pas de problèmes".

> Jean : "Nous sommes venus faire cette retraite de couples car nous avions un gros blocage dans notre prière ensemble et dans notre tendresse mutuelle. Le Seigneur nous a bénis. Il a guéri en profondeur quelque chose qui nous blessait depuis longtemps sans que nous en ayons conscience. Nous repartons avec une très grande joie dans le coeur et avec d'autres forces. Nos enfants en profiteront aussi".

> Isabelle : "Nous ne savions plus comment sortir de cette ornière. Nous voulions peut-être trop y arriver tout seul. Le seul moyen c'était de prier ensemble, mais nous ne pouvions pas y arriver. Je n'en avais pas envie, et je faisais exprès de regarder la télévision. C'est très humiliant d'être bloquée avec son mari, alors que je ne l'étais pas avec mon entourage. Le Seigneur est venu nous donner la grâce de pouvoir nous demander pardon et de lui demander pardon. Dans l'adoration, nous avons reçu ce texte : *"Reviens Israël au Seigneur ton Dieu"*. Nous sommes conscients que si nous sommes guéris, c'est pour la gloire du Seigneur".

Quand on pense que toutes ces grâces reposent sur l'assurance pour les époux de toujours savoir que la source de leur amour est en Dieu..., on voudrait le crier partout.

Aussi nos évêques le rappellent-ils souvent. Par exemple, le Cardinal Lustiger, en termes simples et clairs :

> "S'il est presque impossible de comprendre Dieu à partir de l'homme, il est nécessaire, en revanche, de partir du mystère de Dieu pour comprendre l'homme... En fait, l'engagement irrévocable entre un homme et une femme, la fidélité de l'un pour l'autre, ne peuvent se comprendre qu'à partir de Dieu...

Les amoureux ne savent pas vraiment ce qu'est l'amour tant
que Dieu ne leur en a pas révélé la signification ..."[1]

La prière du couple est ce lieu privilégié où Dieu parle aux coeurs
qui, ensemble, écoutent et viennent boire à la source unique de
l'amour.

La clef de l'amour, c'est la profondeur spirituelle et la clef de la
profondeur spirituelle de la famille, c'est la prière.

Se laisser enseigner par l'Evangile

* La vie du disciple

L'Evangile est le même pour tous, quel que soit l'appel : religieux, prêtres, laïcs, époux... Tous sont disciples : *"Si quelqu'un veut
venir à ma suite, qu'il se renie lui-même, qu'il se charge de sa croix
et qu'il me suive"* (Mt 8, 34) dit Jésus.

Les époux vont bâtir leur vie sur le Christ, après avoir tout
"quitté", pour construire un foyer, où ils seront *coopérateurs de
Dieu*.

> *Nous sommes les coopérateurs de Dieu... De fondement, en
> effet, nul n'en peut poser d'autre que celui qui s'y trouve,
> c'est-à-dire Jésus-Christ. Que si on bâtit avec de l'or, de
> l'argent, des pierres précieuses, du bois, du foin, de la
> paille, l'oeuvre de chacun deviendra manifeste...*
> (1 Co 3, 913).

Un feu de paille éphémère et sans valeur, tel pourra être le "petit"
bonheur passager d'un couple, qui finalement ne se porte pas bien.
Or ce sont les fruits qui réjouissent le coeur de l'homme, mais aussi
et d'abord le coeur de Dieu. Le véritable bonheur sera donc dans le
don de soi, fidèle et durable : *Ton épouse, une vigne fructueuse au
fort de ta maison. Tes fils, des plants d'olivier alentour de la table*
(Ps 128, 3). *Tu as mis en mon coeur plus de joie qu'aux jours où leur
froment, leur vin nouveau débordent* (Ps 4, 8).

Nous sommes loin du faux amour que serait un égoïsme à deux,
dans la recherche d'un plaisir superficiel, loin également de

---

1. *La Croix*, 18 Avril 1986.

l'avortement comme solution au bonheur introuvable, parce que recherché sur des chemins de défaitisme, de permissivité ou de mensonge !

Le disciple aura à discerner quel renoncement il doit pratiquer, en particulier pour trouver l'équilibre entre la vie du couple, la vie familiale et professionnelle. Quelle part donner au travail de l'un et de l'autre, par rapport à l'amour conjugal et aux besoins des enfants ? Voici l'exemple d'un officier qui s'est rendu compte qu'il privilégiait son ambition personnelle au détriment du bonheur de sa famille :

> Bruno : "Nous sommes mariés depuis onze ans et avons six enfants. Nous sommes venus à cette retraite pour réorienter notre vie. J'ai déjà fait un certain choix il y a deux ans et depuis les ailes ont repoussé. J'étais appelé à de plus grandes responsabilités dans le domaine militaire. Volontairement et sans remords, j'ai refusé. Nous acceptons de limiter notre ambition pour un plus grand service de la famille et de l'Eglise. Je pense que c'est le bon choix".

> Delphine : "Nous avons pris conscience aussi de tous les problèmes de notre couple. Nous avons une force nouvelle pour repartir et nous voyons nos enfants avec un coeur nouveau".

* Etre convaincu de la Parole de Dieu

Le couple qui met la Parole de Dieu à la première place dans sa vie, se trouve souverainement protégé : il ne va pas se laisser griser par l'ambition humaine. Paul, à ce sujet, prévient de façon précise son disciple : *Pour toi, tiens-toi à ce que tu as appris, et dont tu as acquis la certitude... Toute Ecriture est inspirée de Dieu et utile pour enseigner, réfuter, redresser, former à la justice : ainsi l'homme de Dieu se trouve-t-il accompli, équipé pour toute oeuvre bonne* (2 Tm 3, 14-17).

Le couple devra savoir demeurer à l'écart du monde et de ses servitudes, mais s'il n'a pas la Parole de Dieu pour répondre à ses questions, à quoi cela servira-t-il ?

Il nous faut revenir aux *certitudes acquises* dont parle Paul et à *la saine doctrine* (2 Tm 4, 3) afin de poursuivre notre recherche. Sinon quel désastre qu'un peuple qui serait enseigné par des hommes, et non plus par son Dieu ! Et quelle erreur aussi d'imaginer qu'au fur et à mesure de l'évolution de la communauté chrétienne, les lois du mariage pourraient changer, comme dans un régime démocratique.

La foi des chrétiens repose sur les données révélées, et non pas sur l'évolution de la pensée. L'Evangile, enseigné, écouté, pratiqué, conduit à la sainteté. Pour le couple c'est encore une oeuvre de sanctification réciproque.

L'annonce de la Parole est indispensable d'abord pour les fiancés. Témoins ces jeunes découvrant la nécessité d'un chemin spirituel à faire, et s'y engageant avec beaucoup de bonne volonté :

> Philippe : "Cette retraite a permis de retirer nos masques et de faire un ménage intérieur; nous ne sommes pas encore fiancés".

> Sophie : "J'ai fait une dépression qui m'a vraiment secouée, je me posais des tas de questions : que voulait dire aimer, que signifiait le mot amour. Philippe avait de gros ennuis dans sa famille et moi je vivais dans un cocon familial. Il avait besoin d'amour, et j'avais bien du mal à lui en donner".

> Philippe : "Oui j'ai besoin de faire quelque chose de bien de ma vie et d'épouser une jeune fille avec qui je puisse vivre dans la vérité. J'avais la foi, mais je ne pratiquais plus".

> Sophie : "J'allais à la messe sans grande conviction. Je ne suis pas encore tout à fait sortie de mes problèmes d'adolescente. Je dis souvent à Dieu : "Si tu m'aimes, pourquoi tu ne m'aides pas" ? Après avoir reçu le sacrement de la réconciliation, je me suis sentie en paix. Je suis heureuse et je remercie aussi la Sainte Vierge".

La Parole de Dieu, parce qu'elle est parole de vérité, fait toujours avancer en amour.

* L'amour conjugal, un combat à gagner

Un combat certainement, mais pas sans Dieu, ni à la force du poignet, comme en témoigne ce couple qui s'était trompé au point de départ, et a été invité à s'abandonner à l'amour du Seigneur :

> Pierre : "Je remercie le Seigneur parce que j'ai senti que notre amour était renouvelé pendant ces quelques jours".

> Liliane : "Je suis venue prier pour Pierre, pour sa guérison. Nous étions devant un mur et je disais : "Il faut passer par dessus, faire autre chose, quelque chose de beau". Pierre ne réagissait pas et moi je

voulais passer ce mur à la force du poignet. Hier un frère a dit qu'il voyait une porte et derrière cette porte la lumière. Sur le moment je n'ai pas bien compris et tout à l'heure pendant l'eucharistie, tout s'est expliqué. J'étais devant ce mur, devant cette porte et je voyais quelque chose derrière. Je me suis rappelé ce que Pierre m'avait dit bien des fois, qu'il fallait prendre un petit peu de recul et se reposer. Il fallait qu'on se rende compte des merveilles du Seigneur dans notre vie. J'ai ressenti ce matin une grande libération et je pense que c'est à travers elle qu'il y aura une grande guérison pour notre couple".

La vie conjugale, sera un combat spirituel pour le couple, comme pour tout baptisé célibataire, mais un combat la main dans la main. Pour qu'à la fin de leur vie, ils puissent dire comme Paul :

> *J'ai combattu le bon combat jusqu'au bout, j'ai achevé ma course, j'ai gardé la foi. Et maintenant, voici qu'est préparée pour moi la couronne de justice, qu'au retour, le Seigneur me donnera... non seulement à moi, mais à tous ceux qui auront attendu avec amour son apparition* (2 Tm 4, 78).

Telle est la réalité du mariage, et le chemin de vérité pour y construire le bonheur. Cette grâce n'est pas réservée à quelques mystiques, ou aux couples d'une foi extraordinaire, que l'on va admirer, pour se donner une excuse de ne pas pouvoir les imiter.

Le mariage chrétien d'aujourd'hui et de demain sera mystique, ou ne sera pas ! Que nous sommes loin de tous les essais de rafistolage, à partir de ce que l'homme avait pu démolir ! Nous sommes devant un choix : ou bien l'Evangile, le combat spirituel et la victoire, ou bien le laisser aller et la perdition du couple. Mais nous ne sommes pas pessimistes, parce que le Christ ressuscité a toujours la victoire.

* La victoire dans la grâce du sacrement

Effectivement, ce combat est impossible sans Dieu. L'issue victorieuse passe par la grâce du sacrement de mariage. C'est là qu'il faut dénoncer ce qui est caduc dans les remèdes proposés hors de toute référence à la grâce de Dieu. Le pape Pie XI l'avait pourtant bien rappelé, dès 1930, dans l'encyclique *Casti connubii* [1], nous

---

1. Paragraphe 3.

disant à la fois la grâce qui est dans le sacrement, et la coopération des époux à cette grâce :

> "Car ce sacrement, en ceux qui n'y opposent pas d'obstacle, n'augmente pas seulement la grâce sanctifiante, principe permanent de vie surnaturelle, mais il y ajoute encore des dons particuliers, de bons mouvements, des germes de grâces; il élève ainsi et perfectionne les forces naturelles, afin que les époux puissent comprendre non seulement par la raison, mais goûter intimement et tenir fermement, vouloir efficacement et accomplir en pratique ce qui se rapporte à l'état conjugal, à ses fins et à ses devoirs; il leur concède enfin le droit au secours actuel de la grâce, chaque fois qu'ils en ont besoin pour remplir les obligations de cet état".

> "Quand les époux sont instruits de la doctrine du mariage, il leur faut, en outre, une très ferme volonté d'observer les saintes lois de Dieu et de la nature concernant le mariage.Quelles que soient les théories que d'aucuns veulent soutenir et propager par la parole et par la plume, il est une décision qui doit être, chez les époux, ferme, constante, inébranlable : celle de s'en tenir, sans hésitation, en tout ce qui concerne le mariage, aux commandements de Dieu : en s'entr'aidant toujours charitablement, en gardant la fidélité de la chasteté, en n'ébranlant jamais la stabilité du lien conjugal, en n'usant jamais que chrétiennement et saintement des droits acquis par le mariage."

Et le pape Pie XI ne craint pas de comparer le mariage à l'Eucharistie :

> "Qu'ils se souviennent sans cesse qu'en vue des devoirs et de la dignité de leur état, ils ont été sanctifiés et fortifiés par un sacrement spécial, dont la vertu efficace, tout en n'imprimant pas de caractère, dure cependant perpétuellement. Qu'ils méditent dans cette vue, ces paroles si consolantes à coup sûr du saint cardinal Bellarmin, qui formule ainsi pieusement le sentiment que partage avec lui d'autres théologiens éminents : "Le sacrement de mariage peut se concevoir sous deux aspects : le premier, lorsqu'il s'accomplit, le second, tandis qu'il dure après avoir été effectué. C'est en effet un sacrement semblable à l'Eucharistie, qui est un sacrement non seulement au moment où il

s'accomplit, mais aussi durant le temps où il demeure; car, aussi lontemps que les époux vivent, leur société est toujours le sacrement du Christ et de l'Eglise."[1]

Les époux chrétiens devront donc chaque jour compter sur la grâce de Dieu d'abord, et se le rappeler l'un l'autre. Qu'ils ne s'inquiètent donc pas sur leurs talents à mettre en oeuvre ! Ces talents sont déjà une grâce de Dieu. Mais, ils peuvent aussi leur faire oublier que Dieu est là, prêt à agir, à exaucer, à secourir, à combler les époux de sa présence d'amour, en toutes circonstances. Pourquoi cette vérité n'est-elle plus enseignée, alors que nous savons d'expérience que "sans Lui nous ne pouvons rien faire" ?...

> *"Je suis la vigne, vous les sarments. Celui qui demeure en moi, et moi en lui, celui-là porte beaucoup de fruits; car hors de moi vous ne pouvez rien faire"* (Jn 15, 5).

* La prière de libération

Il y a la grâce en toutes circonstances, c'est certain. Alors, pourquoi toutes ces chutes dans la vie du mariage ? Ces chutes sont dues à la faiblesse humaine. Mais Dieu est là pour pardonner, et le conjoint, disciple de Jésus, mettant ses pas dans les siens, pardonnera à son tour, et le couple repartira.

Tout péché avoué avec regret est pardonné. Mais la décision de ne pas recommencer est nécessaire. Et là, il nous faut dépister une interprétation de l'Evangile : parce que Jésus ne condamne pas Marie-Madeleine la pécheresse, moi non plus Jésus ne me condamne pas ! Ceux qui en restent là ne lisent pas l'Evangile jusqu'au bout. Bien sûr, Jésus pardonne à la femme adultère, mais il ajoute autre chose qui est tout aussi important : *"Moi non plus je ne te condamne pas. Va, désormais ne pèche plus"* (Jn 8, 11).

Lorsqu'un pécheur n'arrive pas à se repentir d'un péché quel qu'il soit, il lui faut demander à Dieu la grâce du repentir. Cette grâce agit puissamment dans toutes les situations, même celles qui pouvaient sembler irrémédiables, y compris l'adultère qui est à confesser au même titre que tous les autres péchés. Dans ce cas précis, il n'est

---

1. *Casti connubii*, première partie, n°3, paragraphe 2, *Les grâces du sacrement*.

d'ailleurs pas rare que le démon menteur, dans le but d'empêcher l'époux infidèle de se repentir, lui donne l'illusion de ressentir dans son coeur et dans son corps un bonheur plus grand qu'avec sa propre épouse. Il faudra donc faire une bonne confession, et couper par la prière tout mauvais lien pour que cet homme tombé puisse se relever et retrouver l'amour qu'il croyait mensongèrement perdu.

Une foi qui repose sur la Parole de Dieu est indispensable pour éclairer la grâce du mariage. C'est elle qui nous enseigne le dessein d'amour de Dieu sur nous et la fidélité. C'est elle qui accompagne le couple et la famille dans sa profondeur spirituelle et l'éclaire d'un phare puissant et indispensable. Saint Paul le dit en ces termes :

> *Elle est sûre cette parole, et digne d'une entière créance. Si en effet, nous peinons et combattons, c'est que nous avons mis notre espérance dans le Dieu vivant, le Sauveur de tous les hommes, des croyants surtout. Tel doit être l'objet de tes prescriptions et de ton enseignement* (1 Tm 4, 9-11).

C'est en s'appuyant sur la parole de Jésus à Pierre : *"Quoi que tu délies sur la terre, ce sera tenu dans les cieux pour délié"* (Mt 16, 19), que la prière faite avec foi coupera tout mauvais lien, et redonnera à l'époux la liberté de revenir vers son épouse. Nous n'avons pas seulement besoin d'être pardonnés de nos péchés, mais encore d'en être libérés. *Quiconque commet le péché est esclave... Si donc le fils vous libère, vous serez réellement libres* (Jn 8, 34-36). Dans ce cas, la prière de foi est l'apanage de tous les baptisés et il n'est pas nécessaire d'avoir un ministère ordonné pour demander à Dieu de couper tout mauvais lien. L'amour conjugal doit être libre. Avec Jésus, le constat d'échec n'existe pas. Jésus libère et redonne le bonheur de l'amour fidèle.

Une prière de libération est souvent nécessaire pour que l'époux infidèle puisse retrouver le chemin de son véritable amour.

Passer du "psychique", au "spirituel"

> *Ce n'est pas le spirituel qui apparaît d'abord : c'est le psychique puis le spirituel. Le premier homme issu du sol, est terrestre, le second, lui, vient du ciel...* (1 Co 15, 46-47). *On est semé corps psychique, on ressuscite corps spirituel* (v 44).

Nous avons donc toute une vie pour "habituer" notre corps à devenir un corps spirituel. Car c'est tout notre être qui est concerné par la grâce du salut. Chacun peut reconnaître ici que la doctrine de la réincarnation est complétement fausse, et radicalement contraire à l'enseignement de la Parole de Dieu. Les chrétiens qui adhéreraient à cette doctrine païenne seraient les victimes d'un aveuglement notoire, ou plus simplement d'une grande ignorance.

L'apôtre ajoute : *Il faut en effet que cet être corruptible revête l'incorruptibilité, que cet être mortel revête l'immortalité* (1 Co 15, 53) C'est donc avec un corps corruptible que les époux s'aiment, mais un corps destiné à l'incorruptibilité, et déja *temple de l'Esprit Saint* (1 Co 6, 19). D'où la chasteté nécessaire dans l'union conjugale, une chasteté qui n'est pas continence.

Jusque dans leur intimité, les époux ont la capacité de vivre du désir du ciel. Ce désir d'éternité d'amour n'est donc pas réservé aux moines et moniales, mais destiné aussi à tous les consacrés dans la grâce du mariage, qui ne sauraient, eux non plus, faire l'économie d'aucune page de l'Evangile, à aucun moment de leur vie.

N'est-ce pas faute de cette profondeur spirituelle, que nombre de couples se perdent, n'ayant jamais vécu qu'un amour superficiel ? A cause de cette fragilité notoire, ils deviennent très vite la proie facile de l'Adversaire de l'amour, qui entretient l'homme dans l'ignorance de la beauté, de la force et de la solidité du don de Dieu : *"Si tu savais le don de Dieu !"* (Jn 4, 10). Oui, mais pour vivre cette profondeur spirituelle, qui est don, ne faut-il pas le choisir, en un mot passer par la conversion ? Il y a une décision à prendre : "A moins de naître d'eau et d'Esprit, nul ne peut entrer dans le royaume de Dieu. *"Ce qui est né de la chair est chair, ce qui est né de l'Esprit est esprit"* (Jn 3, 56), dit Jésus à Nicodème. Et il le dit pareillement aux couples.

Le couple pourrait s'installer dans une certaine "suffisance", en se donnant par exemple un "satisfecit" de fidélité vécue depuis des années. Mais les époux passeraient alors à côté de la profondeur spirituelle à laquelle ils sont destinés, et qu'ils n'imaginent même pas. En voici un aveu :

> Emmanuel :" Il y a vingt cinq ans que nous nous donnons beaucoup d'amour, mais souvent il nous effleure. Il passe autour de notre corps mais il ne pénètre pas le coeur.
> Maintenant nous avons découvert qu'il fallait ouvrir notre coeur comme le Christ l'avait fait sur la croix. Tout l'amour qui en découle,

peut pénétrer dans le coeur de l'autre. C'est cela que nous allons mettre en pratique".

Chantal : "Nous avons pris conscience de la grâce qui nous avait été donnée le jour de notre mariage : la fidélité. Nous étions très fiers d'être fidèles l'un envers l'autre, mais nous ne nous servions pas bien de ce cadeau du Seigneur. Si nous voulons parler un même langage, pour nous comprendre, il ne faut pas garder cet orgueil. Le langage de l'amour, on ne peut le trouver qu'en se dirigeant ensemble vers le coeur de Jésus transpercé".

Elle est indispensable, l'espérance que donne la révélation du corps spirituel. C'est la clef de voûte d'un amour profond et durable. En effet, dès les premiers regards, dès les premiers gestes, au coeur même de son expression la plus intime, l'amour porte en lui une dimension d'éternité.

Sans cette profondeur le couple est fragile, et de ce fait plus facilement attaquable, par exemple par le biais des corps qui se dégradent et perdent la santé avec l'âge. Aussi, sans cette vision de foi, qui donne déja la certitude du corps spirituel, on tombe dans une morosité qui fait regretter la jeunesse, et empêche de croire en un amour qui devrait continuer de croître sur cette terre, même si le corps physique est diminué.

Le couple est également fragile quand l'un des époux disparaît et qu'il n'y a eu entre eux qu'un amour centré sur la rencontre physique. Alors c'est l'absurde d'une vie détruite et d'un amour désormais impossible. Logique implacable mais dont la prémisse est fausse : à savoir l'idée d'une vie uniquement psychique sans aucune dimension spirituelle, que ce soit au niveau de l'esprit ou du corps.

L'esprit du monde était là, empêchant le couple de rentrer véritablement dans le domaine de l'amour : *Nous n'avons pas reçu nous, l'esprit du monde, mais l'Esprit qui vient de Dieu, pour connaître les dons gracieux que Dieu nous a faits* (1 Co 2, 12). *L'homme psychique n'accueille pas ce qui est de l'Esprit de Dieu : c'est folie pour lui et il ne peut le reconnaître* (1 Co 2, 14).

Tous les couples sont invités à accueillir *l'Esprit qui vient de Dieu.* C'est lui la force invincible qui les fera entrer dans la profondeur de l'amour, et progresser dans un renouvellement constant de tout leur être, y compris leur corps, tel qu'il est, et tel qu'il devient :

C'est pourquoi nous ne faiblissons pas. Au contraire, même si notre homme extérieur s'en va en ruine, notre homme

intérieur se renouvelle de jour en jour. Car la légère tribu-
lation d'un instant nous prépare, jusqu'à l'excès, une masse
éternelle de gloire, à nous qui ne regardons pas aux choses
visibles, mais invisibles ; les choses visibles en effet n'ont
qu'un temps, les invisibles sont éternelles (2 Co 4, 16-18).

C'est dans cette vision évangélique de l'amour conjugal que de nombreux couples chrétiens progressent peu à peu, devenant réellement spirituels, tout en restant fidèles à l'amour charnel.

C'est tout un état d'esprit, qui n'enlève rien à la tendresse exprimée, mais qui la transforme et la libère. C'est *la maîtrise de soi, qui est fruit de l'Esprit* (Ga 5, 23).

Le témoignage qui suit dit bien cette progression dans une communion profonde, donnée par le Seigneur, et dans la docilité à la doctrine de l'Eglise :

Christine : "Nous avons quatre enfants, dix ans de mariage et faisons partie des équipes Notre-Dame[1]. Nous suivons aussi une formation au C.L.E.R[2]. Nous vivons notre sexualité avec une méthode de régulation naturelle des naissances, ce qui est extraordinaire pour notre couple, mais non sans difficulté car parfois on se sent frustré. Ici, nous avons décidé de vivre cette sexualité encore plus dans la foi et dans l'amour. Cela nous paraît essentiel pour notre vie. Nous avons eu des difficultés d'écoute et de dialogue cette année. Nous avons vécu un désert pendant trois ans. Il nous fallait retrouver une spiritualité conjugale, un dialogue en profondeur dans la foi. Nous voudrions davantage prier ensemble".

Gérard : "La grâce particulière reçue ici, c'est la consolidation de ce qui se préparait ces derniers mois : c'est conjuguer notre vie de couple avec notre vie de foi. Nous n'y étions jamais parvenus auparavant".

C'est cette vision d'éternité qui apportera aux époux la profondeur et la solidité de l'amour. Ils pourront s'y donner de tout leur être dès le premier jour et par toutes leurs facultés d'aimer, y compris de l'union du corps. Celle-ci n'est ni regrettable, ni facultative, mais voulue par Dieu et faisant partie intégrante de l'épanouissement spirituel du couple.

---

1. Les END : mouvement international d'Eglise de spiritualité conjugale basée sur le partage, le dialogue et la prière du couple, en équipe, pour mieux vivre la grâce du mariage : Secrétariat France, 49, Rue Glacière, 75013 Paris ; Tel : 43.36.08.20
2. Le CLER : centre de liaison des équipes de recherche, 65 Bd de Clichy, 75009 Paris.

Le pape Jean-Paul II a tenu à le préciser dans son exhortation apostolique sur la famille, en 1981 :

> "Puisque l'homme est un esprit incarné, c'est-à-dire qui s'exprime dans un corps, et un corps animé par un esprit immortel, il est appelé à l'Amour dans sa totalité unifiée. L'amour embrasse aussi le corps humain, et le corps est rendu participant de l'amour spirituel."[1]

Ceci dit, il y a toujours la possibilité d'une continence volontaire, offerte à Dieu par les époux, pour un temps, et avec une intention précise, ou sous forme de voeux. Mais ce sera toujours dans l'obéissance à un directeur spirituel compétent.

Une vertu familiale, la compassion

Le passage du "psychique" au "spirituel", auquel est appelé chacun des époux, n'intervient pas toujours en même temps. Il peut y avoir un décalage pénible qu'il faut demander au Seigneur de supprimer pour se rejoindre dans le même mouvement de conversion.

Saint Paul distingue en l'homme trois parties : le corps, l'âme et l'esprit. L'homme psychique, c'est l'homme laissé aux ressources de la matière, et il se distingue du spirituel, qui lui, a reçu l'Esprit. Saint Jean dira la même vérité en d'autres termes : c'est l'onction reçue :

> *"Or telle est la promesse que lui-même vous a faite : la vie éternelle. Voilà ce que j'ai tenu à vous écrire au sujet de ceux qui cherchent à vous égarer. Quant à vous, l'onction que vous avez reçue de lui demeure en vous, et vous n'avez pas besoin qu'on vous enseigne... Oui, maintenant, demeurez en lui, petits enfants !"* (Jn 2, 2528)

C'est bien vrai que cet amour spirituel protège de l'égarement, mais surtout il donne aux époux cette grâce de demeurer en Dieu. Puis ce sont les enfants qui y sont invités à leur tour. Une onction repose alors sur la famille toute entière :

> "L'un des premiers souvenirs de mon enfance est celui du dimanche, une journée pas comme les autres, qui commençait par des gestes au

---

1. *Familiaris Consortio*, n°11.

cours desquels ma mère, avec beaucoup de ferveur, me faisait enfiler à moitié une chemise propre, me prenait la main pour m'aider à faire le signe de la croix, et terminait ensuite de me la mettre, en me confiant de tout son coeur à la Vierge Marie et à tous les Saints dans ma santé et ma pureté, sachant combien l'enfant espiègle que j'étais alors ne pouvait être protégé de tout danger que par pure grâce de Dieu.

Il m'a revêtu de vêtements de salut, il m'a drapé dans un manteau de justice (Is 61,10) :

Mes ancêtres avaient-ils lu cette parole du Prophète Isaïe ? Je ne sais. Mais au dire de mes grands-parents et arrière-grands-parents, ce geste immémorial s'était toujours transmis de mère en fille. Vêtement propre, vêtement blanc : qu'il est beau pour une maman de l'avoir remis la première à son enfant ! Et lorsque l'Eglise le refait à son tour : robe blanche du baptême, aube de la première communion, coule de la moniale, étole et chasuble du prêtre... ce geste ne prend-t-il pas pour l'enfant tout son sens de geste sacré donné pour la fidélité ? Oui, la famille est sacrée, et doit être consacrée au Seigneur.

Revêtu ainsi du signe de la croix et d'habits propres, je sentais que le dimanche était un jour à part, sans bien comprendre pourquoi. Dans l'innocence de la tendre enfance, c'était pour moi la première perception de la grâce du baptême : *Vous tous en effet, baptisés dans le Christ, vous avez revêtu le Christ* (Ga 3, 27).

L'heure qui suivait était très exigeante, et la plus longue de la semaine. Il ne fallait pas se salir, ni marcher dans la bouse de vache avant la grand'messe, ce que je comprenais difficilement, car tout le reste de la semaine j'en avais le droit, les étables étant mon domaine. Souvent durant ces minutes je ne tenais qu'à un fil, grâce aux yeux de ma mère, brillants d'exigence et de douceur, et qui me soutenaient dans l'obéissance.

Enfin, la messe sonnait : on allait quitter la ferme. Mais marcher est fatigant. Souvent, je demandais à maman de courir, et elle courait avec moi, me tenant par la main.

Pour terminer, c'était les marches de l'église qui me semblaient démesurément hautes. Et c'était le prie-Dieu de ma mère qui me servait de chaise, (j'en connaissais par coeur les dessins faits de paille tressée de différentes couleurs). La messe, j'y assistais à l'envers, (mais il est vrai aussi que le prêtre nous tournait le dos, et la disait, lui aussi, à l'envers !) Quand sonnait la cloche de l'enfant de choeur, ma mère me récupérait, me retournait dans le bon sens en me tenant contre elle, me relevait la tête quand le prêtre élevait la Sainte Hostie, et quand l'Hostie disparaissait, elle m'appuyait doucement la tête pour adorer. La cloche sonnait une fois encore et je pouvais reprendre ma petite place : j'étais bien, c'était calme.

Plus tard, au catéchisme, j'en ai su davantage, mais je dois avouer que jusqu'à ce jour je n'ai jamais eu un doute sur la présence réelle du Christ dans la Sainte Eucharistie. Quand on me raconta l'histoire de Saint Thomas, j'appris qu'on pouvait avoir des doutes, A vrai dire, le mot doute ne correspondait à rien dans ma tête, surtout envers Jésus, et je voyais Thomas aimer Jésus autant que les autres. Pour moi, il était surtout vexé d'avoir été absent lors de l'apparition de Jésus, et il s'était buté en disant qu'il n'y croyait pas, mais dans le fond, j'étais sûr, moi, qu'il y croyait comme les autres. Son péché était d'avoir eu mauvais caractère : là oui, j'en étais certain.

Et à la fin de la matinée, ce rituel bien ordonné se terminait par un petit crochet avant de rentrer à la maison. M'arrachant aux autres petits camarades que j'avais retrouvés à la sortie de la messe, je devais partir sans retard.

En cours de route, nous rentrions dans une petite maison basse, sur le bord d'un chemin creux, pour y trouver la tante "Zélie".

Paralysée depuis de longues années, elle était allongée dans son grand lit de bois, dans le coin le plus obscur de la pièce.

Sa tête, pourtant soutenue par deux gros oreillers, arrivait tout juste à la hauteur de l'édredon. Ma mère me soulevait alors, et me penchait pour que je puisse l'embrasser. Je découvrais son lumineux visage, rayonnant de bonté et d'accueil; ses rides m'apparaissaient de plus en plus profondes; de ses lèvres bleuies, qui étonnaient beaucoup le petit garçon que j'étais, habitué aux lèvres douces de sa maman, elle me donnait un baiser. Et "l'ascenseur" me reposait à terre.

La vieille tante donnait à maman toutes les nouvelles du village, dont elle n'avait pas eu connaissance à cause de son travail très astreignant de fermière.

Je partais en courant vers la ferme. Là, j'étais "récupéré" pour mettre de côté la culotte propre, aussitôt rangée pour le dimanche suivant. Alors la liberté m'était rendue.

Il n'était pas midi encore, et je n'avais pas cessé de rencontrer Jésus : c'était vraiment le jour du Seigneur. Il était là présent partout : au lever, le signe de la croix. Des habits propres pour Jésus. Jésus dans les yeux de ma mère qui avec compassion, me suppliait de ne pas me salir. Jésus dans la Sainte Hostie. Et puis Jésus dans nos frères souffrants : "J'étais malade, et vous m'avez visité".

Là-dessus, mon papa arrivait des étables, (car les bêtes mangent tous les jours), heureux d'avoir pu accorder ce temps de paix, de liberté et de recueillement à son épouse. Pour lui l'Eucharistie, c'était pour les grandes fêtes. Et quand on lui demandait comment il ferait pour donner des terres à tous ses garçons, il répondait, avec une pointe de malice, qu'il en mettrait deux ou trois curés. C'était une prophétie :

décédé à trente-cinq ans, c'est du haut du ciel, qu'il a pu voir cette grâce se réaliser, car il y a deux prêtres sur trois garçons".

Autres temps, autres coutumes ! Mais pourvu qu'elles soient encore chrétiennes. Et la marque indélébile en sera toujours la compassion vécue en famille, à toutes les étapes (prière et charité) et à tous les âges.

On reconnaît une famille chrétienne à la compassion de ses membres les uns pour les autres. A chacun de poser des actes en faveur de cette compassion. Et le couple est là, à la plaque tournante pour le vérifier et le donner à vivre à chacun.

> *"Quel est donc le serviteur fidèle et avisé que le Maître a établi sur les gens de sa maison pour leur donner la nourriture en temps voulu ? Heureux ce serviteur que son maître trouvera occupé de la sorte ! En vérité je vous le dis, il l'établira sur tous ses biens"* (Mt 24, 45-47).

Pour vivre l'amour dans le couple, il faut cette vertu de compassion. Mais pour fonder un foyer, il la faut tout autant, et le Seigneur fait qu'elle soit communicative.

Il arrive souvent que l'on cherche la bonne entente en famille. Il vaudrait mieux demander la compassion, et la bonne entente ne serait plus jamais un problème. Il faut faire confiance au Seigneur dans la prière, mais aussi prier comme il faut. *Revêtez des sentiments de tendre compassion* nous dit Saint Paul (Col 3, 12). Une traduction plus littérale et plus significative semble préférable : habillez vous *d'entrailles de miséricorde.*

Ce qui est important, c'est ce que l'homme porte dans son coeur : si le coeur est bon, la bonne entente ira de soi. Et si l'épreuve a été longue et dure, au coeur d'une vie familiale éprouvante, nous connaissons le bout du chemin et la façon remplie d'amour avec laquelle Dieu prend soin des plus pauvres : *"Venez les bénis de mon Père"* (Mt 25, 34).

"Venez, les bénis de mon père", dira le Seigneur à tous ceux qui, au sein de leur propre famille, seront venus au secours les uns des autres, et par là, auront *"servi"* Jésus dans les plus démunis.

Là est le véritable don de soi-même, qui ne va pas sans renoncement, mais qui construit l'amour, comme le dit le pape Jean-Paul II :

> "Seul un grand esprit de sacrifice permet de sauvegarder et de perfectionner la communion familiale. Elle exige en effet

une ouverture généreuse et prompte de tous et de chacun à la compréhension, à la tolérance, au pardon, à la réconciliation."[1]

Au jour de leur mariage, le prêtre avait béni les époux dans le sacrement, pour qu'ils aillent avec foi au-devant de la vie. Eprouvés, mais demeurés fidèles l'un à l'autre, dans la souffrance et la compassion, ils construisent l'amour, faisant oeuvre de corédemption : *Je complète en ma chair ce qui manque aux épreuves du Christ pour son corps, qui est l'Eglise* (Col 1, 24).

L'épreuve n'a pas entamé la bénédiction : Dieu est fidèle et les accompagne encore, en attendant le jour où, venant accomplir leur espérance, Il leur redira encore la même bénédiction, mais, cette fois, pour un bonheur éternel :

"Venez, les bénis de mon Père !"

4 — UNE COMMUNION VÉCUE EN ÉGLISE

Dans la liturgie, prière de l'Eglise

De plus en plus, les familles sont à la recherche de belles liturgies. Des chants, des fleurs, des lumières, des danses, des acclamations et de l'adoration : tout cela fait la joie de Dieu et celle du peuple chrétien, célébrant sa foi avec coeur et avec dignité. Les couples qui ont fait un séjour dans les monastères, ou dans les centres spirituels, témoignent de l'apport de la liturgie, comme faisant partie intégrante de leur ressourcement. Ils la vivent déjà dans leur paroisse, et à plus forte raison, lors d'une retraite, au sein d'une communauté d'accueil et de prière :

Daniel : "J'ai beaucoup reçu par la prière liturgique. Je suis arrivé ici épuisé par mon travail. Les offices m'ont reposé aussi bien dans mon corps, dans mon esprit que dans mon âme. J'ai envie maintenant de chanter laudes à la maison. Je me suis mis à recopier les paroles et la

---

1. *Familiaris Consortio*, n°21, paragraphe 6.

musique à la chapelle. Le chantre est venu me trouver pour me donner les partitions. Nous repartons avec un petit moyen de vivre mieux".

Marie-Louise : "Le Seigneur vient de nous faire un beau cadeau. Nous fêtons nos dix ans de mariage dans peu de temps. Nous avions fait des projets qui ne se sont pas réalisés. Mais nous nous sommes retrouvés ici, recevant de grandes grâces pour renouveler notre tendresse conjugale, pour la faire grandir".

Dans la célébration de la liturgie, la vie de chacun se trouve changée par la louange, l'écoute de la Parole et l'adoration, et la famille devient une "petite Eglise". Elle se resserre autour de la personne de Jésus, et de ce fait vit une communion profonde, fondée sur l'abandon. Cet extrait d'une lettre livrée au témoignage exprime en des mots très simples l'immense cadeau reçu par une famille tout entière, dans l'enseignement, la prière et l'accompagnement spirituel :

Mon Père,
Je viens tout humblement vous remercier pour toute la transformation que Jésus a apportée dans mon foyer par votre prière. Depuis votre passage à X... où mon mari et moi avons cheminé avec vous, notre vie a été transformée. Tout est différent ! Gloire et louange à toi Seigneur ! J'ai un autre regard sur tout ce qui m'entoure : mari, enfants, voisins, frères et soeurs. C'est plus facile de se désencombrer de beaucoup de choses pour s'accrocher à Jésus. Grâce à notre nouvelle façon de prier : psaumes de louange et d'action de grâce, lecture quotidienne de la bible, mes enfants qui ont dix-huit, dix-sept et onze ans obéissent plus facilement. Ils ont chacun une bible et ont soif de la Parole. Mon mari qui a eu un entretien spirituel avec vous est complètement changé. Tout ceci concourt à me rendre la vie plus agréable. Je recueille jour après jour les fruits de l'enseignement que vous nous avez donné. Je m'abandonne à Dieu plus facilement et je sais à présent que l'homme quelqu'il soit, ne peut compter que sur son créateur. Je prie différemment, je vais plus souvent devant le tabernacle et je découvre tous les jours la présence vivante et agissante de Jésus dans ma vie. Cette lettre, vous pouvez la lire dans vos assemblées, pour qu'elle puisse servir à tous ceux qui doutent, qui hésitent, qui ont beaucoup de peine à rencontrer le Christ ressuscité. Je vous envoie un bonjour très fraternel de l'île de la Réunion.
Cécile

Notre pape Jean-Paul II a bien exprimé cette continuité à vivre entre la liturgie à l'église et la prière du foyer :

"Pour préparer et prolonger à la maison le culte célébré à l'église, la famille chrétienne recourt à la prière privée, qui présente une grande variété de formes. Cette variété, tout en témoignant de l'extraordinaire richesse de la prière chrétienne animée par l'Esprit Saint, répond aux diverses exigences et situations concrètes de celui qui se tourne vers le Seigneur. Outre les prières du matin et du soir, sont à conseiller expressément, conformément d'ailleurs aux indications des Pères du Synode, la lecture et la méditation de la Parole de Dieu, la préparation aux sacrements, la dévotion et la consécration au coeur de Jésus, les différentes formes de piété envers la Vierge Marie, la bénédiction de la table, les pratiques de dévotion populaire".

Et il ajoute en reprenant Paul VI :

"Il n'y a pas de doute que le chapelet de la Vierge Marie doit être considéré comme des plus excellents et des plus efficaces "prières en commun", que la famille chrétienne est invitée à réciter.[1]"[2]

Dans l'harmonie conjugale et familiale qui irradie autour d'elle

Comment faire, quand un couple chrétien, qui ouvre réellement son coeur à la vie et à l'amour, se trouve rapidement sollicité de toutes parts ? C'est là qu'un discernement est nécessaire dans la prière. Ce n'est pas toujours facile. Il faut viser à cette harmonie générale en croyant que Dieu y pourvoit. Ainsi ce couple pour lequel c'était un problème, et qui était passablement débordé :

Fernand : "Il y a six mois, nous avons eu des problèmes dans notre paroisse : ce que nous entreprenions se cassait la figure. Nous n'arrivions pas à tout assumer. A la maison, les enfants ne voulaient pas prier avec nous, ils partaient à ce moment-là. C'était difficile à vivre. Nous nous disions : " Puisque nous avons pris cet engagement, il faut que l'on tienne, même à la force du poignet, jusqu'à la fin de l'année". C'était partout négatif sauf au groupe de prière où nous nous rassemblions pour louer le Seigneur. Nous avons voulu faire le point et demander à Dieu ce qu'il fallait émonder. Nous avons demandé un discernement à notre groupe qui nous a suggéré de faire une retraite. Dès notre arrivée le Seigneur nous attendait, le premier soir il nous a

1. *Familiaris Consortio*, n°61, paragraphe 2.
2. Paul VI, Exhortation apostolique *Marialis cultus*, n°52-54, 1974.

guéris dans nos relations les plus intimes. A chaque prédication, nous avions un élément nouveau pour reconstruire notre vie. Je rends grâce au Seigneur pour cette lumière qu'il a mise dans notre couple."

Chaque couple doit pouvoir se dire : "Il te faut d'abord donner du temps à ta femme ou à ton mari, à ta famille et pour cela cerner les pourtours de ta générosité débordante". C'est à partir de la profondeur spirituelle de son couple, que celui qui vit dans la grâce du mariage, pourra rayonner d'amour vrai dans ses engagements chrétiens, au sein de l'Eglise et du monde.

L'harmonie conjugale est appelée à se développer, tout d'abord avec les enfants, et ensuite en Eglise, au niveau de la paroisse et de la communauté. Alors le couple chrétien sera armé pour donner un bon témoignage au sein d'un monde désorganisé et agressif, qui cherche lui aussi à parvenir à cette harmonie. C'est un chemin vers cette communion à laquelle tous les hommes sont appelés. Saint Paul nous décrit bien cette aspiration des hommes :

> *Nous le savons en effet, toute la création jusqu'à ce jour gémit en travail d'enfantement... Nous gémissons nous aussi intérieurement... L'Esprit lui-même intercède pour nous en des gémissements ineffables* (Rm 8, 22-26).

Le pape Jean-Paul II, dans son exhortation apostolique sur "les tâches de la famille chrétienne", a bien signifié à la famille sa mission d'être un instrument de communion autour d'elle :

> "La famille constitue le berceau et le moyen le plus efficace pour humaniser et personnaliser la société : c'est elle qui travaille d'une manière originale et profonde à la construction du monde, rendant possible une vie vraiment humaine...".
> "Face à une société qui risque d'être de plus en plus déper-sonnalisante et anonyme, et donc inhumaine et déshumani-sante... la famille possède et irradie encore aujourd'hui des énergies extraordinaires capables d'arracher l'homme à l'a-nonymat, de l'élever à la conscience de sa dignité person-nelle..."[1]

S'il est vrai que la division engendre la division, il est heureuse-ment vrai que la communion engendre la communion. La famille

---

1. *Familiaris Consortio*, n°43.

trouve là une tâche exaltante : une communion en Dieu qu'elle ne peut pas garder pour elle-même, mais qu'elle "irradie" au coeur même de l'Eglise. Elle le fait à la façon de Sainte Thérèse, dans son carmel de Lisieux : "Au coeur de l'Eglise, ma mère, je serai l'amour". Mais la famille rayonne encore au-delà, sur un monde qui attend son témoignage d'amour et d'unité.

Dans l'évangélisation

De la communion de la Sainte Trinité jaillit la vie. De même, de la communion des époux jaillit le fruit de l'amour : l'enfant, c'est-à-dire la vie. Cette vie va enrichir le corps mystique du Christ, qui est l'Eglise. En effet, la famille selon le coeur de Dieu vit en Eglise, mais également pour l'Eglise. Le bébé qui va recevoir le baptême deviendra enfant de Dieu, mais aussi enfant de l'Eglise. La famille vivra dans une paroisse ou une communauté et recevra la charge d'évangéliser.

Il faut voir jusqu'à ce point la responsabilité du couple qui s'engage dans le mariage. Ce sera le bonheur des époux d'être donnés ensemble à la même tâche et d'ouvrir leur coeur au-delà des dimensions de la famille. Le pape Jean-Paul II ne manque pas de rappeler à quel point les enfants sont pour les parents ce don précieux qui leur permet de mesurer les fruits qu'ils portent ensemble :

> "Ainsi les époux, tandis qu'ils se donnent l'un à l'autre, donnent au-delà d'eux-mêmes un être réel, l'enfant, reflet vivant de leur amour, signe permanent de l'unité conjugale et synthèse vivante et indissociable de leur être de père et de mère."[1]

Mais également, le pape n'oublie pas de parler de la fécondité qui est réservée aux couples qui ne peuvent pas avoir d'enfants. Leur activité de service vécue ensemble à partir même de leur amour conjugal est une source de forces multipliées pour les oeuvres qui leur sont confiées :

> "Il ne faut cependant pas oublier que même dans les cas où la procréation est impossible, la vie conjugale garde toute

---

1. *Familiaris consortio*, n° 14.

sa valeur. La stérilité physique peut en effet être pour le couple l'occasion de rendre d'autres services importants à la vie de la personne humaine, tels que l'adoption, les oeuvres variées d'éducation, l'aide à d'autres familles, aux enfants pauvres ou handicapés". [1]

Il est remarquable de constater, à ce sujet, combien de couples privés d'enfant ont vu leur coeur s'ouvrir à l'appel de Dieu, non plus seulement pour une tâche d'adoption, mais aussi pour une tâche d'Eglise, au service de l'évangélisation. Ainsi, telle communauté nouvelle issue du renouveau, a-t-elle pu se mettre au service de l'Eglise en s'appuyant, au point de départ, sur deux couples sans enfant, qui ont tout quitté y compris leur situation professionnelle. Une jeune fille les rejoignit par la suite et se consacra au Seigneur dans le célibat.

Au jour du mariage, Dieu promettait la fécondité et au jour du célibat consacré, de même : Dieu est toujours fidèle. La paternité spirituelle, ce n'est pas un vain mot ! Chaque jour, elle comble le coeur de ceux qui s'y dévouent, au-delà de ce qu'ils pouvaient imaginer.

La véritable communion dans l'amour sera donc active : le couple ne sera jamais une serre chaude et sécurisante, mais un lieu de fécondité quelle qu'elle soit. Mais également, la véritable communion sera une marche dans la lumière de l'Evangile, vécue au coeur de l'Eglise. Alors, et alors seulement, le couple sera apte au témoignage que le monde attend.

---

1. *Familiaris Consortio*, n° 14.

Marcher ensemble dans la lumière

Si nous marchons dans la lumière,
comme Il est lui-même dans la lumière,
nous sommes en communion les uns avec les autres.
(1 Jn 1, 7)

CHAPITRE VI

1 - Dieu est lumière, en Lui, point de ténèbres
2 - La pastorale conjugale dans la lumière
3 - "Mieux vaut prévenir que guérir"

Il ne suffit pas pour le couple de voir clair, il faut encore agir. Cette marche dans la foi, le couple va devoir la faire la main dans la main.

> *La femme ne dispose pas de son corps, mais le mari. Pareillement, le mari ne dispose pas de son corps, mais la femme. Ne vous refusez pas l'un l'autre, si ce n'est d'un commun accord, pour un temps, afin de vaquer à la prière; et de nouveau soyez ensemble* (1 Co 7, 4-5).

La vie conjugale demande beaucoup de bon sens, certes, mais de par son exigence beaucoup de sens spirituel aussi. Dans la contemplation de Dieu qui est lumière, les époux trouveront l'éclairage nécessaire à leur vie conjugale et familiale. L'Eglise les guidera aussi par son magistère, en leur enseignant la Parole de Dieu. Ensemble, ils devront enfin *être sobres et veiller* (1 P 5, 8), appliquant ainsi la maxime : "mieux vaut prévenir que guérir".

1 — DIEU EST LUMIÈRE, EN LUI POINT DE TÉNÈBRES

L'amour conjugal dans la lumière

L'apôtre Jean commence par nous dire: *Dieu est Lumière* (1 Jn 1, 5). Puis, dans la même épître, il dit à deux reprises : *Dieu est Amour* (1 Jn 4, 8 et 16).

Jésus lui-même avait déclaré : *"Celui qui fait la vérité vient à la lumière !"* (Jn 3, 21).

La vérité, la lumière, l'amour sont nécessaires, mais c'est la lumière qui précède l'amour, et la vérité qui précède la lumière.

Dieu est Amour, mais son oeuvre de création commence par: *"Que la lumière soit et la lumière fut"* (Gn 1). Ensuite seulement Dieu créa l'hommme qui est fait pour l'amour. Avant la lumière elle-même, la vérité était déjà là, car *l'Esprit planait sur les eaux* (Gn 1). L'Esprit Saint est l'Esprit de vérité (cf. Jn 14, 17 ; 16, 13).

La tactique des *régisseurs de ce monde de ténèbres* (Ep 6, 12), consistera à dissimuler la vérité, et à empêcher l'homme de faire la vérité pour parvenir à la lumière. Car sans lumière, l'amour véritable deviendrait impossible.

Le Seigneur, qui a "appelé" les baptisés *des ténèbres à son admirable lumière* (1 P 2, 9), les protège désormais de l'Adversaire qui voudrait les faire revenir aux ténèbres. Il ne le peut pas, car *les ténèbres n'ont pas pu retenir la lumière* (Jn 1, 5). Mais il essaie d'aveugler les croyants, en leur faisant prendre les ténèbres pour la lumière.

L'aveuglement consiste donc à refuser la lumière tout en croyant la posséder. Des époux qui ne se supportent plus et envisagent même de se séparer, ne pourront revenir l'un vers l'autre qu'en faisant la transparence, l'Evangile dit : *En faisant la vérité*. Mais il leur faudra d'abord revenir vers Dieu, parce qu'il n'y a pas de ténèbres en Lui. En communion avec Dieu, les époux vont marcher dans la lumière. Et tout ce qui n'est pas lumière dans leur vie apparaîtra au grand jour, sans crainte aucune, puisque *le sang de Jésus, son Fils, nous purifie de tout péché* (1 Jn 1, 7).

Ainsi les époux font-ils l'expérience de la grâce qui accompagne de façon puissante ceux qui ont choisi de faire la transparence. Pas à pas, le Seigneur les mène, et prépare leur coeur l'un pour l'autre, au point de leur éviter les surprises blessantes :

> André : "Je voudrais vous partager l'enchaînement formidable des choses quand le Seigneur a décidé de vous aider. En ce qui me concerne, il y avait des éléments qui troublaient nos relations conjugales. Ce jour là, je suis allé au sacrement de pénitence et j'ai partagé avec le prêtre. Il me dit : "C'est ta femme qui peut t'aider". Je me demandais comment je pourrais parler de certaines choses difficiles avec mon épouse. A la célébration de l'après-midi, il y a eu une parole de connaissance : "il y a un homme qui a quelque chose à dire à sa femme. Il ne lui ment pas mais il faut qu'il le partage avec elle". Je

me suis tout de suite senti concerné. Aussitôt après, en se promenant, j'ai eu le désir de le partager avec mon épouse, et avant que je lui ai parlé, elle m'a dit : "Je t'ai déjà pardonné".

Julie : "Depuis qu'on a rencontré le Seigneur au travers de la communauté du Lion de Juda[1] en 85 à Ars, on a énormément cheminé mais je trouvais que le Seigneur exagérait un peu parce que toutes les grâces c'était mon mari qui les recevait. J'en étais très jalouse et je me disais: " Seigneur, c'est moi qui en ai le plus besoin et tu ne me donnes rien". Cette jalousie me persécutait beaucoup. J'avais aussi découvert qu'André m'était un peu infidèle et le Seigneur m'a donné cette grâce de pouvoir pardonner plus facilement".

André : "Avant de venir à cette retraite, j'avais demandé au Seigneur qu'il m'éclaire par rapport au trouble que j'avais dans ma vie conjugale et c'est chose faite".

Transparence, dialogue et communion

C'est donc cette communion avec Dieu qui sauvera le couple de l'aveuglement. Dans la lumière, il verra son péché, mais il le verra pardonné. *Si nous confessons nos péchés, Lui, fidèle et juste, pardonnera nos péchés et nous purifiera de toute iniquité* (1 Jn 1, 9).

Au contraire, se tenir loin de Dieu, ce serait donner prise à l'Adversaire. Ainsi, chercher la solution des difficultés du couple dans des analyses ou des méthodes uniquement basées sur la confiance en soi (et elles font fortune aujourd'hui) conduit à une impasse. Mais à partir du moment où chacun des époux décide d'écouter Dieu et de se confier à lui, en vertu de la grâce du sacrement de mariage, le chemin des retrouvailles est déjà à moitié fait.

C'est dans la lumière que les époux sont invités à revenir toujours à l'essentiel. Et ils doivent le faire toute leur vie.

Aussi, la clef de l'amour conjugal, c'est toujours de revenir vers Dieu, et de revenir l'un vers l'autre. Ce n'est pas compliqué. Cependant il faut un coeur simple. La transparence permet de demeurer dans la lumière.

Aux chrétiens donc, de veiller à ne point retomber dans les ténèbres : *Jadis vous étiez ténèbres, mais à présent vous êtes lumière*

---

1. La Communauté du Lion de Juda invite chaque année à la prière dans de hauts lieux spirituels, comme Ars, Lourdes, etc.

dans le Seigneur ; conduisez-vous en enfants de lumière ; car le fruit de la lumière consiste en toute bonté, justice et vérité (Ep 5, 8-9).

Aux couples de revenir à cette communion intime avec Dieu, espérance pour l'Eglise de demain, *puisque les ténèbres s'en vont, et que la véritable lumière brille déjà* (1 Jn 2, 8).

Tous les couples chrétiens portent en eux la grâce de ne pas tomber dans les ténèbres de notre siècle, avec ses idéologies orgueilleuses et ses oeuvres de mort (les moyens abortifs, en particulier). Mais ils doivent *veiller et prier.*

Alors, ensemble, ils pourront participer à la vie de l'Eglise, dans la lumière.

Pour les époux, la clef de la transparence, c'est la lumière ; la clef de la communion, c'est la prière ; et la clef du dialogue, c'est l'Evangile, parce que c'est là que Jésus nous parle.

Alors, si nous voulons bien l'écouter, le dialogue peut commencer, et ce sera un dialogue riche d'amour comme peut l'être la Parole de Dieu. Alors l'Evangile se transmettra de l'un à l'autre au coeur de la famille, faisant la lumière, dévoilant la vérité, débloquant le dialogue, et créant la communion tout alentour. Paul VI en fait un programme pour la famille :

> "La famille, comme l'Eglise, se doit d'être un espace où l'Evangile est transmis, et d'où l'Evangile rayonne... Et une telle famille se fait évangélisatrice de beaucoup d'autres familles et du milieu dans lequel elle s'insère."[1]

2 — LA PASTORALE CONJUGALE DANS LA LUMIÈRE

C'est une oeuvre d'Eglise, qui ne saurait dépendre de la fantaisie de chacun. Elle suppose la docilité à l'Esprit Saint et la soumission filiale aux responsables que Dieu a voulus pour son Eglise (le pape et les évêques, successeurs des apôtres).

---

1. *Evangelii Nuntiandi*, n°71, 1975.

Vécue de cette façon, elle apportera à chaque couple, la paix du coeur, dans l'amour de l'Eglise, qui est sa famille, et sa mère.

Pas de pastorale conjugale sans la dimension communautaire

Cette dimension est absolument nécessaire, et il est urgent de la développer.

En effet, au milieu des épreuves que connaissent actuellement beaucoup de couples, la grâce de Dieu passera par le sacrement de mariage, certes, mais aussi par la communauté chrétienne qui entoure le couple de sa prière et de sa charité : *Portez les fardeaux les uns des autres et accomplissez ainsi la loi du Christ* (Ga 6, 12).

S'il y a parfois de la désespérance chez certains couples, c'est que la communauté était absente. Dans certains cas, l'espérance n'a pas seulement quitté le conjoint abandonné, par exemple, mais elle a quitté la communauté elle-même qui n'attend plus le retour de l'épouse ou de l'époux "infidèle". Mais une communauté qui ne prie pas pour les couples séparés, ou qui ne vole pas à leur secours, n'est-elle pas, elle aussi, "infidèle" ?

Combien de témoignages peuvent être donnés de cas d'infidélité notoire dans des couples, où l'abandonné a attendu avec patience le retour de l'autre, soutenu par une véritable fraternité dans la foi.

> Ainsi, une jeune épouse, avec son garçon de huit ans, abandonnée par son époux qui avait obtenu le divorce, fut-elle soutenue par un groupe de prière pendant plusieurs années. Souvent elle demandait la prière, pour que Dieu refasse ses forces et lui redonne l'espérance. Son mari finit par revenir vers elle. Ils se remarièrent donc à la mairie. Le mariage devant Dieu n'avait pas bougé : il était toujours là. Le Seigneur n'attendait qu'une chose : qu'ils pratiquent tous deux leur sacrement de mariage, à nouveau.
>
> Une autre fois, nous vîmes arriver à une retraite, un homme seul, désemparé, venant demander à Dieu l'espérance, en attendant que l'amour soit à nouveau possible avec son épouse. Quelle ne fut pas sa stupeur de voir arriver son épouse dans la voiture d'amies qui l'encourageaient à reprendre la vie matrimoniale. C'est seulement au troisième jour de la retraite qu'ils acceptèrent de se rencontrer. Chacun reconnut la nécessité de se convertir, ils se demandèrent mutuellement pardon, ainsi qu'à Dieu. Une heure avant le départ, ils témoignèrent ainsi : "Nous étions séparés depuis plusieurs mois, nous repartons dans la même voiture". Des deux côtés, la communauté des croyants s'était préoccupée de leur désarroi, leur avait enseigné la vérité et avait prié pour eux.

Il peut y avoir une faille dans un couple, mais s'il n'y en a pas dans la communauté, le Seigneur peut agir. Une part de la fidélité des époux l'un pour l'autre, passe par la communauté. Quelle responsabilité ! Mais quelle grâce aussi d'avoir une véritable communauté fraternelle ! Par contre, ce serait un véritable désastre si cette communauté de foi, saisie par l'esprit du monde et ses mensonges se laissait aller à donner des conseils qui ne serait pas évangéliques.

Il n'est de vrai et solide mariage qu'en Eglise, soutenu par elle de A à Z, par les prêtres et par la communauté des fidèles. Sinon, sans foi et sans espérance, le couple atteint par la séparation ainsi que les amis qui l'entourent, ne feraient plus que "gérer la faillite". On sait ce que cela donne dans les affaires : pour le mariage, c'est pire !

La pastorale conjugale est une oeuvre de conversion pour tous

Y aurait-il une pastorale pour les "divorcés-remariés" ?

En soi, il n'y en a pas, il ne peut pas y en avoir. Car il n'y a pas deux Evangiles, il n'y a pas deux vérités. Il n'y aura donc qu'une seule pastorale valable, celle du mariage selon la Parole de Dieu, et c'est à l'intérieur de cette pastorale que s'exercera la sollicitude de l'Eglise notre mère pour tous les cas possibles, entre autres les "divorcés-remariés". Ils auront eux aussi "tout" l'Evangile à appliquer, sans l'édulcorer, ni l'adapter au XXème siècle. Ce n'est pas Dieu qui doit s'adapter à nous, c'est nous qui devons nous convertir à Lui. Les époux, comme tous les autres, demanderont chaque jour au Seigneur quelle conversion Il attend d'eux.

Il n'y a pas d'un côté les bons et de l'autre les mauvais. Une pastorale spéciale pour les divorcés-remariés est une entreprise piégée à l'avance : ce serait forcer la main à l'Eglise, en la mettant devant un fait accompli, et en lui demandant une réponse particulière pour un cas qui ne relève pas de la vérité de l'Evangile mais du péché de l'homme. Or l'Eglise est comme son Dieu : elle n'a pas deux sortes d'enfants. Elle les aime tous autant; elle veut que tous fassent leur salut. Elle ne pourra donc leur redire que la Parole de son Dieu, une Parole de vie.

Si l'on parle de "malaise", et si toute la recherche tourne autour de ce "malaise", cela n'aboutira à rien. Il faut remonter plus haut, à l'origine du mal. Tout malaise se soigne, mais bien plus que le malaise, c'est le mal qui le provoque qu'il faut soigner. Au malade, on ne dit pas, même sous prétexte de le rassurer, qu'il est en bonne santé, et que le médecin se trompe dans son diagnostic. Il en est de même pour l'Eglise, qui ne peut pas mentir aux couples en difficultés sur la nature de leur malaise, mais doit plutôt les aider à reconnaître leur maladie, pour la soigner et la guérir. Une maladie d'amour ! voilà celle qui nous occupe ici. Et c'est en regardant la réalité en face que l'on permettra à Dieu d'agir dans les coeurs malades.

Voir en son frère malade un misérable, serait un jugement. Aussi l'Eglise n'a-t-elle aucune "commisération" envers les divorcés-remariés, mais de la "compassion". La compassion "souffre avec", elle ne regarde pas de haut. Elle porte du fruit, parce qu'elle a sa source dans la passion de Jésus. Certains ont voulu écrire pour défendre les divorcés-remariés. Mais qui les a attaqués ? Certainement pas l'Eglise, et surtout pas l'Eglise catholique, comme d'aucuns ont pu le laisser entendre.

Le démon essaie de faire croire le contraire, c'est-à-dire que l'Eglise abandonne le pécheur. En fait, elle souffre en attendant le retour du pécheur dans la grâce. Et elle enseigne ce chemin du retour, en s'appuyant sur la Parole de Dieu. Ecoutons le Pape Jean-Paul II indiquer aux couples brisés la marche à suivre pour pouvoir réintégrer la communauté eucharistique :

"L'Eglise, cependant, réaffirme sa discipline, fondée sur l'Ecriture Sainte, selon laquelle elle ne peut admettre à la communion eucharistique les divorcés-remariés. Ils se sont rendus eux-mêmes incapables d'y être admis car leur état et leur condition de vie sont en contradiction objective avec la communion d'amour entre le Christ et l'Eglise, telle qu'elle s'exprime et est rendue présente dans l'Eucharistie. Il y a par ailleurs un autre motif pastoral particulier : si l'on admettait ces personnes à l'Eucharistie, les fidèles seraient induits en erreur et ils comprendraient mal la doctrine de l'Eglise concernant l'indissolubilité du mariage. La réconciliation par le sacrement de pénitence qui ouvrirait la voie au sacrement de l'Eucharistie ne peut être accordée qu'à ceux qui se sont repentis d'avoir violé le signe de l'alliance et de la fidélité au Christ, et se sont sincèrement disposés à une forme de vie qui ne soit plus en contradiction avec l'indissolubilité du mariage. Cela implique concrètement que, lorsque l'homme et la femme ne peuvent pas, pour de graves motifs - par exemple l'éducation des enfants - remplir l'obligation de la séparation, ils prennent l'engagement de vivre en complète continence, c'est-à-dire en s'abstenant des actes réservés aux époux".[1]

Les obstacles à l'Evangile pour les divorcés-remariés

- Le premier obstacle, c'est de brandir la discipline officielle de l'Eglise catholique comme un épouvantail, et de la mettre en opposition avec le bon sens, pour créer sournoisement une fissure dans le bloc soi-disant "monolithique" de la doctrine de l'Eglise. C'est oublier que la pierre monolithique (c'est-à-dire "d'un seul bloc"), sur laquelle est fondée l'Eglise, c'est Jésus ressuscité lui-même, *la pierre rejetée par les bâtisseurs, mais devenue la pierre d'angle, une pierre d'achoppement et un rocher qui fait tomber* (1 P 2, 7-8). La première erreur sera donc de contredire la tradition, et de s'attaquer à l'Eglise.

On essaiera alors de bâtir une pastorale hors des fondements de la tradition, que notre pape Jean-Paul II vient encore de nous redire, dans son exhortation apostolique sur la famille "Familiaris consortio". Dans ce texte, il propose une pastorale pour nos frères et soeurs divorcés-remariés :

> "L'expérience quotidienne montre, malheureusement, que ceux qui ont recours au divorce envisagent presque toujours de passer à une nouvelle union, évidemment donc sans cérémonie religieuse catholique. Et comme il s'agit là d'un fléau qui, comme les autres, s'attaque de plus en plus largement aux milieux catholiques eux-mêmes, il faut d'urgence affronter ce problème avec la plus grande sollicitude. Les Pères du Synode l'ont dit expressément. L'Eglise, en effet, instituée pour mener au salut tous les hommes, et en particulier les baptisés, ne peut pas abandonner à eux-mêmes ceux qui déjà unis dans les liens du sacrement de mariage, ont voulu passer à d'autres noces. Elle doit donc s'efforcer, sans se lasser, de mettre à leur disposition les moyens de salut qui sont les siens."

---

1. Exhortation apostolique, *Familiaris Consortio,* n°84.

Les pasteurs doivent savoir que, par amour de la vérité, ils ont l'obligation de bien discerner les diverses situations. Il y a en effet une différence entre ceux qui se sont efforcés avec sincérité de sauver un premier mariage et ont été injustement abandonnés, et ceux qui par une faute grave ont détruit un mariage canoniquement valide. Il y a enfin le cas de ceux qui ont contracté une seconde union en vue de l'éducation de leurs enfants, et qui ont parfois, en conscience, la certitude subjective que le mariage précédent, irrémédiablement détruit, n'avait jamais été valide. Avec le Synode, j'exhorte chaleureusement les pasteurs et la communauté des fidèles dans son ensemble, à aider les divorcés-remariés. Avec une grande charité, tous feront en sorte qu'ils ne se sentent pas séparés de l'Eglise, car ils peuvent et même ils doivent, comme baptisés, participer à sa vie. On les invitera à écouter la Parole de Dieu, à assister au sacrifice de la messe, à persévérer dans la prière, à apporter leur contribution aux oeuvres de charité et aux initiatives de la communauté en faveur de la justice, à élever leurs enfants dans la foi chrétienne, à cultiver l'esprit de pénitence et à en accomplir les actes, afin d'implorer, jour après jour la grâce de Dieu. Que l'Eglise prie pour eux, qu'elle les encourage et se montre à leur égard une mère miséricordieuse. Et qu'ainsi elle les maintienne dans la foi et l'espérance !...

Le respect dû au sacrement de mariage, aux conjoints eux-mêmes et à leurs proches, et aussi à la communauté des fidèles, interdit à tous les pasteurs, pour quelque motif ou sous quelque prétexte que ce soit, même d'ordre pastoral, de célébrer, en faveur de divorcés qui se remarient, des cérémonies d'aucune sorte. Elles donneraient en effet l'impression d'une célébration sacramentelle de nouvelles noces valides, et induiraient donc en erreur à propos de l'indissolubilité du mariage contracté validement.

En agissant ainsi, l'Eglise professe sa propre fidèlité au Christ et à sa vérité; et en même temps elle se penche avec un coeur maternel vers ses enfants, en particulier vers ceux qui, sans faute de leur part, ont été abandonnés par leur conjoint légitime.

Et avec une ferme confiance, elle croit que même ceux qui se sont éloignés du commandement du Seigneur et continuent de vivre dans cet état pourront obtenir de Dieu la grâce de la conversion et du salut, s'ils persévèrent dans la prière, la pénitence et la charité."[1]

- Le second obstacle, sera tout simplement de faire une recherche en occultant la Parole de Dieu. Souvent, ce sera mettre en avant la doctrine de l'Eglise sur le mariage chrétien, sans faire référence à la Parole de Dieu, ou plus habilement, en choisissant telle ou telle page d'Evangile, sauf celle de Matthieu qui nous rapporte la parole précise de Jésus sur l'indissolubilité du mariage. (cf. Mt 19, 1-6)

- Le troisième obstacle sera de laisser croire que l'Eglise dispose du mariage et peut l'accommoder selon les besoins des civilisations et des époques, alors que ce trésor ne lui appartient pas. Le mariage n'est pas de droit ecclésiastique (quant à son indissolubilité) mais de droit divin :

"C'est pourquoi l'homme quitte son père et sa mère et s'attache à sa femme, et ils deviennent une seule chair" (Gn 2, 24). Ce que Jésus commente ainsi : *"Que l'homme ne sépare donc pas ce que Dieu a uni"* (Mt 19, 6).

A partir de cette confusion entre droit divin et droit ecclésiastique, toute une série de conséquences néfastes pour la foi vont surgir et se donner libre cours :

L'Eglise n'est plus perçue comme une mère : elle fait de la discipline. Cette caricature fait oublier que dans sa protection maternelle, l'Eglise est, de droit comme de fait, gardienne de l'amour, tant de l'amour fraternel que de l'amour conjugal.

L'Eglise catholique passe pour être dure et peu compréhensive, alors que les Eglises orthodoxes ou protestantes prévoient des cas de reconnaissance d'union légitime religieuse pour les divorcés-remariés (sans que l'un des conjoints soit décédé).

On accusera l'Eglise catholique de demander la fidélité, et de ne pas pratiquer la miséricorde. Mais la miséricorde pour le pécheur ne peut pas faire abstraction de la vérité sur le péché; sinon, il y aurait mensonge, et aucune repentance ne serait possible.

---

1. *Familiaris Consortio*, n°84.

Avec de tels préjugés, toute réflexion spirituelle est bloquée au point de départ, et toute pastorale vouée à l'échec. Ceci est vrai dans tous les domaines, pas seulement le mariage : par exemple en ce qui concerne l'engagement chrétien dans le social, la politique ou l'économie, où là encore il faut construire sur la vérité.

L'écoute docile, dans l'Esprit Saint, de la Parole de Dieu est presque oubliée. En tout cas, elle n'est plus première, et le Décalogue n'est plus enseigné. L'Eglise, notre mère, nous donne la Parole sans la falsifier, et elle la transmet à toute culture, et toute civilisation. *"Vous n'ajouterez rien à ce que je vous ordonne et vous n'en retrancherez rien, mais vous garderez les commandements du Seigneur votre Dieu tels que je vous les prescrits"* (Dt 4, 2). Bien sûr, ce sont des commandements d'amour, donnés par amour. Saint Paul lui-même ne transige pas sur *l'annonce de la Parole de vérité, l'Evangile* (Col 1, 5) : *Nous ne sommes pas, en effet comme la plupart, qui frelatent la Parole de Dieu* (2 Co 2, 17).

En définitive, l'orgueil de l'homme est ici l'obstacle majeur à surmonter. On ne reprochera pas à une maman de se précipiter sur son petit qui va tomber dans le feu; on ne lui en voudra pas de "commander" à son enfant de ne plus approcher du feu. Mais les hommes, eux, s'en prendraient à Dieu et voudraient se passer de Lui, comme l'adolescent qui cherche à se rendre indépendant de ses parents ! C'est une façon de rejeter la paternité et son rôle éducatif et protecteur, en la caricaturant même en autorité tyrannique et insupportable. On parlera, par exemple, de "position de la hiérarchie", de telle façon que les divorcés-remariés se sentent incompris et blessés. La confiance, au contraire, aurait mis du baume sur la blessure. Demandons la grâce de ne pas voir d'abord dans nos évêques une hiérarchie, mais des bergers chargés de protéger le troupeau, et revenons à la confiance envers nos pasteurs, car ils sont au service de l'Eglise. Et l'Eglise elle-même est au service de Jésus qui a dit : *"Ce que Dieu a uni, l'homme ne doit point le séparer"* (Mt 19, 6), et encore : *"Les paroles que je vous ai dites sont esprit et elles sont vie"* (Jn 6, 63).

Jusqu'où la pénitence et l'Eucharistie pour les divorcés-remariés ?

Les pères du synode sur la famille en 1980 approuvèrent par 190 oui contre 10 non et 6 abstensions, les propositions confirmant la discipline de l'Eglise latine qui refuse aux divorcés irrégulièrement remariés l'accès à la communion eucharistique[1]. Voyons-y une décision inspirée par l'Esprit Saint.

C'est dans la charité fraternelle, la prière et l'adoration commune du Saint-Sacrement que se fera l'accueil de ceux qui ne peuvent plus communier. Par sa fraternité et sa prière, la communauté chrétienne, retournera une situation de revendication en acceptation, et même soumission à l'Eglise; et ce sera source de paix pour tous. Au sein de cet accueil, les divorcés-remariés pourront et devront, comme le demande l'Eglise, vivre la continence complète, c'est-à-dire vivre en frère et soeur, pour retrouver la communion entre eux, et avec tous, en vérité. Voici l'exemple de deux époux, à la vie bouleversée, qui ont accepté de s'en remettre humblement à l'Eglise. Et dans ce temps d'attente, ils ont décidé de vivre en frère et soeur :

> Véronique : "C'est une longue histoire. On s'est rencontré il y a treize ans. Nous nous sommes fréquentés pendant trois ans, dans nos coeurs nous étions fiancés, mais pas officiellement, car mes parents n'ont jamais voulu accepter ce mariage. Alors nous nous sommes séparés et nous nous sommes mariés tous les deux, chacun de notre côté. Pendant huit ans, nous avons été malheureux. Je pensais sans cesse à François. Je l'ai revu à son mariage, il s'est marié un an après moi. On s'observait. Huit ans après, nous nous sommes revus. Au premier regard, j'ai vu que je ne pourrais plus me séparer de lui; c'était pareil pour lui. Tous les deux nous n'avons pas eu d'enfant parce que je savais que si j'avais un enfant avec mon mari, je ne pourrais jamais retrouver François, et François de son côté ne pouvait pas avoir d'enfant. Alors nous nous sommes retrouvés et avons quitté époux et épouse en mai 86. Les mois ont passé et cette année, nous avons rencontré un prêtre. C'est là que nous sommes rentrés dans un groupe de prière et, à partir de là nos vies ont changé. Nous allons devoir entamer une procédure pour prouver que nos mariages sont nuls. Il est très important pour nous de recevoir le sacrement de mariage pour de bon. Nous avons compris pendant cette retraite combien le mariage est important. Quand nous nous sommes mariés tous les deux, il y a huit ans, nous n'avions pas compris l'importance du sacrement de mariage et nous avons commis un gros péché, tous les deux, de nous être mariés, alors que, dans nos coeurs, nous savions que notre conjoint ne nous était pas destiné. En attendant, nous avons un choix à faire, soit de vivre en frère et soeur, soit de nous séparer. Nous avons été touchés dans la prière, nous avons reçu une grâce, car nous n'arrivions pas à prier ensemble, et le Seigneur nous a demandé de

---

1. *Documentation Catholique*, 7 juin 1981, p. 541.

dire ensemble, simplement, le Notre Père. Nous allons faire un petit coin prière, et nous espérons y arriver".

C'est en faisant la vérité selon l'Evangile que ce couple fut capable d'aller jusqu'au bout du plan d'amour de Dieu sur lui. Certes, il lui reste du chemin à faire, mais il est sur le bon chemin, et il peut compter sur la grâce de Dieu.

Certains pensent qu'il est possible de vivre le mystère d'alliance avec Dieu dans l'Eucharistie, alors que ce même mystère d'alliance dans le sacrement de mariage n'est pas honoré. La chose est impossible. Dieu est un. Il n'a pas deux paroles. Il est le même dans tous les sacrements.

Par contre, il est bon de conseiller aux divorcés-remariés de ne pas s'éloigner des deux sacrements de Réconciliation et d'Eucharistie, même s'ils ne peuvent pas les pratiquer jusqu'au bout.

Pour le sacrement de Réconciliation, il leur est recommandé de rencontrer régulièrement un prêtre pour confesser tous leurs autres péchés. Nul doute que dans cette humble confession, même sans absolution, ils reçoivent des grâces pour une vie plus sainte. De plus les conseils du prêtre seront pour eux un encouragement à mettre en pratique ce que demande l'Eglise, c'est-à-dire vivre en frère et soeur.

En cas d'adultère, le prêtre ne peut pas donner l'absolution. Mais ce n'est pas tout blanc ou tout noir. Il est là, disponible au pénitent, pour l'aider à avancer dans la conversion, de la même façon que pour ceux qui sont " en règle", (au niveau de la morale conjugale). C'est dans ce contact spirituel avec le prêtre, qui demeure pour lui un frère et un père spirituel souffrant de ne pouvoir lui donner l'absolution, que le chrétien percevra qu'il n'est pas exclu de l'Eglise.

Certains disent que si l'Eglise, par le ministère du prêtre, pardonne un avortement ou un meurtre, elle devrait aussi pouvoir pardonner l'état d'adultère. Il est facile de réfuter cette erreur, qui est courante jusque chez des chrétiens en principe instruits d'une bonne théologie morale. En effet le péché grave dont le pénitent s'accuserait sans repentance, c'est-à-dire en choisissant délibérément de le commettre à nouveau, ne peut pas être absout par un confesseur. Quelqu'un qui s'accuserait d'un meurtre et avouerait en avoir un deuxième à commettre pour assouvir sa vengeance ne peut pas recevoir l'absolution. Pareillement, des époux qui vivent dans une union illégitime d'adultère, ne le regrettent pas et ne décident pas de faire cesser ensemble ce péché, ne pourront pas recevoir l'absolution. Dans l'avortement, il y a un acte passé. Dans l'adultère, c'est un état qui est vécu au présent, avec l'intention de le reproduire dans l'avenir. La repentance est absente. L'absolution ne peut pas être donnée, même par un prêtre dévoué et compréhensif.

Pour l'Eucharistie, ce serait méconnaître ce grand sacrement que de penser qu'il se limite aux quelques minutes de la présence réelle en nous, après notre communion au corps et au sang du Christ. Il y a tout le reste de la messe, y compris le baiser de paix. Quand un chrétien ne peut participer à l'Eucharistie chaque jour, il lui est bon de faire une communion spirituelle au Christ, et de prendre un temps précis pour le faire. Tous les chrétiens peuvent faire cette communion de coeur et de pensée, les jours où ils ne peuvent participer à la messe. L'Eglise l'enseigne depuis longtemps. Rien n'empêche les divorcés-remariés de le faire, le dimanche, au moment de la communion. Alors ils verront tomber rancoeur et jalousie. De même, quelle grâce pour eux de revenir pour de longues heures à l'adoration du Saint-Sacrement au tabernacle, ou mieux, exposé dans l'ostensoir ! En eux, la contestation laissera place à l'amour. Ils recevront quantité de grâces dans cette adoration fréquente et fidèle, qui les mènera jusqu'au coeur de Dieu, et au coeur de l'Eglise, qui, elle, ne les avait jamais quittés.

3 — "MIEUX VAUT PRÉVENIR QUE GUÉRIR"

Il est des remèdes qu'il vaut mieux prendre avant qu'après. Ils sont multiples, et il n'est pas question d'en donner une liste exhaustive. Cependant quelques conseils peuvent aider.

Les époux doivent tout se pardonner

La clef de l'amour fidèle, c'est de se pardonner jusque dans les petites choses. Il restera toujours vrai que le pardon de chaque jour empêche la crise de se déclarer. Et le plus facile sera de le faire au coeur de la prière. Beaucoup de couples, pour ne pas dire tous, ne se sont pas pardonnés l'un l'autre d'être si différents de ce qu'ils imaginaient au départ. C'est en présence du Seigneur qu'ils pourront le faire. Ce sont des grâces prévenantes qui évitent de grandes blessures.

Ce domaine de la vie conjugale demande une grande transparence, pour passer de l'aveu au pardon et aller jusqu'au sacrement de réconciliation. C'est toujours une grande joie pour les époux de voir leur couple s'épanouir selon la volonté de Dieu. Alors la simplicité et la délicatesse remplacent le sans-gêne et la bousculade :

> Simon : "Nous sommes mariés depuis deux ans et demi et nous repartons de cette retraite comme au premier jour de notre sacrement de mariage, totalement neufs l'un par rapport à l'autre. Nous avions vécu avant et même après notre mariage, sexuellement des situations très dures. En priant, la Sainte Vierge nous a projetés dans les bras l'un de l'autre en s'avouant tout ce que nous avions fait seul, et même ensemble. Quand j'ai réussi à dire tout cela, Micheline a dit : "Moi aussi je te demande pardon". Nous avons décidé d'aller recevoir le sacrement de la réconciliation, bien que ce soit très dur pour Micheline. Nous partons totalement renouvelés dans la pureté et nous vivrons désormais notre sexualité comme nous le demandent notre Père du ciel et la Sainte Eglise".

> Micheline : "Le jour où nous nous sommes pardonnés et avons été délivrés de notre péché, le bébé que j'attends n'a jamais autant bougé" !

La nuit de la Foi existe aussi pour les couples

Les consacrés dans le célibat traversent des déserts, des épreuves de la foi permises par Dieu, pour grandir dans son amour. De même, dans l'état du mariage, Dieu peut permettre un temps de désert pour les époux, dans leur relation à lui, ou même entre eux. Il faut savoir qu'existe cette voie spirituelle, sous peine de s'inquiéter, et d'être profondément désorienté. Dieu est toujours là fidèle, mais on ne perçoit plus sa présence sensible ni même active.

Le temps et la patience sont souvent nécessaires avant d'obtenir l'exaucement, et de sortir d'une épreuve où tout semble avoir été mis à plat, la mémoire n'étant même plus là pour rappeler la réalité de l'amour reçu un jour. Cependant l'amour continue toujours à vivre au-delà de tous les sentiments éteints.

Trop souvent, on ira chercher les motifs les plus lointains à cet état de fait éprouvant. Ce ne seront que suppositions, capables de mettre le trouble dans ces deux coeurs qui n'avaient qu'une chose à faire : patienter dans la prière fidèle de chaque jour, en attendant que l'épreuve se termine comme elle était venue, c'est-à-dire sans explication apparente. Il faudra seulement prendre garde que chacun, ne voyant rien de mal chez l'autre, s'en prenne à lui-même et se culpabilise. Evidemment, toute nuit de la foi devra être discernée dans un bon accompagnement spirituel.

La Communauté en prière pour les couples

Dans une prière d'intercession, la communauté demandera pour chaque couple la grâce de résister à toutes les épreuves, et par là, de grandir dans l'amour. Il est certain qu'il y a une grande lacune dans nos communautés paroissiales, qui ne savent pas comment aider leurs couples, ou bien oublient de le faire.

Les centres spirituels semblent, pour l'instant, mieux armés pour assurer cette prière d'intercession. Aussi, beaucoup comptent-ils avec confiance sur cette prière de foi de la communauté rassemblée dans la louange.

Un couple témoigne comment il a pu "refaire surface" grâce à la ferveur de la communauté :

> Anne : "Nous sommes mariés depuis dix-sept ans, nous avons trois enfants de quatorze, onze et huit ans, et pourtant nous ne formions pas un couple. Nous étions tombés dans un trou très profond. Quand Bernard a redécouvert le Seigneur, nous sommes rentrés dans un groupe de prière. Nous avons cheminé et pendant cette retraite nous avons vécu l'amour de Dieu : nous sommes redevenus un couple".

> Bernard : "Il y a six mois, nous étions au pied du mur. Nous ne savions pas ce que serait notre avenir. Je me souviens même avoir dit à Anne : "Je n'ai plus rien à te donner". J'étais au moins sincère, quand je le lui ai dit. C'était au service militaire que j'avais perdu la foi dans le mariage".

> Anne : "Notre mariage se vivait sans la foi, c'était très grave. Par la prière on obtient beaucoup de choses. Notre groupe nous a beaucoup aidés aussi. Maintenant que nous sommes redevenus un couple, nous allons nous remettre au service de nos frères".

Le cheminement spirituel de ce couple est très beau : reconnaître sa pauvreté dans le don de soi-même, redécouvrir la communauté de prière, devenir réellement un couple dans la découverte de l'amour de Dieu, et dans le même élan, se mettre au service des autres.

Mais il n'y a pas que les peines et les blessures à présenter à Dieu : la prière de la communauté sera aussi une prière d'action de grâces pour les couples.

En effet pourquoi ne pas d'abord remercier le Seigneur pour toutes les grâces reçues par ceux qui vivent leur sacrement de mariage ?

La prière, et particulièrement celle qui est faite à la Vierge Marie, est source de protection. Par elle, nous recevons de Dieu des grâces "prévenantes", qui permettent d'éviter le danger. Le concile Vatican II nous dit que :

> "Marie est invoquée dans l'Eglise sous les titres d'avocate, d'auxiliatrice, de secourable, de médiatrice..."[1].

Ainsi le témoignage de ce couple, qui dit tout devoir à Marie :

Olivier : "Nous sommes mariés depuis dix-sept ans".

Martine : "Mon problème était, dans l'égoïsme, de vouloir voir mon mari autrement que ce qu'il est. Cela ne pouvait pas marcher. Nous avons eu la grâce d'être portés sur les fonds baptismaux par nos parents et surtout d'avoir été confiés à Marie. Quand on a Marie, c'est elle qui fait tout. Sans elle nous n'en serions pas là aujourd'hui. Je voulais rendre mon mari parfait, je n'y arrivais pas, j'avais même fait les démarches en vue de nous séparer. Mais Marie veillait par l'intermédiaire de la prière des frères".

Cette prière est à la fois celle du couple, et celle de la communauté des frères autour de lui. Comme nous le voyons, elle est capable de renverser des situations, mais aussi de mettre fin à un processus de dégradation, dont on ignore à l'avance jusqu'où il peut aller. Mais tout d'abord, cette prière n'est-elle pas une protection puissante contre toute attaque du Mauvais ?

> *Résistez-lui, fermes dans la foi, sachant que c'est le même genre de souffrances que la communauté des frères, répandue dans le monde, supporte* (1 P 5, 9).

---

1. *L'Eglise*, n°62.

Prendre garde à la tiédeur

La tiédeur est ennemie de l'amour. Elle engendre la paresse, qui paralyse l'élan du coeur. Tout devient négatif : pourquoi lui dire ce qu'il sait déjà ? Lui offrir des fleurs ?..., "oui mais je n'aurai le temps ni d'en acheter, ni d'en cueillir ! J'ai essayé bien des choses, mais combien d'échecs ! Maintenant, j'ai peur de l'échec, et un peu peur aussi de lui. Je vais attendre des jours meilleurs pour lui manifester de l'amour". "Le temps arrange bien les choses", ou encore, "il faut laisser du temps au temps" : des adages complètement faux, et qui font tomber les époux dans l'attentisme, et dans une morosité communicative, dont on s'accusera l'un l'autre.

C'est alors que le dialogue va s'estomper, on oubliera de se dire : "je t'aime". Et on pensera que l'autre ne veut rien entendre. Ce n'est pas cela, mais il voulait d'abord s'entendre dire : je t'aime. D'où la léthargie, l'anesthésie, le manque d'initiative, la paralysie. Or l'amour n'est vivant que s'il est vécu par des vivants. Il faudra donc s'en sortir et le demander à Dieu. Comment ? Saint Luc nous rapporte l'exclamation des deux disciples d'Emmaüs, rejoints par Jésus sur le chemin de la fuite : *"Notre coeur n'était-il pas tout brûlant pendant qu'il nous lisait les Ecritures ?"* (Lc 24, 32)

Les époux, au creux de leur lassitude, doivent refaire régulièrement ce bout de chemin avec Jésus, l'écouter, laisser se réchauffer leur coeur auprès de ce foyer d'amour, "fournaise ardente de charité", (nous dit la litanie du Sacré-Coeur de Jésus), et cesser de broyer du noir ensemble. Il leur faut revenir l'un vers l'autre ensuite, pour reprendre le chemin dans le bon sens, et une fois fortifiés par Jésus dans la victoire de sa résurrection, revenir vers les frères, et apporter leur part d'amour à la communauté.

Souvent ce sont les doutes qui vont provoquer la tiédeur. S'il n'y a pas cette certitude d'amour réciproque, la moindre suspicion coupera tout l'élan d'amour. On essaiera de se raisonner en analysant tous ces doutes mais déjà l'ombre de la tristesse s'ajoutera à la nonchalance en amour.

"Douter", ce fut la faiblesse des disciples d'Emmaüs. Certes la Parole de Jésus est venue les mettre dans la lumière, mais d'abord ils avaient fait la tranparence en confiant à Jésus leur épreuve, en déclarant ouvertement leur déception. Ainsi les époux sortiront-ils d'un tel état en faisant la transparence nécessaire et, comme pour les disciples d'Emmaüs, Jésus fera le reste.

Room to 5

I usela
wont.

Ainsi, un couple chrétien, provoqué par une responsabilité qui lui était confiée, se réveilla et demanda que l'on prie pour lui, redécouvrit l'Eglise, la prière du coeur et Marie. Ils avaient dit "Oui" à une responsabilité auprès d'autres couples. Pour accomplir cette tâche, le Seigneur, les sortant de la tièdeur, vint les fortifier :

> Nathalie : "Nous sommes issus tous les deux d'une famille très chrétienne, et avons commencé par un temps d'amitié très pure, qui nous a révélé que nous nous aimions et que le Seigneur nous avait créés l'un pour l'autre, pour nous unir par les liens sacrés du mariage. Malgré la tièdeur de notre foi, nous sentions un réel besoin de nous remettre en route avec Dieu. Grâce aux équipes de foyers, nous avons pu approfondir notre foi, et les membres de l'équipe nous ont élus responsables. En tant que tels nous avons participé à une session Cana[1]. Nous y avons redécouvert la prière du couple, ce qui a changé beaucoup de choses dans notre vie".

> Daniel : "Notre conversion ne s'est pas faite brutalement, mais par petites touches. Cana fut pour nous un tournant. Nous y avons découvert l'importance de la prière des frères et la communion des saints. C'est la première fois que ces mots voulaient dire quelque chose pour nous. Ils nous révélaient l'importance de l'Eglise, et nous sommes rentrés dans un groupe du renouveau".

> Nathalie : "Après Cana nous avions fait un pas dans notre vie de prière et sentions grandir en nous ce désir de la prière du coeur. Au cours de cette retraite, nous avons reçu la prière du coeur et l'amour de Marie".

Combattre l'égocentrisme

C'est bien nécessaire, car dans le coeur de chacun des époux sommeille le "vieil homme" de l'égocentrisme : le "vieux garçon" ou la "vieille fille" avec ses habitudes de célibataire endurci.

C'est le cas de cet époux, surpris par une parole du Seigneur et qui se rend compte qu'il avait hésité à garder son coeur ouvert à la naissance d'un nouvel enfant. Peur ? Repliement sur soi ? Accoutumance ? Fatigue ? Qui pourra le dire ? Mais il est certain qu'il fut réveillé par le Seigneur, qui lui donna la force de ne pas retourner en arrière vers sa vie de" célibataire" :

---

1. La fraternité Cana est une alliance de couples pour l'évangélisation du couple et de la famille. Fraternité Cana, 49, montée du chemin neuf, 69005 Lyon.

Michel : " Je bénis le Seigneur, car après plusieurs années de mariage, je n'y voyais plus très clair et je me sentais un peu seul. Au cours d'un office, un frère eut une parole de connaissance : "Un troisième enfant va arriver et tu n'es pas prêt à l'accueillir dans la joie. Tu feras ce qu'il faut". Cet enseignement est arrivé au bon moment. Tu m'as guéri de ce sentiment de solitude, Seigneur. Béni sois-tu Seigneur parce que tu m'as délivré de cette espèce de vie refermée sur moi. Je te rends grâce d'avoir régénéré notre couple et de vouloir nous unir dans nos relations intimes. Je crois que tu nous donnes la guérison, je crois aussi que tu bénis chacun de nos enfants.

Cet époux était dans une mauvaise solitude. Il en était même prisonnier et se reconnaissait incapable de continuer à accueillir la vie. Le couple lui-même se dégradait dans l'expression sensible de son amour. Le Seigneur Lui-même, par une parole de connaissance immédiate, l'a sorti de cette torpeur. Ce fut une grâce de libération. Mais aussi une grâce de conversion, pour stopper cet égocentrisme, complètement incompatible avec sa responsabilité conjugale et familiale.

"Aimer, c'est tout donner et se donner soi-même", disait sainte Thérèse.

Ce qui est vrai pour une carmélite, l'est tout autant pour chaque époux : sous une autre forme, seulement. Chacun doit d'abord avouer qu'il ne sait pas se donner à l'autre, sinon il ne faudrait pas espérer de conversion et c'est pourtant bien de cela qu'il s'agit : d'une conversion profonde, qui s'exprimera, à certains moments par tout ce qu'il y a de plus tangible dans l'intimité du couple. Ce sera une infinité de gestes, de regards, de pensées, de paroles, de silences et d'attitudes à travers lesquels l'autre ressentira immédiatement s'il est vraiment aimé, ou si l'amour demeure possessif sous des formes trompeuses. Voyons les degrés progressifs de ce don de soi qui fait la beauté de l'amour conjugal :

- Si je pressens que tu vas me donner en retour, je donne.
- Si instinctivement j'ai envie de donner, je donne.
- Si je ne suis pas prêt à me donner, ce sera oui, en subissant l'amour.
- Je donne passivement, en pensant à autre chose, sans écouter l'autre, par habitude.
- J'essaie de donner de bon coeur, mais pas jusqu'au bout.
- Je donne de bon coeur ce qui m'était demandé.
- Je me donne moi-même.
- Je me livre, je ne garde rien, et si je ne reçois rien de l'autre en retour, je reste d'un coeur égal.

C'est à ce moment-là que les époux peuvent rentrer dans le domaine de l'amour. Mais combien se tiennent au seuil du bonheur, pour avoir gardé un coeur partagé entre l'amour d'eux-mêmes et celui de leur époux ! Cet amour réellement donné, et même livré jusqu'au sacrifice, est le secret de la fidélité. C'est la force du témoignage du couple au sein d'un monde qui ne fait que des discours sur l'amour mais en ignore souvent la beauté et la profondeur.

Comme Christ a aimé l'Eglise : il s'est livré pour elle (Ep 5, 25). C'est la réalité du mariage. Elle n'est pas facultative. Beaucoup, pour ne l'avoir pas su, ou pas cru, et donc pas pratiqué, se sont perdus; ou bien ils ont peiné toute leur vie. Très souvent, ils se sont plaints du manque d'harmonie dans leur couple, ou encore n'ont fait que réclamer l'épanouissement de leur personne au sein de l'amour conjugal.

Parfois aussi, ils ont rencontré sur leur route l'enseignement inverse de l'Evangile, à savoir : cultiver la confiance en soi, pour avoir confiance dans les autres et enfin, en arriver à la confiance en Dieu.

La vérité de l'épanouissement de chacun dans le mariage réside dans le don de soi au Seigneur et à l'être aimé. La grâce du mariage fait le reste ! Oui et non, parce qu'il faut déjà au point de départ avoir la grâce du mariage pour entrer tout droit dans cet abandon, dans les bras d'un époux ou d'une épouse qui vous aimera comme il pourra. Et se laisser aimer sera plus exigeant que d'aimer l'autre. Vraiment, l'amour conjugal est le véritable témoin de la façon dont nous devons recevoir personnellement l'amour de Dieu ! C'est l'acte d'abandon à l'amour miséricordieux de Jésus. Mais pour les époux ce n'est pas qu'un symbole, c'est la réalité même. Combien belle, donc, mais combien exigeante est cette merveille du double abandon à Dieu et à l'époux ! Abandon de tous les jours, de tous les instants... comme l'amour de Dieu pour nous, et le nôtre pour lui !

Aussi ce don de soi l'un à l'autre, pour les époux, ne sera-t-il possible qu'en voyant le Seigneur dans le coeur de l'autre. Ce sera même nécessaire, sinon se donner à ce point, serait faire de l'autre une idole. C'est dans cette profondeur spirituelle qu'un époux peut dire de son épouse qu'elle est "unique", sans faire d'elle une orgueilleuse, et sans pour autant délaisser le reste de l'humanité.

Eviter l'égoïsme à deux

Certes, l'égoïsme est vaincu dans le don de soi. Et les époux le savent bien, ils en font souvent l'expérience. Cependant il faut aller jusqu'au bout de cette lutte contre l'égoïsme, et pour cela, dévoiler l'égoïsme à deux et y renoncer dans le couple. Ce n'est pas du tout imaginaire : les couples s'y laissent prendre à certaines occasions. N'est-ce pas ce qui risque de se passer tout particulièrement lorsque les époux dissocient "union et procréation", en voulant éviter la procréation par des moyens radicalement anticonceptionnels ? En fait, la dénatalité est là, dans les nations riches de notre monde occidental et ce n'est pas sans problème pour demain. C'est là qu'il est bon de rappeler l'encyclique du pape Paul VI, comme Jean-Paul II a tenu à le faire encore en 1981, dans son exhortation apostolique pour la famille :

> "La doctrine de l'Eglise est fondée sur le lien indissoluble, que Dieu a voulu et que l'homme ne peut rompre de son initiative, entre les deux significations de l'acte conjugal : union et procréation".

> Et Paul VI a conclu en réaffirmant qu'il y a lieu d'exclure, comme intrinsèquement mauvaise, "toute action qui, soit en prévision de l'acte conjugal, soit dans son déroulement, soit dans le développement de ses conséquences naturelles, se proposerait comme but ou comme moyen de rendre impossible la procréation." [1]

Celui qui ne verrait là qu'un code de morale serait vite perdu. Mais le couple qui se repose la question vraie de son "égoïsme à deux", trouvera le goût, et la bonne volonté nécessaires pour remédier à certaines pratiques qu'il découvre comme contraires à la vie, grâce à l'enseignement de l'Eglise. Ensuite, le pape Paul VI ne manque pas de développer toutes les richesses positives que reçoivent les couples, vivant en vérité leur union charnelle[2], dans la "continence périodique", et la mise en relief des "valeurs spirituelles", qui donnent un équilibre beaucoup plus profond et plus vrai à l'amour conjugal.

---

1. *Familiaris Consortio*, n°32 et *Humanae Vitae*, n°14.
2. *Humanae vitae* n°21.

En effet, les trois intimités "du coeur, de l'âme et du corps" dont nous avons parlé au chapitre précédent, supposent un équilibre entre elles. Par exemple, le manque de maîtrise sexuelle endommagera au passage l'intimité du coeur, comme celle de l'âme, tout en blessant fortement l'intimité du corps, cet échange voulant limiter les fruits de l'amour. Certes il est possible de guérir de toutes les déviations en amour. Mais là encore vaut-il mieux prévenir que guérir. Au point de départ de leur amour, les époux doivent être prévenus de la fragilité des rapports charnels. C'est un fait d'expérience que la mise en avant de ce qui est sexuel est trompeur et ne dure qu'un temps. La mésentente charnelle est souvent la cause de la séparation de couple qui avaient envisagé d'abord leur amour mutuel sous l'aspect des relations sexuelles. C'est un cas notoire d'égoïsme à deux. Les époux ne doivent pas s'enfermer dans un couloir en ne vivant qu'un aspect de leur vie amoureuse. Il n'y a pas que l'acte charnel à pratiquer : la tendresse est nécessaire. Les époux pourront et devront toujours se la donner quoiqu'il en soit, et en toutes circonstances.

Comment être protégé du danger de la séparation et du divorce ?

- Par la prière : la prière de l'Eglise et aussi la prière du couple. *"Veillez et priez !"* C'est dans la prière que nous conservons les grâces données par Dieu et obtenons les autres, particulièrement de ne pas succomber à la tentation.

- En étant vigilant, ce qui ne veut pas dire "méfiant". Car se méfier, c'est veiller en prenant peur. Et les époux n'ont aucune peur à avoir quant à la fidélité à tenir l'un envers l'autre, et jusqu'au bout, puisque Dieu en donne la grâce.

- Dans l'écoute de la Parole : *elle est lumière sous nos pas* (Ps 119 et 105).

- Dans la pratique des sacrements, et tout particulièrement du sacrement de Réconciliation, reçu de façon fréquente, comme le demande l'Eglise.

Ce sacrement est l'assurance-vie du couple, le paratonnerre qui protègera l'amour mutuel lors des orages. En effet, pratiquer ce sacrement avec foi et contrition, va permettre aux époux de recevoir de Dieu le pardon de leurs peccadilles en amour conjugal, et d'obtenir les forces de ne plus recommencer. Pendant ce temps, le mal qui voulait s'installer en eux, ne pourra pas se développer, et même, il régressera. Ils seront protégés des fautes graves contre l'amour, et si, exceptionnellement, la chose arrivait, ils n'en auraient pas pour longtemps à aller en demander pardon à Dieu. Et avec le trop-plein de la miséricorde de Dieu, à aller aussitôt en demander pardon à leur conjoint.

C'est ici que nous comprenons comment l'abandon du sacrement de pénitence a pu préparer la désaffection du mariage. C'est très logique. Mais aussi, c'est en revenant à ce sacrement de réconciliation que les époux verront, non seulement leur union préservée, mais encore fortifiée.

- En comptant sur le soutien d'une communauté vivante : son aide sera faite de prière, de conseils, d'exhortations, d'exemple, et cela tous les jours, mais tout particulièrement dans les épreuves, comme dans les joies. Au coeur de l'épreuve, le couple entouré d'un ou plusieurs foyers, de célibataires, de religieuses et du prêtre, se touvera rassuré et fortifié. Il pourra plus facilement garder l'espérance.

Dans le cas inverse, laissé à sa solitude, le couple ne saura plus que penser, ou quelle décision prendre. Aussi, très souvent, les couples qui se séparent, n'avaient pas de fraternité authentique, ou bien avaient refusé de l'écouter dans son bon conseil.

La communauté doit être là aussi pour partager les joies du couple : son mariage, le baptême des enfants, leur profession de foi, et aussi les anniversaires. L'Eglise a prévu dans sa liturgie des oraisons pour les anniversaires simples et pour les messes de jubilé des vingt-cinq et cinquante ans de mariage. C'est donc une tradition solide que la communauté soit unie à cette action de grâces de toute une famille. Dépasser le cadre familial, pour ces grands jours de fête du couple, est très ecclésial. Mais n'y a-t-il pas davantage encore à faire ? Célébrer plus souvent, au niveau de la paroisse vivante (ou de la communauté), ces anniversaires du sacrement de mariage : pourquoi pas tous les ans ? Pourquoi ne pas instaurer, à la fin ou au cours de la messe dominicale, un accueil des couples qui fêtent l'anniversaire de mariage dans la semaine ? Gageons qu'il y aurait là une grâce suprême de protection, d'année en année.

La prière pourrait être faite pour eux de la manière la plus diverse : une intention exprimée, ou le témoignage d'une grâce demandée et obtenue. Ne serait-ce pas une cause de joie pour toute la communauté exaucée dans sa foi, que de remercier ensemble le Seigneur ? En effet, c'est dans l'action de grâces que nous obtenons les plus grands exaucements : *En tous besoins recourez à l'oraison et à la prière, pénétrées d'action de grâces, pour présenter vos requêtes à Dieu* (Ph 4, 4-6).

- Le couple doit aussi quitter les peurs et les doutes. Et c'est encore dans la prière que cette grâce lui sera accordée.

Les peurs et les doutes fragilisent le couple. Il faut donc en demander la guérison, car le Seigneur ne veut pas ce manque de certitude dans l'union du couple. Cela favorise souvent les fautes contre l'amour conjugal, en particulier le manque d'abandon à l'amour réciproque, signe de confiance mutuelle.

Ce couple hésitant entre deux vocations est une illustration marquante de ce pourquoi il faut prier. Le témoignage qui suit est celui de fiancés. Mais nous percevons bien l'importance de cette libération du passé pour pouvoir entrer dans la grâce conjugale, accordée avec le sacrement, mais qui ne va pas sans guérisons :

> Luc : "J'avais une très grande crainte de venir ici parce que je n'étais pas sûr que le Seigneur m'ait donné Lydia pour l'épouser. Je n'étais pas certain et je cherchais vraiment une confirmation de Dieu. Au cours de la retraite, je piquais des crises de colère et j'étais noué. Quand je rencontrai Lydia, elle pensait beaucoup à la vie consacrée et il me semblait qu'elle n'était pas faite pour moi. Finalement le Seigneur m'a donné confirmation que nous étions faits l'un pour l'autre. En plus, pendant cette retraite je me suis révolté contre le Seigneur. J'allais devant le Saint-Sacrement, je me forçais pour m'agenouiller et adorer. Le Seigneur m'a fait comprendre qu'en moi, il y avait un fort sentiment de culpabilité. Je me rends compte que jusqu'à maintenant j'avais peur de Dieu et que je priais surtout par peur. J'ai alors ressenti l'immense amour que Jésus a pour nous. Je suis convalescent, il faudra libérer encore beaucoup de choses en moi. J'en rends grâce au Seigneur".

> Lydia : "J'avais toujours eu une hésitation entre la vie religieuse et le mariage. Grâce à la prière des frères, j'ai découvert ici ma vocation".

Manifestement, il était urgent que ce couple sorte de ce "flou spirituel", pour qu'il puisse aborder librement le mariage. Il faut demander au Seigneur toute la lumière nécessaire pour que s'estompe ce flou qui fragilise les coeurs et qui les laisse trop souvent dans une indécision néfaste à l'amour. Et c'est là une grâce importante de protection pour la fidélité dans l'amour conjugal. Les époux ne doivent jamais s'étonner si des ambiguïtés douteuses rentrent dans leur vie. Ce n'est pas cela qui est grave : ce serait de ne pas les dépister, de ne pas les partager entre époux, de ne pas les refuser, et d'oublier de les confier au Seigneur. Ainsi, Dieu protège les couples dans leur promesse de fidélité. Mais il est bon aussi de connaître les chemins de sa grâce, pour bien les pratiquer.

Mettre en place une hiérarchie des valeurs

Le couple qui fait le point de temps à autre pour mettre de l'ordre dans sa vie, sera à l'abri de bien des déboires et de bien des blessures. Le métier, l'argent, les loisirs doivent trouver place, mais leur place est seconde, et doit être relative à l'amour de Dieu, et à l'amour des époux entre eux. Si le métier est précaire, que l'argent manque, et que les époux ne parviennent plus à s'aimer vraiment, il est facile d'en tirer la conclusion. Mais dans ce cas, le Seigneur se sert aussi de cette épreuve, pour réveiller les époux dans leur amour. Ainsi ce couple :

> Philippe : "En deux mots, nous avons toujours marché sur un terrain ferme. Nous avons vécu dans des familles chrétiennes, et avons reçu une éducation religieuse.

> Catherine : "Tout était solide jusqu'à ce que dans mon métier tout commence à s'enliser. Plus cela allait, plus le terrain était mouvant. Nous avons rencontré quelqu'un qui est venu à cette retraite et qui en est reparti, transformé. Il nous manquait une grâce, que nous avons reçue ici : la grâce d'abandon. Nous devons nous occuper de notre profession, mais c'est l'amour qui est premier".

Manifestement, l'épreuve matérielle a fait grandir ce couple dans l'abandon. C'était un rappel à l'ordre salutaire dans la hiérarchie des valeurs. Voici encore un témoignage, non plus à partir de l'épreuve mais, cette fois, à partir de l'aveuglement qui tombe. Ces deux époux risquaient de s'endormir dans la suffisance des foyers chrétiens sans histoire. En fait ils étaient en danger :

> Philippe : "Nous allons témoigner des grâces reçues ici il y a trois mois. Nous n'avions pas de prière de couple et je regardais énormément la télévision. Un samedi, en revenant à la maison, je m'entends encore dire à Sophie : "On va rentrer et supprimer la télé".

> Sophie : "Je lui ai fait répéter au moins deux fois".

> Philippe : "En rentrant en voiture, nous nous sommes dit encore : "Nous allons faire un petit coin prière chez nous". Nous y avons placé

des icônes et tous les soirs, nous y prions en couple, ce que nous ne faisions pas auparavant".

Sophie : "C'est une grâce que je demandais depuis longtemps".

N'en concluons pas trop vite qu'il faut supprimer la télé dans tous les foyers !

La liberté des enfants de Dieu, c'est la liberté de prier :

"Cherchez d'abord le Royaume de Dieu,... et tout le reste vous sera donné par surcroît" (Mt 6, 33).

Le Royaume, c'est de prier d'abord. Voilà qui remet de l'ordre dans la maison, en donnant la primauté à l'amour de Dieu et aussi, ô combien, à l'amour du couple, après une longue journée de dévouement familial et professionnel. Quelle est belle la grâce du mariage ! Elle a été déposée dans les mains du couple par Dieu lui-même. Alors, c'est aux hommes eux-mêmes de protéger cette grâce de toute dégradation. "Mieux vaut prévenir que guérir".

Vivre la consécration du sacrement de mariage

"Où vais-je puiser la force de décrire de manière satisfaisante le bonheur du mariage que l'Eglise ménage, que confirme l'offrande, que scelle la bénédiction" ? disait Tertullien, cité par le pape Jean-Paul II. [1]

Le terme qui résume le mieux tout cela à la fois, il semble bien que ce soit celui de "consécration", qui exprime la profondeur du sacrement du mariage, avec tout ce qu'il engage pour une vie. S'il existe pour les religieux une consécration par les trois voeux, il en est de même pour le mariage, où il y a de surcroît un sacrement.

Ces deux vocations, celle du célibat consacré, comme celle du mariage, sont bien deux formes différentes, mais aussi réelles l'une que l'autre, de consécration.

Les époux vont être puissamment protégés dans leur promesse de fidélité, échangée au moment où ils se sont donnés le sacrement, s'ils en ont fait vraiment une consécration à Dieu. *Tout est de lui, et par lui, et pour lui, à lui la gloire éternellement* (Rm 2, 36).

---

1. *Familiaris Consortio*, n°13.

Le mariage est de Dieu par sa création, il n'existe que par Dieu, source de l'amour. Il est en lui et pour lui, car de toute éternité les deux époux ont été choisis l'un pour l'autre, pour *la louange de sa gloire* (Ep 1, 4-6).

Nul doute que cette consécration au Seigneur dans l'unanimité des deux personnes qui forment le couple fasse d'eux une citadelle imprenable. Car cette démarche, bénie par Dieu, sera là au présent commme un vivant rappel de ce qui a eu lieu au jour du mariage.

Certainement, cette façon de vivre le sacrement comme une consécration, où Dieu lui-même vient sceller l'amour des époux, va-t-elle fortifier le couple face aux difficultés et aux attaques contre l'amour, qui ne manqueront pas de survenir.

C'est autre chose qu'un contrat de mariage devant notaire, ou même qu'un contrat devant les hommes pour le mariage civil. Dans le sacrement du mariage, il y a du "sacré", parce que Dieu est partie prenante. Consacré, c'est "donné à Dieu", "offert à Dieu". Et cette offrande, par la grâce de Dieu devient sacrée. Qui oserait encore y toucher ? Ce serait alors vraiment une profanation.

Rassurons-nous tout de suite : cela n'enlève rien à la responsabilité des époux. Mais quelle grâce, dans les moments difficiles du mariage, que de pouvoir dire à Dieu : "c'est ton affaire aussi", ou mieux encore : "c'est ton alliance avec nous qui est en jeu, Seigneur !" Ce sera la prière la plus efficace qui soit : "aujourd'hui, nous voulons te redire que tu es premier dans notre amour conjugal. C'est toi d'abord qui comptes". Si chacun fait cette prière, nul doute à avoir sur l'heureux résultat qui va suivre : c'est la réconciliation évidemment. Alors, où est passée la crise ? Elle n'aura pas eu le temps de se développer... "La consécration" n'est-elle pas la meilleure prévention ? Il ne faut pas se contenter de redire le proverbe : "Mieux vaut prévenir que guérir". Il faut encore le mettre en pratique : ce sera s'engager avec Dieu, autrement dit, consacrer son amour au Seigneur.

Les hommes ont inventé "l'assurance-vie". Mais "l'assurance-amour" ne serait-elle pas plus importante encore ? Certainement, car elle n'a pas de prix. Elle ne s'achète pas. Et puis, la meilleure assurance ne pourrait pas donner cette certitude d'un amour pour toujours. C'est Dieu qui est l'assurance infaillible en amour. Et cette assurance repose sur le triple oui qui s'est échangé : le oui réciproque des époux, et le oui de Dieu en même temps. Encore fallait-il "convoquer" Dieu, c'est la consécration.

Il est toujours temps de la faire cette consécration, toujours temps de la vivre, et toujours temps d'y revenir. Dieu a eu le premier mot en amour, et il aura toujours le dernier.

La consécration donne la paix et la joie. Mais celles-ci passent toujours par l'espérance. Les époux auront beaucoup à s'en souvenir, pour aller la chercher auprès de celui qui est justement objet de leur espérance :

> *Que le Dieu de l'espérance vous donne en plénitude dans votre acte de foi, la joie et la paix, afin que l'espérance surabonde en vous par la vertu de l'Esprit Saint* (Rm 15, 13).

Les époux établis fermement en Christ par leur consécration pourront recevoir la mission d'évangéliser d'une façon toute particulière, dans le prolongement de la grâce du baptême et de la confirmation déjà reçue :

> "Le sacrement de mariage...établit les époux et les parents chrétiens comme témoins du Christ "jusqu'aux confins de la terre", comme véritables "missionnaires" de l'amour et de la vie."[1]

Dans le mariage, comme dans toute vocation, ce sera l'onction pour la mission, et la consécration pour l'évangélisation. Et cette évangélisation se fera par des témoins de la fidélité et de la miséricorde.

---

1. *Familiaris Consortio*, n°54.

CHAPITRE VII

Témoins de la fidélité
et de la miséricorde

*"C'est bien, **bon** et **fidèle** serviteur...*
*entre dans la joie de ton **Seigneur**".*
(Mt 25, 21)

Si la miséricorde renouvelle chaque jour la communion dans le couple, cette communion va rayonner tout alentour, et le couple sera appelé à témoigner de la double grâce qui lui a été faite par le Seigneur : celle de la miséricorde qui construit le couple au jour le jour, et celle de la fidélité, qui leur a été donnée le jour de l'appel au mariage.

Ce double don de Dieu aux époux va les tranformer en ces authentiques témoins de l'amour, que le monde attend, et dont l'Eglise a besoin.

1 — ÉVANGÉLISER DANS LA MISÉRICORDE

Prêcher l'Evangile de la miséricorde

> *Cependant frères, je sais que c'est par ignorance que vous avez agi, ainsi d'ailleurs que vos chefs. Dieu lui, a ainsi accompli ce qu'il avait annoncé d'avance par la bouche de tous les prophètes* (Ac 3,17-18).

Ainsi Pierre reprend-t-il la parole de Jésus lui-même en croix : *"Père pardonne-leur, ils ne savent pas ce qu'ils font"*.

Toute prédication doit redire la miséricorde de Dieu, mais sans jamais agresser, ni surtout condamner. Dire la vérité, oui, mais avec miséricorde. Et cela afin que *"l'accusateur de nos frères"* (Ap 12, 10)... n'ait pas le temps de se faufiler dans la brèche de la culpabilité.

L'Evangile et la doctrine sociale de l'Eglise sont fondamentalement différents de bien des idéologies : l'esprit du monde viole la liberté et essaie de construire dans l'agressivité et la suprématie. L'Evangile lui construit la civilisation de l'amour *"par ce lien qui est la paix"* (Ep 4, 1-3). Chaque baptisé est appelé à construire un monde pacifié.

> *"Bienheureux les artisans de paix, ils seront appelés fils de Dieu "* (Mt 5, 9).

Il faut donc d'abord dénoncer cette erreur qui consiste à croire que l'agressivité puisse construire quelque chose de valable, dans et pour le monde. Seul, l'amour peut construire. Même face aux oppositions, ou aux incompréhensions, il peut le faire, grâce à la miséricorde.

L'homme s'entête souvent dans son ambition. Il défend son opinion personnelle, ou celle de son parti, et tout doit céder devant lui. On essaie d'abord de comprendre l'autre, mais très vite, c'est l'impatience et la bousculade.

Il va donc falloir se pardonner des opinions différentes, se les pardonner même avant d'entrer en dialogue. Il faut briser le cercle infernal de l'agressivité, où la raison du plus fort est toujours la meilleure, et renoncer à transformer les opinions différentes en oppositions irréductibles. Car notre monde se meurt faute de pardon. Se pardonner nos différences, et le faire en actes, c'est notre premier devoir et d'abord vis-à-vis de notre prochain le plus proche. La construction du monde commence avec son voisin. Et pour le couple, elle commence avec le conjoint.

Au pardon de nos différences, s'ajoutera encore celui de nos incapacités à gérer l'amour reçu. En effet, dans le couple, l'un peut gaspiller la générosité de l'autre. Ce sera la folie du "riche" de pardonner la pauvreté du "pauvre", de lui donner et redonner encore à fond perdu. Parce qu'aimer, c'est donner sans compter, et c'est aussi pardonner sans compter. C'est le cas de l'époux ou de l'épouse infidèle qui revient, qui repart et qui revient encore, et à laquelle le conjoint donne et redonne encore. C'est vraiment *folie aux yeux des hommes. Mais Dieu n'a-t-il pas frappé de folie la sagesse du monde* (1 Co 1, 20) ? La "sagesse de Dieu", celle avec laquelle il nous aime,

- fait surabonder sa grâce, là où nous avions fait abonder le péché - (Rm 5, 20). Voir "surabonder cette grâce", est un témoignage frappant. C'est ainsi qu'un jeune homme de vingt-cinq ans, rencontrant plusieurs couples, qui témoignaient justement de tout ce que le Seigneur avait pu construire de beau et de grand en eux, au travers de leur pauvreté, fut touché profondément, et guéri d'une image peu enthousiasmante qu'il avait de l'amour dans le couple :

> Gilbert : "Je suis trés heureux et je rends grâces à Dieu de toutes les merveilles qu'il a faites en vous et de ce qu'il me montre à travers vous. Ce qu'il a fait, il a pu le faire parce ce que vous vous êtes laissés faire. Pour moi, qui dans le passé, n'ai eu que des images négatives de fiançailles, et du mariage..., je suis au comble de la joie de voir ces merveilles de Dieu en vous et pour vous".

La seconde évangélisation appartient aux miséricordieux

Si je vais au devant de mon frère avec le coeur de miséricorde qu'a eu le Seigneur pour moi au jour de ma Conversion, je pourrai être écouté. J'éviterai la fierté qui aurait pu le bousculer.

Or que se passe t-il souvent pour le mariage ? "Je ne veux pas savoir ce qui ne va pas chez mon épouse. Je vais faire valoir ses talents, je lui ferai plaisir. Oui mais, est-ce que je l'aime vraiment, si je la laisse dans l'illusion de ce qui lui manque" ? Effectivement, ce manque de vérité va entacher l'amour, et l'empêcher de grandir. La solution sera de dire la vérité avec compassion.

Pour le couple, la miséricorde pratiquée l'un envers l'autre guérira, convertira et finalement construira l'amour. C'est d'abord le couple qui a besoin d'être évangélisé. L'ambition de construire un amour vrai ne peut pas se réaliser si le couple n'en connaît pas le chemin, qui est celui de la miséricorde. Le couple pourra, à son tour, l'enseigner.

Le monde d'aujourd'hui, athée ou déchristianisé, a pour dénominateur commun de ne pas assez connaître la miséricorde, qui ne peut se pratiquer que par la grâce de Dieu. Le chrétien, lui, trahit l'Evangile de Jésus, lorsque sa vie personnelle ne repose plus sur la miséricorde divine, ou qu'il en remet à plus tard les exigences.

Un couple tenait une boutique de diététique où il recevait des clients à la recherche d'une santé meilleure. En écoutant leurs problèmes il vit se préciser sa propre vocation, réalisant combien ils avaient besoin de guérir. Et qui pouvait le faire, sinon Dieu dans sa miséricorde ? Alors, une boutique où on soigne les corps et les âmes à la fois... pourquoi pas ?

> Maryse : "Nous sommes un couple que le Seigneur a reconstruit à peu près complètement il y a quatre ans. Nous travaillions tous les deux, nous avions un bon salaire. Nous menions une vie très facile, et le Seigneur était loin. Un jour j'ai été très blessée par un proche, j'ai vécu une grande souffrance intérieure et le Seigneur s'est servi de cela pour venir nous chercher, et poser son regard sur nous. J'ai été guérie par une parole de connaissance, et à partir de là nous avons remis Dieu à l'honneur dans notre vie. Nous avons pris des temps de prière personnelle, familiale et en couple. Le Seigneur nous a demandé ensuite de le servir dans notre travail. Nous avons un magasin de diététique qui va servir à la gloire de Dieu. Nous y avons construit un oratoire. Vous savez, un magasin de ce genre est toujours un lieu où les gens viennent chercher une solution à un problème. Lequel ? Ils font souvent du yoga, ont du souci avec leur corps, ou ont mis leur espérance dans un autre faux dieu. Je crois que le Seigneur nous demande d'annoncer sa parole, de dire qu'il est vraiment ressuscité, qu'Il est le chemin, la vérité, la vie. Nous demandons à Dieu de venir nous fortifier, pour que tous les clients puissent le rencontrer".

L'évangélisation en couple, ce n'est pas rien. Les conjoints ressemblent alors beaucoup aux disciples que Jésus envoyait deux à deux (cf. Lc 10, 1).

On le voit, le chrétien qui n'est pas d'abord un miséricordieux fait fausse route en évangélisation. C'est la clef de la seconde évangélisation. A partir de la miséricorde sera donc possible la communion, et à partir de la communion, la mission authentique et en mesure d'évangéliser. Plus encore, la communion fraternelle n'est-elle pas déjà en elle-même une "évangélisation" ? Le pape Jean-Paul II, s'adressant aux "fidèles laïcs", le dit fort bien :

> "La vie de communion ecclésiale devient un signe pour le monde et une force d'attraction qui conduit à croire au Christ : *Comme toi, Père, Tu es en moi et moi en Toi, qu'eux aussi soient en nous un seul être, afin que le monde croie que Tu m'as envoyé"* (Jn 17, 21). De cette manière, la communion s'ouvre à la mission, elle se fait elle-même mission."[1]

---

1. *Les fidèles laïcs*, 1988, n°31.

Le couple est bien cette communauté d'amour dans la miséricorde, au coeur de laquelle réside cette "force d'attraction qui conduit à croire au Christ". N'est-ce pas ce qu'a vécu la première génération chrétienne, en évangélisation : *et chaque jour, le Seigneur adjoignait à la communauté ceux qui seraient sauvés* (Ac 2, 47) ?

2 — LE TÉMOIGNAGE DE LA FIDÉLITÉ

La fidélité n'est plus, elle a disparu de leur bouche (Jr 7, 28). Le prophète Jérémie souligne là toute la difficulté de témoigner en vérité de la fidélité. La vivre au quotidien n'est pas facile. Comment alors témoigner ? De nos jours, c'est un sujet qui ne nourrit guère les conversations : on préfère ne pas en parler. Et pourtant le monde a besoin de ce témoignage pour vivre.

Dans le pardon réciproque répété, les époux sont de bons témoins de l'amour dans le monde, et ils le sont aussi dans la fidélité. Car c'est ce pardon répété qui engendre la fidélité à toute épreuve. Ce sera le témoignage de tous les couples, tout autant de ceux qui sont arrivés à une certaine harmonie que de ceux qui souffrent dans leur union, mais qui, avec la grâce de Dieu, décident de rester dans la fidélité. Il faut encore ajouter le témoignage des époux abandonnés, et donc séparés, qui s'attachent avec foi au lien de leur mariage, continuant à en vivre la fidélité dans la souffrance d'un célibat qui n'est pas leur vraie vocation, et évitant ainsi un remariage contraire à l'Evangile.

Jean-Paul II encourage paternellement ce témoignage indispensable des couples fidèles, sans oublier les époux abandonnés :

> "De nos jours, témoigner de la valeur inestimable de l'indissolubilité du mariage et de la fidélité conjugale est, pour les époux chrétiens, un des devoirs les plus importants et les plus pressants. C'est pourquoi, en union avec tous mes frères qui ont participé au Synode des Evêques, je loue et j'encourage tous les couples, et ils sont nombreux, qui au milieu de grandes difficultés gardent et font grandir ce bien qu'est l'indissolubilité"...

"Et il faut aussi reconnaître la prix du témoignage des époux abandonnés par leur conjoint qui, grâce à leur foi et à leur espérance chrétiennes, n'ont pas contracté une nouvelle union : ils rendent ainsi un authentique témoignage de fidélité dont le monde a tant besoin. C'est pourquoi les pasteurs et les fidèles de l'Eglise doivent les encourager et les aider à persévérer dans ce sens."[1]

Et qui nous fera croire en l'Amour ?

Ce sont ceux qui portent le témoignage de la miséricorde. Ceux-là, surtout dans la vocation du mariage, ont une place privilégiée dans l'Eglise, au sein d'un monde individualiste, qui a peur de l'engagement.

Finalement, qui nous fera croire en l'amour ? Ceux qui croient en la fidélité de l'amour et la pratiquent. Dans leur dépendance de Dieu, au sein de leurs faiblesses, ils nous le révèlent comme réellement vivant et agissant en leur vie; ils nous provoquent à cette même foi et à cette même confiance en Lui.

Les bons témoins, ce sont ceux qui portent le témoignage de leur fidélité réciproque, tout en ayant encore besoin de la miséricorde l'un envers l'autre, en raison même de leur faiblesse. Et ce témoignage fait envie à celui qui n'osait pas encore espèrer en la grâce possible. Ce témoignage du pécheur repentant redonne courage au faible.

Dieu demande la fidélité au couple, mais ce sont encore leurs enfants, leurs familles et la communauté qui la leur demandent. Les célibataires, les prêtres et les religieuses, les consacrés dans une autre vocation en ont aussi besoin.

Le monde les attend. C'est leur premier témoignage d'Eglise et leur premier engagement au service du monde. C'est un trésor inestimable, que le couple ne peut pas garder pour lui. Lorsqu'il a été comblé et protégé, il doit témoigner tout autant que le couple sauvé par la miséricorde de Dieu et guéri du péché.

Ainsi les hésitants ou les découragés peuvent-ils reprendre force et espérance grâce au témoignage des couples que le Seigneur choisit

---

1. *Familiaris Consortio*, n°42.

et envoie au devant de leurs frères pour être les dociles instruments de sa grâce :

Michel : "Nous sommes mariés depuis vingt-huit ans et avons quatre enfants. Toutes ces années furent des années de joie. Nous allons dès demain trouver des jeunes dans un centre de préparation au mariage que nous animons. Nous avons besoin de beaucoup de grâces pour témoigner. Je me sens un peu comme le jeune homme riche de l'Evangile, j'ai beaucoup reçu et je ne sais pas donner. Je demande au Seigneur de redevenir comme un petit enfant pour accepter que ce soit l'Esprit Saint qui parle à travers moi, afin d'être un bon instrument".

Anne : "J'ai découvert la grandeur de la prière. Je ne sais pas prier, je ne sais pas adorer. Je me sens appelée avec Michel à parler de l'amour de Dieu, du mariage, pour que les jeunes puissent s'y engager dans la vérité".

Et comment enseigner aux incroyants la fidélité de Dieu dans son alliance avec les hommes, alliance d'amour indéfectible, seule capable de construire le monde, si le couple hésite et désespère ?

C'est le couple et tout particulièrement le couple chrétien, solide dans sa fidélité appuyée sur le Christ, son roc, ruisselant sa tendresse, qui pourra et qui devra, au jour le jour, nous donner de croire encore à l'amour.

Les couples ne doivent pas craindre de proclamer la beauté de leur amour dans la fidélité. N'allons pas penser que ce soit de la présomption, ou du "m'as-tu vu" ! Pas du tout ! : c'est Jésus lui-même qui rayonne sur le visage des époux *qui rendent grâce à Dieu à haute voix devant les hommes* (Lc 17, 15) d'avoir été guéris de leur lèpre : égocentrisme, concupiscence, envies et passions avilissantes.

Les contre-témoignages à l'amour ne manquent pas malheureusement et sont assez audacieux pour séduire les coeurs à la recherche du bonheur. Alors comment, les couples qui vivent un véritable amour pourraient-ils taire les bienfaits reçus de Dieu ? Il n'en est nullement question, surtout si nous voulons obéir au concile Vatican II, qui nous dit :

"La famille chrétienne proclame hautement, à la fois les vertus actuelles du Royaume de Dieu, et l'espoir de la vie bienheureuse."[1]

---

1. *Lumen Gentium*, n°35.

Le chemin ardu de la fidélité

Certains accusent de fixisme la doctrine de l'Eglise sur le mariage et de manque d'évolution dans sa pastorale à ce sujet.

C'est méconnaître la réalité du mariage dans son exigence, telle que l'Eglise l'a toujours enseigné. Ce n'est vraiment pas une pastorale de tout repos, ni pour les époux fidèles une vie "facile". Certains imaginent qu'il n'y aurait de souffrance que chez les séparés, et de solution difficile à trouver que pour les "divorcés-remariés". Pas du tout.

Les époux ne peuvent pas vivre dans la fidélité, sans blessures réciproques, et bien des couples, à certaines périodes de leur vie, ne tiennent que par la foi. C'est pourquoi toute bonne pastorale conjugale s'attachera d'abord à les soutenir.

C'est ainsi que dans les retraites ou sessions pour couples, beaucoup sont sauvés par les enseignements, la fraternité, l'écoute de l'Evangile et les sacrements d'Eucharistie et de Réconciliation. On voit aussi des fiancés recevoir, dans ce cadre-là, des grâces de transparence pour se pardonner d'abord les fautes de leur passé, avant de pouvoir construire.

La formation des fiancés à un amour vrai est capitale. Et il n'y a rien à leur cacher de la réalité du mariage. S'ils sont surpris, c'est qu'ils étaient dans l'illusion.

C'est la grâce des fiançailles de faire tomber les illusions, pour un amour plus vrai et plus solide :

> "Nous avons appris énormément de choses en venant ici, notamment les différents problèmes au sein des couples. Au début, nous trouvions les enseignements rabat-joie. Ensuite nous avons vu qu'ils nous aidaient à communiquer dans la vérité. Nous avions une grande franchise pour partager notre pensée, mais nous avons pu gagner de la profondeur dans une confession mutuelle. C'est une des grandes grâces d'union. En riant, nous nous sommes dit que nous n'avions guère envie de nous marier au vu de toutes les difficultés dans la vie de couple, que nous avons découvertes au fil des prédications... Mais, rassurez-vous" !

Sur ce chemin ardu de la fidélité, bien des couples en difficulté auront à se défendre contre leurs faiblesses personnelles, mais aussi contre leur familles elles-mêmes, qui seront là pour les décourager de demeurer ensemble. Il est assez courant de voir, parents, grands-parents ou enfants aggraver le cas des époux, au lieu d'y remédier

Ainsi ce couple qui a reçu une Parole de Dieu le confirmant dans ce chemin ardu de l'unité, permis par Dieu, mais à vivre avec sa grâce :

> Gaston : "Je remercie le Seigneur parce que cet amour très fort qui était en nous, nous avons pu le lui remettre et nous repartons pour le vivre avec lui".

> Micheline : "Pendant les enseignements, je revivais toutes nos fiançailles et notre mariage qui avaient été célébrés dans le Seigneur. Il y a eu des évènements douloureux dans notre vie de couple, et nous allions de retraite en retraite. Une amie nous a indiqué celle-ci. Le premier jour nous avons eu une parole de science qui disait : "une grande fille a dit à sa maman de divorcer". C'était pour moi. Gaston a eu un très grave accident et il avait certaines réactions qui nous faisaient mal, sans qu'il s'en rende compte. On en parlait avec les enfants et je leur disais de garder le souvenir de leur père avant son accident. Ma fille un jour m'a dit de divorcer. Je lui ai dit : "je ne peux pas, on s'aime toujours, on s'aime comme des fous".

Lorsqu'arrivent l'infidélité, la maladie, l'infirmité, ou quelques déviations, qui sont les travers de la faiblesse des hommes, (alcoolisme, sexe, drogue, passion des jeux d'argent, etc.), le chemin de la fidélité peut parfois dépasser les forces de l'homme. Mais il y a la grâce pour tenir. Cependant, dans certains cas vraiment impossibles à vivre, l'Eglise a toujours envisagé la séparation, non pour que chacun reprenne "sa liberté", mais pour qu'il demeure fidèle de coeur à l'autre, malgré la séparation.

"Etroite est la porte et resserré le chemin qui mène à la Vie, et il en est peu qui le trouvent" (Mt 7, 14). C'est à coup de renoncements que bien des époux tiendront dans la fidélité, coupant court à certaines rencontres, supprimant certains spectacles, changeant d'habitation...

> Lors d'une assemblée de prière, cette parole de connaissance fut donnée : "Le Seigneur vient visiter le coeur d'une personne de cinquante ans en grande difficulté, et la presse de bien vouloir faire ce que son groupe de prière lui avait conseillé. Elle sait bien que si elle y obéissait, elle serait sauvée".
> Le lendemain, au cours de l'action de grâces, cette femme d'une cinquantaine d'années se leva, alors que personne ne l'avait reconnue dans cette parole ni ne lui avait demandé de témoigner en public. Voici ce qu'elle dit : "La femme de cinquante ans, c'est moi. Et je suis en grande difficulté, c'est certain. Depuis six ans, alors que je suis veuve, un homme marié me rendait visite régulièrement, et vous devinez la suite... Des frères du groupe de prière m'ont conseillé alors

de voir le notaire (qui fait parti du groupe) et de lui demander de me trouver un autre appartement, à l'autre bout de la ville, pour m'éloigner de cet homme. C'est ce que j'ai fait. Et il m'en a trouvé un, au même prix. Je devais me rendre chez lui, avant-hier, pour signer, et je n'y suis pas allée. Au dernier moment, je n'arrivais pas à renoncer à toutes ces habitudes que j'avais prises dans ce quartier... et peut-être même à cet homme (et pourtant je m'étais confessée). La parole de connaissance m'a touchée : vraiment le Seigneur m'a parlé lui-même. Je me sens poussée à faire ce renoncement, et dès demain j'irai résilier mon logement en co-propriété, pour habiter l'autre, où je serai protégée". *"Si ton oeil est pour toi une occasion de péché, arrache-le et jette-le loin de toi : car mieux vaut pour toi que périsse un seul de tes membres et que tout ton corps ne soit jeté dans la géhenne"* (Mt 5, 29).

L'Eglise a toujours enseigné, en suivant Jésus, qu'un certain renoncement du corps était nécessaire pour sauver l'âme :

"Ne craignez rien de ceux qui tuent le corps, mais ne peuvent peuvent tuer l'âme; craignez plutôt celui qui peut perdre dans la géhenne à la fois l'âme et le corps" (Mt 10, 28).

Effectivement, il n'y a pas de témoignage chrétien sans fidélité, et pas de fidélité sans renoncement. Mais pour le couple qui a su mesurer tous les fruits d'un tel renoncement, quelle grâce et quelle joie dans la profondeur de leur amour !

La Fidélité pour les époux séparés, non remariés

* Cette fidélité est possible

Avant de décider que la séparation des époux est un moindre mal, donc souhaitable en raison de la vie commune devenue impossible ou néfaste, par exemple pour les enfants, il faut bien vérifier si l'on n'a rien négligé dans le domaine de la conversion. Il faut demander aussi aux époux d'accepter humblement de se faire aider dans leur désarroi, au plan spirituel, médical et fraternel.

Les époux ne peuvent donc se séparer qu'après avoir fait les actes de foi nécessaires, et gardé l'espérance de se retrouver. La communauté est elle aussi invitée aux mêmes actes de foi et d'espérance, là où l'on croit que *ce qui est impossible aux hommes est possible à Dieu* (Lc 1, 37).

Après quoi, la séparation ne donne pas le droit de se remarier, même à celui qui est jugé innocent, à vue humaine.

Bien des époux chrétiens séparés, et aussi divorcés selon la loi, (pour des questions pécuniaires ou de contrats à faire cesser à cause de la séparation), décident avec la grâce de Dieu de ne pas chercher à contracter une seconde union, en signe de foi en la communion indélébile donnée par le sacrement de mariage. Celui-ci, en effet, ne pourra cesser qu'avec le décès de l'autre conjoint. C'est l'acte de foi dans le sacrement de mariage jusqu'au bout, comme promis au premier jour. Rien d'étrange donc. Rien d'impossible non plus, puisque la grâce du mariage est toujours là, qu'elle n'a pas disparu au jour de la séparation physique. Ce lien donné par Dieu, et par appel de sa part à une consécration commune, ne saurait disparaître avec la faiblesse des époux.

Avant de conclure que des époux en train de se faire très mal l'un à l'autre, et ayant cependant décidé de rester ensemble, font de l'héroïsme mal placé, ou pratiquent l'orgueil pour ne pas céder à la tentation de la séparation, il faut y regarder de plus près.

C'est toujours un mauvais jugement posé sur eux et un procès d'intention peu évangélique. Ceux qui leur conseilleraient de se séparer ont oublié qu'existe la grâce conjugale à laquelle il est nécessaire de croire. En ne regardant qu'aux capacités humaines bien des conseillers qui ne croient pas en la puissance de Dieu font des ravages. Au dernier moment, Dieu, dans son mystère d'amour, peut décider d'agir pour réconcilier les époux, les guérir, les convertir, leur donner une vie nouvelle de couple, viable et supportable.

C'est ainsi que j'ai vu des époux sur le point de se séparer complètement, et ayant rendez-vous chez un avocat le lendemain, annuler cette démarche pour reprendre la vie commune. Un an après, ils allaient au mieux dans la fidélité.

Mais si l'homme n'a pas eu la patience de Dieu, quel désastre ! car il est plus facile de permettre à deux époux qui ne se sont pas encore séparés de se réconcilier que d'aller les rechercher ensuite l'un et l'autre afin de les aider à se rapprocher. C'est effectivement la conversion qu'il faut d'abord leur conseiller, et non la séparation.

Et c'est là que le rôle du prêtre est tout autre que celui du meilleur conseiller conjugal. Le prêtre a le sacrement du sacerdoce, et apporte par son ministère des grâces puissantes de réconciliation qu'on ne peut obtenir par d'autres voies. A travers lui, c'est Dieu qui parle alors au couple en désarroi.

Le concile dit des prêtres : "Ils reçoivent un pouvoir spirituel, qui leur est donné pour construire l'Eglise"[1]

Cependant, en cas d'impossibilité majeure, les époux chrétiens
peuvent vivre séparés l'un de l'autre avec l'aide de la grâce de Dieu
et l'entourage fraternel de la communauté. Mais ils demeurent tenus
à la fidélité.

En effet, tout époux ayant reçu la grâce du sacrement de mariage
a la force de résister à l'adultère. Le concile Vatican II est ferme sur
ce point, qui sera toujours essentiel :

"... Cet amour, ratifié par un engagement mutuel, et par
dessus tout consacré par le sacrement du Christ, demeure
indissolublement fidèle, de corps, de pensée, pour le meilleur et pour le pire : il exclut donc tout adultère et tout
divorce... C'est pourquoi les époux, rendus capables par la
grâce de mener une vie sainte, ne cesseront d'entretenir en
eux un amour fort, magnanime, prompt au sacrifice, et ils
demeureront dans la prière."[2]

C'est la sainteté des époux qui fait croire en l'amour

En cas de remariage de l'époux, c'est de la sainteté qui est
demandée à l'épouse qui reste "seule" dans la vie. Sa souffrance
offerte contribue à sauver d'abord son mari infidèle.

Il est bien évident que les épouses ou les époux abandonnés qui
font le choix de rester jusqu'au bout fidèles à leur conjoint absent,
choisissent la bénédiction de Dieu. Ou bien ce serait à désespérer
des promesses de l'Evangile, faites au "bon et fidèle serviteur" que
le Maître trouvera veillant à son retour.

Très souvent, pour ne pas dire toujours, celui ou celle qui reste
jusqu'au bout fidèle devient peu à peu tout en accomplissant seul les
charges du foyer (travail, enfant, etc.) une âme de prière pour le
monde. Quelquefois ces personnes se regroupent en communauté[3]

---

1. *Décret sur la vie des prêtres*, n°6.
2. *Gaudium et Spes*, n° 49, paragraphe 2.
3. *Notre Dame de l'Alliance*, 14, rue du Muguet, 35560 Cesson-Sévigné, est un groupement
spirituel de chrétiens dont le couple est divisé ou séparé et Solitude Myriam, 11120 Route
148, Sainte Scholastique, QUE Canada, JON 1S0.

de prière et d'entre-aide fraternelle , espérance pour l'Eglise d'aujourd'hui et de demain. Ce sont ceux-là qui font croire en l'amour, en allant jusqu'au bout de la fidélité, et qui sont un exemple pour la jeune génération, en recherche d'amour solide, vrai et fidèle.

* Ce qui compte pour des serviteurs, c'est d'être trouvés fidèles

> *Qu'on nous regarde donc comme des serviteurs du Christ et des intendants des mystères de Dieu. Or, ce qu'en fin de compte on demande à des intendants, c'est que chacun soit trouvé fidèle* (1 Co 4, 1-2). Les époux sont des intendants des mystères de Dieu, à qui l'amour a été confié. Immense et magnifique responsabilité ! *"C'est bien, bon et fidèle serviteur... en peu de choses tu as été fidèle, sur beaucoup je t'établirai : entre dans la joie de ton Seigneur"* (Mt 25, 21).

Le couple est serviteur de celui qui est le maître en amour. Dans le sacrement de mariage, l'oeuvre de Dieu, confiée à l'homme, c'est l'alliance et la procréation.

- *"Serviteur bon"*, nous dit l'Evangile : la vie conjugale est faite pour exprimer la bonté de Dieu sur notre terre, même si *Dieu seul est bon* (Mc 10, 18).

- *"Et fidèle"* : c'est la marque du serviteur, mais c'est sa joie, c'est surtout la joie de son maître. "Entre dans la joie de ton maître" : quel que soit l'âge auquel le Seigneur rappelle l'un ou l'autre des époux, chacun est en mesure de s'entendre dire cette parole. Il faut y croire à l'avance. Le couple et la famille qui vivent dans la bonté et la fidélité font chaque jour la joie de Dieu, et l'expérience de la joie, dans un amour vrai. Car "aimer, c'est servir". L'homme a été créé pour aimer et servir Dieu. Les époux sont donc au service de l'amour. Quelle joie et quelle force pour eux de servir un tel maître ! Et comment ne pas lui être fidèle jusqu'au bout ? L'épouse fidèle à son époux, c'est comme l'Eglise fidèle au Christ (cf. Ep 5, 25). Il faut aller jusque là pour comprendre et pouvoir vivre cette fidélité inviolable entre époux. C'est une fidélité à Dieu, au don de Dieu, de tous les instants, et jusqu'au plus profond de l'être.

* Cette fidélité n'est pas facultative

Certains chrétiens pensent que l'époux abandonné aurait, d'une façon générale, le droit de se remarier. Ils admettent en même temps que dans une attitude prophétique, quelques uns se sacrifient pour rappeler au monde l'indissolubilité du lien du mariage. En vérité "ne pas se remarier" est une attitude "évangélique" et non pas "prophétique". C'est bien l'Evangile qui le demande à tous : ce n'est pas facultatif. Cette interprétation de l'indissolubilité du mariage est donc complètement fausse. La possibilité d'opter pour l'une, ou pour l'autre attitude n'est pas évangélique. La vérité réside dans ce que Jésus enseigne :

> "Ils ne sont plus deux, mais une seule chair. Eh bien ! ce que Dieu a uni, l'homme ne doit point le séparer" (Mt 19, 6).

Ici, Jésus parle pour tous et son appel à la fidélité vise tous les couples, alors qu'une vocation prophétique est seulement réservée à quelques uns, suite à un appel particulier de Dieu. Nous voyons à quel point la doctrine chrétienne peut être mal comprise. L'hypothèse ci-dessus revient à dire que quelques-uns seulement seraient tenus à observer l'Evangile, par vocation exceptionnelle. A vrai dire, le témoignage de la fidélité dans le mariage est incontournable et le pape Jean-Paul II a été très précis pour nous redire cet enseignement traditionnel de l'Eglise, au sujet des personnes séparées et divorcées non remariées :

> "Divers motifs, telle l'imcompréhension réciproque, l'incapacité de s'ouvrir à des relations interpersonnelles, etc., peuvent amener à une brisure douloureuse, souvent irréparable, du mariage valide. Il est évident qu'on ne peut envisager la séparation que comme un remède extrême après que l'on ait vainement tenté tout ce qui était raisonnablement possible pour l'éviter. La solitude et d'autres difficultés encore sont souvent le lot du conjoint séparé, surtout s'il est innocent. Dans ce cas, il revient à la communauté écclésiale de le soutenir plus que jamais, de lui apporter estime, solidarité, compréhension et aide concrète afin qu'il puisse rester fidèle même dans la situation difficile qui est la sienne; de l'aider à cultiver le pardon qu'exige l'amour chrétien et à rester disponible à une éventuelle reprise de la vie conjugale antérieure. Le cas du conjoint qui a été

contraint au divorce est semblable lorsque, bien conscient de l'indissolubilité du lien du mariage valide, il ne se laisse pas entraîner dans une nouvelle union, et s'emploie uniquement à remplir ses devoirs familiaux et ses responsabilités de chrétien. Alors son témoignage de fidélité et de cohérence chrétienne est d'une valeur toute particulière pour le monde et pour l'Eglise; celle-ci doit plus que jamais lui apporter une aide pleine de sollicitude affectueuse, sans qu'il y ait aucun obstacle à son admission aux sacrements."[1]

Le témoignage de la fidélité retrouvée

Mais ce sera aussi le témoignage d'une fidélité abandonnée et retrouvée, qui fera croire en l'amour. Dans ce cas, c'est finalement l'amour qui a la victoire sur l'ingratitude, le rejet, la brisure, la lâcheté et la désespérance. Ainsi, ce couple, séparé depuis sept ans, entouré de la prière de la communauté et de leur fille, put-il témoigner de ce que Dieu est capable de réparer. Mais auparavant, dans la prière, il a fallu que tous croient au miracle.

Jean-Pierre : "En arrivant ici, j'avais de très graves problèmes. Il y a longtemps, nous avons servi le Seigneur en couple, de tout notre coeur. Et depuis sept ans j'ai sombré. Nous nous sommes quittés, je suis parti. Dany s'est refugiée dans le Seigneur, avec une confiance absolue et moi, je suis descendu en enfer. Ces années ont été des années épouvantables de mal. J'ai détruit des gens autour de moi, j'ai semé la nuit, j'ai semé le péché. Je pensais encore au Seigneur au fond de la fosse, j'essayais de remonter sans cesse, mais je glissais sur les parois, je n'arrivais pas à émerger. Il me semblait que je retombais plus bas. Quand je suis venu ici, je voulais m'en sortir, mais les derniers kilomètres furent épouvantables. Un combat intérieur se déchaînait. J'étais bétonné, je ne pouvais entrer en relation avec personne, j'étais de nouveau en prison. Le malin est vraiment malin. Il se servait depuis longtemps de la Bible, de la parole de Dieu pour m'enfermer dans la damnation éternelle. Au bout de quelques jours, je me disais, cette fois je suis réprouvé, tout est terminé pour moi. Dieu n'existait plus, j'envisageais une éternité sans Dieu et c'était absolument épouvantable. Hier soir, pendant le repas, soudainement, je me suis senti libre. Le puits de misère avait disparu. J'étais très étonné. Je pouvais regarder les uns et les autres dans l'amour, dans

1. *Familiaris Consortio*, n°83.

l'accueil. C'était merveilleux. Le tout s'est terminé par la prière. Je crois que le vrai combat va commencer mais les chaînes sont tombées. Gloire à toi Seigneur".

Dany : "Quand les couples se sont avancés pour la prière, j'y suis allée seule, mais je portais Jean-Pierre très fort et de tout mon coeur. Quand les frères ont prié pour moi, j'ai reçu une paix incroyable. J'ai compris que le Seigneur allait agir dans le coeur de mon mari".

Jean-Pierre : "Une chose que je demande et que nous demandons ensemble, c'est que ces sept années de misère et de nuit, servent à la gloire de Dieu. Je voudrais apporter une parole de lumière à tous ceux qui sont prisonniers de l'enfer, et qui désespèrent dans leurs chaînes".

Ce qui compte en amour, s'est d'être trouvé fidèle. Mais lorsqu'il n'en est pas ainsi, ce qui compte c'est d'aller demander à Dieu de réparer ce qui a été brisé. Dieu est capable de nous rétablir dans la fidélité. Il n'attend que cela. Nous en avons de puissants témoignages, tel celui-ci et combien d'autres... pour encourager ceux qui sont tombés, et attendent encore leur guérison et leur réconciliation.

Le Seigneur n'a pas fini de nous étonner !

C'est alors l'Espérance qui sauve, et c'est Dieu qui la donne : Le Seigneur n'a pas fini de nous étonner !

Quand les coeurs semblent irrémédiablement brisés,
quand la nuit toujours plus épaisse, d'année en année,
semble avoir englouti toute joie, et toute vie,
un rayon d'espérance, enfin luit à l'horizon,
et suffit aux époux pour une fidélité retrouvée.

Chemin douloureux, véritable chemin de croix,
mais consolation déjà,
certitude à venir de l'aube pour la victoire de la Résurrection.

Et déjà, l'Espérance, pour d'autres enfin *surabonde* (Rm 15, 13).
Rayon invincible qui s'allume encore,
contagieux, au coeur de la nuit des solitudes sans fin,
les plus noires,
et si souvent découragées de ceux qui,
trop seuls, attendaient à leur tour, "l'impossible miracle",
mais combien espéré !

3 — DES VOCATIONS POUR LE MINISTÈRE DE LA RÉCONCILIATION

D'où viennent les vocations ?

Saint Paul nous dit que tout baptisé est un *réconcilié*, qui est appelé à travailler à la réconciliation.

> *Et le tout vient de Dieu, qui nous a réconciliés avec Lui par le Christ et nous a confié le ministère de la réconciliation* (2 Co 5, 18).

Les époux doivent toujours se réconcilier et forts de ce témoignage, enseigner à ceux qui ne le connaissent pas que le Seigneur les attend pour la réconciliation.

Jésus voit son troupeau, *"comme des brebis sans berger"* et il nous invite au même regard, et en même temps à la contemplation de son coeur transpercé "par tant d'ingratitude des hommes", comme Il l'a dit lui-même à sainte Marguerite-Marie.

Alors, notre coeur se retourne, et c'est la conversion. Regardant enfin du bon côté, nous avons la vision de l'oeuvre à accomplir, qui est celle de Dieu. L'appel est là, et l'évangélisation peut commencer. C'est ainsi qu'un couple fut touché par le témoignage d'un autre couple, et se fit à son tour témoin de la miséricorde de Dieu.

> Pascal : "Je voudrais parler de l'importance du témoignage. Il y a un couple qui nous a donné un jour le témoignage de la bonté de Dieu dans sa vie, et si nous ne l'avions pas écouté, si nous n'avions pas été à ce point bouleversés, nous ne serions pas en communauté aujourd'hui. Notre couple n'aurait pas autant grandi. A chaque fois que nous faisons une retraite, nous nous rendons mieux compte de toutes les grâces que le Seigneur nous donne. C'est lui qui fait notre communion. Et ces grâces reçues ne sont pas pour nous seulement, elles sont aussi pour l'Eglise".

Au point de départ, il y a Jésus qui nous donne son coeur de compassion pour le monde. Un appel ne sera donc jamais la conclusion d'une enquête sociologique, ou d'un sondage sur les besoins des hommes. Toute vocation est le fruit d'un appel. Celle-ci naît à la fois de la contemplation, et des besoins du monde. Nous avons ici la clef des vocations. Saurons-nous quitter nos schémas dépassés et, humblement, recevoir de l'Esprit Saint le bon chemin à suivre ? Alors le Seigneur lui-même, qui connaît les besoins de son Eglise, appellera à son gré.

Pour qui sait l'importance des prêtres, religieux et religieuses, et des communautés offertes au service de l'Eglise, qui pourrait encore refuser de prendre ce bon chemin : notre conversion, qui engendre la réconciliation, puis l'appel à aller porter cette même réconciliation au monde, mais pas à un monde collectif et impersonnel. Chacun est appelé à faire son pas de conversion. L'engagement du couple au sein du monde ce sera d'abord de vivre cette réconciliation interne en Dieu, et puis d'en rayonner à tous les niveaux : familial, ecclésial et social.

Très souvent aussi, les vocations viendront par l'Eucharistie. C'est dans l'amour pour Jésus dans la sainte Eucharistie (messe et adoration) que se fera entendre l'appel. Ici les témoignages ne manquent pas de prêtres, religieux ou religieuses. C'est aussi dans l'Eucharistie que les couples et les familles vont trouver, grâce à un ressourcement fidèle et persévérant, la force d'aller au devant d'un monde, qui a oublié trop souvent le véritable amour, et attend de pouvoir se reconcilier avec Dieu.

Jean-Paul II rappelle que la vitalité chrétienne des familles vient de ce sacrement.

> "La participation au corps "livré" et au sang "versé" du Christ devient pour la famille chrétienne une source inépuisable de dynamisme missionnaire et apostolique."[1]

Des époux en "ambassade" pour la miséricorde

L'amour qui est en eux, c'est l'amour du Christ. Et *l'amour du Christ nous presse* (2 Co 5, 14). *Il est mort pour tous, afin que les vivants ne vivent plus pour eux-mêmes, mais pour celui qui est mort et ressuscité pour eux* (2 Co 5, 15).

---

1. *Familiaris Consortio*, n°57.

La question fondamentale est là : les chrétiens sont-ils vraiment "pressés" et poussés par l'Amour du Christ ? Si c'était le cas, pourraient-ils encore vivre pour eux-mêmes, et garder cette ambiguïté intérieure qui les trouble ou les paralyse ? Les époux ne peuvent pas avoir le coeur partagé de celui qui a mis la main à la charrue et regarde en arrière, et qui est impropre au Royaume de Dieu (Lc 9, 62).

"Là où est ton trésor, là aussi sera ton coeur"(Mt 6, 21), dit Jésus à son disciple, l'invitant toujours à vérifier, où il a mis son coeur.

Mais ai-je bien réalisé la compassion du Père qui me donne son Fils, le Christ qui est mort et ressuscité pour moi, pour nous ? Nous en revenons au point de départ de tout appel. Or la grâce du baptême est déjà un appel. Et c'est à la mesure où j'aurai le coeur touché par cette compassion du Père et l'amour du Christ qu'à mon tour, ému de compassion, je me sentirai poussé à entrer dans ce ministère de réconciliation :

> *Nous sommes donc en ambassade - c'est comme si Dieu exhortait par nous* (2 Co 5, 20).

Au point de départ de toute vocation, il y a cette expérience de la miséricorde du Père qui s'est manifestée à nous, et la soif immédiate de partager aux autres ce trésor de vie. Et c'est en le partageant que ce trésor va grandir encore : *"Donnez et l'on vous donnera"*, nous dit Jésus (Lc 6, 38).

Cet amour du Christ, fruit de la miséricorde du Père, va changer toute notre vie, et nous pousser à tout donner pour le Royaume : *"Que ton Règne vienne"* ! C'est pourquoi les époux qui vivent vraiment la miséricorde entre eux, ont de suite la soif de devenir "évangélistes", c'est-à-dire porteurs de cette bonne nouvelle aux autres.

Voici le témoignage d'un couple touché par les merveilles de Dieu à l'égard d'un foyer ami qu'ils avaient cru "perdu". Ils comprirent alors, qu'eux aussi, avaient des pas importants à faire pour se retrouver dans l'amour, même si leur situation n'était pas dramatique :

Cécile : "J'ai des bons amis qui vivaient de grandes difficultés dans leur mariage. J'étais prête à aller voir le curé qui les avait mariés, car je pensais qu'il n'aurait jamais dû les marier. Ils sont venus faire une retraite ici et sont revenus rayonnants. C'est alors que Xavier et moi avons eu envie d'en faire autant. Nous étions bien fatigués en arrivant à cause de notre travail. J'avais proposé à Xavier d'aller se reposer une semaine aux Baléares, mais il m'a répondu que le meilleur repos était en Dieu. Au bout de deux jours ici, il pleuvait toujours, et j'ai eu la forte tentation de partir au loin, au soleil. Je me moquais jusqu'à ce jour de tous ces charismatiques qui chantaient en langue. Et puis j'ai vu toutes les merveilles de Dieu qui passaient par leur prière. Moi qui les prenais pour des hystériques, moi qui croyais qu'il n'y avait que la psychologie qui pouvait obtenir des libérations : en fait, tout devenait de plus en plus obscur, et je commençais à me dire que cela serait bien s'ils pouvaient prier pour moi, et me guérir de toutes les blessures du passé. Je suis donc allée me confesser, j'ai confié toutes mes peurs, j'ai perçu que le Seigneur me guérissait. J'ai demandé au prêtre s'il était bien sûr que tout cela n'allait pas revenir, tellement je n'avais pas encore bien confiance. Il a prié pour notre couple, et moi qui croyais n'avoir pas de difficultés particulières avec Xavier, puisque nous sommes vraiment très amoureux l'un de l'autre, nous avons découvert à ce moment-là, tout ce qui pouvait être amélioré, et qu'on ne pouvait pas deviner quelques instants plus tôt".

Xavier : "Je crois que lorsque Dieu guérit, il donne une grâce qui va permettre de poursuivre cette action, même si les difficultés reprennent. Je repars en étant sûr que Dieu va nous donner tout ce qu'il faut au moment voulu, pour vivre avec lui nos difficultés. Nous demandons à Dieu de nous renforcer dans notre foi et de la garder vivante".

La vie du couple est une vie centrée et unifiée en Jésus-Christ. Dieu est pressé d'agir : lui, le premier, est pressé, et ensuite il nous presse. L'urgence des temps est là.

L'Eglise d'aujourd'hui et de demain est celle du *"Cherchez d'abord le Royaume de Dieu et sa justice, et le reste vous sera donné par surcroît"* (Mt 6, 33) comme elle l'a été dans les siècles passés, confiante en Celui qui ne peut ni se tromper, ni nous tromper.

L'Apôtre Paul nous livre le secret de sa vie apostolique offerte à Dieu : *Je connais cette nouvelle épreuve, mais je n'en rougis pas, car je sais en qui j'ai mis ma foi et j'ai la conviction qu'il est capable de garder mon dépôt jusqu'à ce jour-là* (2 Tm 1, 12).

A cette conviction de la fidélité de Dieu à son égard, s'ajoute la conviction que ce trésor est aussi pour les autres. D'où sa fougue apostolique, non dissimulée; car ce trésor, c'est la réconciliation.

Nous cherchons à persuader les hommes (2 Co 5, 11) autrement dit, leur communiquer cette conviction qui change la vie de tout homme : *Nous vous en supplions, au nom du Christ, laissez-vous réconcilier avec Dieu* (2 Co 5, 20).

C'est avec ardeur et avec amour que les chrétiens fervents vont se mettre à genoux aux pieds des autres pour les supplier de se laisser réconcilier avec lui et de se réconcilier entre eux. Les couples qui en sont venus à se séparer ont-ils tous trouvé à leurs pieds, un jour, des frères et des soeurs dans la foi, pleurant et suppliant qu'ils se laissent réconcilier ?

La seconde évangélisation sera faite de cette exhortation à se laisser réconcilier avec Dieu et entre frères et soeurs. Veillons donc à ce que ce message de réconciliation indispensable soit clair et précis, dans un langage simple et direct, sinon ce serait un autre évangile (2 Co 11, 4). L'apôtre nous rappelle cette simplicité nécessaire :

> *Je me suis présenté à vous faible, craintif et tout tremblant, et ma parole et mon message n'avaient rien des discours persuasifs de la sagesse; c'était une démonstration d'Esprit et de puissance.* (1 Co 2, 3-4).

L'avenir de l'Eglise de la fin de ce deuxième millénaire passera par le témoignage de ces époux vivant tous de la fidélité par la miséricorde, qu'ils mènent la vie commune ou qu'ils soient dans l'épreuve de la séparation. Tous sont appelés à témoigner de la fidélité de Dieu et de sa miséricorde. C'est le même et unique témoignage. Il n'y a pas de frontière entre ces deux situations conjugales, différentes dans la forme, mais identiques dans la profondeur du sacrement de l'amour.

Répondre à l'appel

* Le renoncement indispensable

La réponse doit être donnée par chaque baptisé, mais aussi en couple. Pour se dévouer à cette tâche urgente, nous devons demander à Dieu un coeur de compassion, choisir cette voie résolument, et, selon la vocation que le Seigneur nous donnera, ou bien laisser tout, ou bien élaguer sérieusement notre vie (emploi du temps, usage de l'argent, lieu d'habitation...) Car les temps pressent, et "l'amour du Christ nous presse" :

> *Ainsi prenez bien garde à votre conduite ; qu'elle soit celle non d'insensés mais de sages, qui tirent bon parti de la période présente; car nos temps sont mauvais. Ne vous montrez donc pas inconsidérés, mais sachez voir quelle est la volonté du Seigneur* (Ep 5, 15-17).

Or, notre roc, c'est le Christ. *Tu es notre rocher* (Ps 18, 28, 31, etc.) *"Lequel de vous, s'il veut bâtir une tour, ne commence par s'asseoir"* (Lc 14, 28). Il faut laisser de côté l'irréel et le factice en faveur du concret de l'amour du couple et à partir de là, évangéliser.

Le flou dans lequel vivent trop de chrétiens ne saurait porter de fruits ni constituer l'Eglise solide dont le Seigneur a besoin pour la seconde évangélisation. Car c'est dans la lumière que se prennent les grandes décisions, et que Dieu donne à chacun sa vocation propre. C'est dans l'écoute de l'Esprit Saint que parlent les prophètes.

C'est ainsi que des jeunes et des moins jeunes, célibataires ou mariés, quittent tout pour Jésus et l'Evangile. Des couples vivent maintenant la pauvreté, la chasteté et l'obéissance. "Pour le Royaume", certains quittent même leur métier. D'autres renoncent à l'ambition et à thésauriser :

> Il y a une quinzaine d'années, un employé de chemin de fer avait très bien commencé sa carrière. Il eut l'idée de construire lui-même sa maison et d'y embaucher ses enfants de dix, onze et douze ans. Quatre ou cinq ans après, il eut une promotion, mais il lui fallait déménager. Il avait aussi d'importantes responsabilités syndicales. Alors toute la famille se réunit et conclut que le plus important, c'était la famille, le dévouement pour les frères, le métier, et en dernier : l'argent. Cet homme est à la retraite maintenant : aucun de ses enfants n'est à la mendicité. Tous aiment comme au premier jour revenir dans cette maison qu'ils ont construite avec papa.

L'amour familial ne s'est pas laissé entraîner par la "conjoncture" (mot à la mode il y a dix ans). La vie n'est pas un rouleau compresseur qui vous écrase... à une condition cependant : c'est que l'Evangile en soit la règle de conduite. La liberté des enfants de Dieu n'a pas de prix, mais elle passe par le renoncement. Les vrais témoins de l'Evangile renoncent aussi à leur réputation, en laissant le feu de la parole jaillir de leur coeur, tel Jérémie, le prophète :

> *Chaque fois que j'ai à parler, je dois crier et proclamer : "violence et dévastation !"... mais je n'ai pas pu* (Jr 20, 8-9).

> *"Qui veut en effet sauver sa vie la perdra, mais qui perdra sa vie à cause de moi et de l'Evangile la sauvera"* (Mc 8, 35).

C'est de la communauté des frères, où *"Dieu pourvoit"*, que se fera entendre l'appel du Seigneur à ce ministère d'amour de l'Evangile. Quand un couple réalise la nécessité de ce renoncement, c'est "pour aller plus loin".

Dans ce témoignage, le mari réalisa que le Seigneur lui demandait de faire sa part, autrement dit de ne pas demeurer dans cette "platitude" qui coupe l'envie de vivre en famille.

> Julie : "A la première Eucharistie, j'ai vraiment vécu la présence de Jésus. Il y avait très longtemps qu'on ne s'était pas rencontrés ainsi. Un chemin de prière s'est ouvert avec Damien, et tout un côté paisible du passé est revenu".

> Damien : "J'ai côtoyé des gens qui sont dans le Seigneur, et j'étais très jaloux de leur joie de vivre. Comme je ne l'avais pas, j'avais voulu compenser par des choses matérielles. Je n'avais pas fait le choix entre une vie uniquement terrestre et une vie spirituelle. J'hésitais mais j'avais très envie de vivre à la manière de mes amis. Je viens de retrouver le goût de vivre avec Jésus. Julie et les enfants vont profiter de ce bonheur qui va renforcer notre vie de famille".

Nous voyons déjà se dessiner le plan d'amour du Seigneur pour son Eglise : cela ne va pas sans un certain radicalisme ; déjà des hommes mûrs en font l'expérience, et les jeunes le pressentent. Aussi aime-t-on relire la vie des saints du monde et des saints fondateurs d'ordres religieux. Mais des laïcs aussi sont appelés à cette radicalité de l'Evangile. Et c'est encore une grâce de Vatican II.

* La profondeur spirituelle du "oui"

Beaucoup de militants chrétiens se sont découragés, non pas d'abord à cause de l'opposition du monde à l'Evangile de Jésus, mais à cause de leur manque de profondeur spirituelle : "cela me plaît de m'engager au service de l'Eglise, alors j'y vais" ! Cela peut être un appel valable. Mais attention, il faut mettre beaucoup d'huile dans la lampe, car la nuit risque d'être plus longue qu'on ne l'imaginait.

Le coeur a pu être touché en un premier temps. Il lui faudra maintenant être "transpercé" pour ne pas en rester au superficiel de l'appel; d'où le noviciat, le séminaire, ou les fiançailles. Cela demandera un certain temps avant le second "oui". C'est avec lui que l'on entrera dans un processus de non-retour. Ce sont les trois *"m'aimes-tu ?"* de Jésus à Pierre, pour le faire passer de sa fougue à la profondeur spirituelle dont il avait besoin pour devenir chef de l'Eglise. Chacun de nous est appelé par grâce, et c'est la même grâce de Dieu pour les prêtres, les religieuses ou les laïcs. Mais c'est la profondeur du oui qu'il faut vérifier; c'est cela qu'il faut demander au Seigneur pour être vraiment et durablement au service de son Eglise.

Parfois la grâce de Dieu est forte et visible : telle cette épouse guérie miraculeusement dans un centre marial. Mais le Seigneur les attendait, elle et son mari, pour ce second temps de la conversion, combien plus important ! Car guérison n'est pas forcément conversion. Le Seigneur voulait leur donner cette grâce de la profondeur spirituelle indispensable aux couples. La guérison miraculeuse aurait pu faire oublier la suite du don de Dieu. Mais le Seigneur s'est chargé de les mettre dans la lumière :

> Virginie : "Je ressentais depuis quelque mois un très, très grand vide, une tristesse redoutable qui m'empêchait de regarder les autres, de leur sourire. J'avais l'impression qu'il y avait un précipice et que le Seigneur allait mettre un petit pont pour que je puisse m'y engager. J'ai été guérie d'une maladie très grave, il y a deux ans en présence de quinze mille personnes. Et je voulais avancer très vite dans l' amour du Seigneur. J'en oubliais d'aimer ceux qui étaient autour de moi, et de les aimer pour eux-mêmes. Plus je m'en rendais compte, et plus la culpabilité me poussait vers ce vide qui m'empêchait de vivre. Je ne me donnais pas le droit d'être triste, parce que j'avais reçu de grandes grâces. Ce fut un rude combat que de venir ici. Je remercie le Seigneur pour cette paix et je lui demande une grâce d'humilité, parce que l'orgueil nous empêche de voir tous les dons qu'il veut nous faire à travers les uns et les autres".

> Gérald : "J'ai retrouvé la joie du sacrement de réconciliation. Cela faisait deux ans que je n'étais pas allé voir un prêtre et j'avais honte de moi. Je me suis retrouvé dans une grande paix, une très grande joie. Je me rends compte seulement depuis hier soir à quel point le Seigneur nous avait inondés de son amour avec la guérison de Virginie".

Et Pierre fut peiné de ce qu'il lui eût dit pour la troisième fois : "m'aimes-tu ?" (Jn 21, 17)

Eh bien oui, c'est une épreuve, Jésus éprouve notre amour : notre coeur est-il vraiment transpercé de son Amour ? Il semble que Jésus nous dise : je ne veux pas te décourager, mais Je te demande d'y regarder de plus près. Tu me diras "oui" ensuite... *"Oui, tu sais tout, tu sais bien que je t'aime"*.

Chaque couple qui entre dans une grâce de réconciliation l'un envers l'autre et envers le Seigneur, dans le sacrement, apporte déjà sa pierre à l'édification d'une humanité toute entière réconciliée.

Toute âme consacrée, et tout baptisé qui répond à l'appel de Dieu par la prière et la vie apostolique travaillent à la réconciliation des hommes avec Dieu, et donc à leur salut. Toute jeune fille qui prononce les trois voeux dans un monastère où elle va se consumer corps et âme, en offrande à l'amour miséricordieux de son bien-aimé, vient au secours du couple qui se demande comment tenir dans la fidélité, ou de celui qui, piégé par sa sensualité, attend sa délivrance.

Tout jeune homme qui entend l'appel de Dieu au sacerdoce, et qui répond "oui", devient un de ces ouvriers absolument nécessaires à la moisson, qui ne pourra pas se faire sans l'Eucharistie, ni le sacrement de Réconciliation.

Il est impossible de vivre le mariage sans le secours de l'Eglise tout entière. Aussi tout appel ne va pas sans guérisons nécessaires, pour pouvoir répondre "oui" de façon efficace à la mission reçue. Dieu fortifie le couple pour pouvoir ensuite "s'en servir". L'ambition est généreuse d'aller évangéliser au loin, mais le Seigneur veut d'abord reconstruire le couple lorsqu'il en a besoin.

> Pierre : "Je veux remercier le Seigneur pour la patience qu'il a eue, compte-tenu de mon caractère fougueux et passionné, pour venir me reconstruire, et ensuite reconstruire mon couple. J'ai découvert Dieu depuis seulement un an et demi, et je voulais ensuite évangéliser partout où j'étais. Le Seigneur m'a ramené à la réalité : c'est d'abord évangéliser mon épouse. Aimée est venue me rejoindre dans la foi. Hier soir nous avons fait un réengagement de notre mariage. Ces vingt ans passés auparavant nous paraissaient irréels, tellement nous avions vécu loin de l'Evangile, et nous nous étions mis dans des situations impossibles. Maintenant, nous allons pouvoir évangéliser autrement puisque nous serons tous les deux bien unis pour le faire avec le Seigneur".

> Aimée : "Je me sens complètement libérée maintenant de certaines pratiques telles que le yoga et tout ce qui tourne autour. Aujourd'hui, j'ai aussi senti un appel à m'occuper de jeunes. Comme je suis professeur, je suis en contact régulier avec eux et je m'aperçois que je n'ai pas seulement un savoir à leur transmettre, mais aussi à en faire des êtres humains dans la société de demain".

Tout appel est pour la "Mission". Mais laquelle ?

Le père Coffy, archevêque de Marseille, au retour du synode pour les laïcs, en 1987, écrivait ceci :

> "La Mission fait partie de la vie spirituelle, et la Mission de l'Eglise, c'est la sanctification du monde ; le caractère

séculier doit donc être compris en vue de la sanctification du monde, non d'abord pour sa transformation qui en est un produit."[1]

La grâce du mariage, c'est un appel à la sainteté. Le couple et la famille travaillent à la sanctification du monde. Et cette sanctification engendre sa transformation.

Aussi les couples n'hésitent-ils pas à témoigner de ce que Dieu leur donne de comprendre et de vivre au sein même de leur intimité, après leur découverte d'un amour conjugal qui dit "autrement" oui à l'appel reçu.

Et qui le leur reprocherait, quand on sait par exemple à quel point ceux qui se servent de la publicité pour vanter la fornication par exemple dans une publicité odieuse, ne se gênent pas pour corrompre la jeunesse, par le mensonge de la luxure ?

> Lydie : "Hier soir on a prié pour qu'on reçoive la grâce de la pureté dans nos relations, Marc et moi. J'ai senti la paix et je suis persuadée que le Seigneur va nous exaucer, il a déjà commencé".

Il est remarquable que ce couple, sans vivre dans la continence, se soit senti appelé à davantage de chasteté : cette vertu où les époux, sans perdre leur liberté dans les relations conjugales, vont les vivre dans la délicatesse du don, libérés de toute recherche possessive.

Voici l'exemple d'un couple "sans histoires", qui a découvert l'absolu de Dieu, et donc l'absolu de l'amour. Alors est monté en lui le désir de quitter une "vie facile" pour se donner à l'essentiel, découvrant que cette vie facile était un piège à l'amour. A partir de là, il put entrer dans une grâce nouvelle de profondeur spirituelle, dire "oui" à Dieu, "oui au conjoint, aux enfants et à tous :

> Sébastien : "La vie est facile pour nous, nous avons beaucoup de loisirs et beaucoup d'argent. Ici nous avons compris que l'essentiel n'était pas là, nous avons retrouvé un grand désir de Dieu. C'est la première fois que je ressens ce besoin d'absolu avec une telle force. Je suis chrétien depuis longtemps et je n'ai jamais eu de gros soucis. Je mène finalement une vie très médiocre. Je crois que le plus important maintenant, c'est de témoigner auprès de toutes les personnes qui vivent autour de nous. Je viens aussi de redécouvrir le sens profond de la prière. Nous devons apporter à nos enfants, qui nous sont seulement confiés, ce besoin de prier, d'absolu, de l'essentiel. Sinon

---

1. Lourdes, *Assemblée de l'épiscopat français*, 1987.

ils ne l'auront jamais. Toute ma vie va tendre vers Dieu. J'ai une grande espérance dans le coeur".

Angélique : "Cette retraite a été pour moi un vrai champ de bataille. Au début je râlais sans cesse, en disant : "Il m'embête ce père, il est toujours à nous secouer, à nous dire d'aller se confesser, d'aller témoigner". Je n'avais pas envie de bouger. Je viens de découvrir que Dieu ne doit jamais nous laisser tranquilles. La vie "sans problèmes" que nous menions jusqu'ici n'était pas normale. Le malin se sert de tout. L'espérance vient de venir m'habiter. Le pardon de Dieu m'a été accordé. Je veux bien maintenant témoigner".

Sébastien : "Je dois dire que la communauté a vraiment reçu la grâce de l'accueil. C'est absolument nécessaire pour tous les chrétiens".

Ce couple était un peu fermé sur lui-même. Il avait beaucoup reçu. Mais il lui fallait encore passer par cette communauté, où l'Esprit Saint est invoqué chaque jour, pour recevoir la grâce du témoignage. Car le témoignage engendre le témoignage : *"Vous serez mes témoins"* (Ac 1, 8), avait dit Jésus à ses disciples. Peut-on envisager la sanctification du couple, sans le voir tout de suite poussé à la mission ? Il est évident que non. Le "oui" complet du couple, c'est le "oui" à l'évangélisation, tout comme pour la carmélite Thérèse de l'Enfant-Jésus n'est-elle pas la patronne des missions ?

Marthe Robin avait annoncé "des communautés saintes et nombreuses"[1], chair vivante de l'Eglise du Christ, fer de lance de l'évangélisation pour le troisième millénaire. Mais ne sont-elles pas déjà là ?

Et les couples convaincus d'être appelés à la sainteté... ne sont-ils pas déjà là, eux aussi ? N'est-il pas venu le temps des "couples saints" pour la fin de ce siècle et l'an 2000 ? Ils doivent maintenant se lever en masse. Ce n'est pas être un grand prophète que d'annoncer ce don que Dieu veut faire à son Eglise, car *"il a tant aimé le monde"* qu'il va tout faire, une fois encore, pour sauver l'amour. Mais il ne le fera pas sans ceux qu'il s'est choisis comme témoins de son alliance. La grâce du mariage, parce qu'elle est à la dimension du coeur de notre Dieu, est capable, à elle seule, de bouleverser les coeurs les plus

---

1. *Marthe... Une ou deux choses que je sais d'elle...*, Ephraïm, Editions du Lion de Juda, 1990, page 89.

endurcis d'un monde qui avait cru pouvoir se passer de Dieu. Et ce sera l'accomplissement du concile Vatican II :

> "Que les époux eux-mêmes créés à l'image d'un Dieu vivant... soient unis dans une même affection, dans une même pensée et dans une mutuelle sainteté, en sorte que, à la suite du Christ, principe de vie, ils deviennent à travers les joies et les sacrifices de leur vocation, par la fidélité de leur amour, les témoins de ce mystère de charité que le Seigneur a révélé au monde par sa mort et sa résurrection."[1]

Le saint curé d'Ars, pour exprimer, dans des mots très simples, le bonheur de l'amour et son rayonnement, aimait dire :

> "Que ceux qui aiment le Bon Dieu sont heureux et aussi, ceux qui sont autour d'eux."[2]

C'est bien vrai qu'un couple, qui laisse transparaître l'amour du Seigneur, ne peut que le transmettre tout alentour. Et cette grâce est donnée aux époux qui ont choisi de ne jamais mettre de limite à leur amour. Ainsi le monde entier finira-t-il par croire en l'amour. Les pessimistes penseront : "Ce n'est pas pour demain" ! Les couples livrés à l'amour répondront : "Pour nous, c'est déjà maintenant !"

En voulons-nous du bonheur ? En voulons-nous pour aujourd'hui ou pour demain ? C'est plus simple que nous ne pensons ! Car c'est si simple d'aimer...

---

1. *Gaudium et Spes*, chap I, n°52, paragraphe 7.
2. *J. M. Vianney, Le curé d'Ars, sa pensée*, Bernard Nodet, page 230.

CHAPITRE VIII

C'est si simple d'aimer

*Jésus tressaillit de joie sous l'action
de l'Esprit Saint, et il dit :
"Je te bénis, Père, Seigneur du ciel et de la terre,
d'avoir caché cela aux sages et aux intelligents,
et de l'avoir révélé aux tout-petits".*
(Lc 10, 21)

UN COEUR D'ENFANT
POUR AIMER ET CONSTRUIRE LE MONDE

Envoyés par Jésus, les premiers disciples sont allés deux à deux au devant du monde pour prêcher la conversion. La mission fut bonne parce qu'ils y allèrent avec un coeur d'enfant. Jésus le fait remarquer et en remercie le Père. La responsabilité des baptisés est de participer à la construction du monde. Mais celle-ci ne se fera jamais sans l'évangélisation, et l'évangélisation, jamais sans un coeur d'enfant. Le couple est à la croisée des chemins pour rappeler *aux sages et aux intelligents* de notre temps que le plus important, c'est d'avoir un coeur d'enfant pour aimer.

1 — POUR LE COUPLE, UN COEUR D'ENFANT

Au delà des idées, pour que vive l'amour dans sa spontanéité, il faut aux époux un coeur d'enfant.

Tout est donné

Pour un bon dialogue, il faut que chaque époux ait ce coeur de simplicité pour s'avancer vers l'autre et lui montrer son amour. De ce geste du coeur, jaillira un dialogue fructueux. La tendresse sera au rendez-vous, avec la chasteté, seule capable d'exprimer dans la délicatesse, la rencontre dans la chair, où les époux accomplissent l'oeuvre du Seigneur, en sa présence et par sa grâce, à travers l'expression d'un amour libéré jaillissant de leur coeur.

Pour accomplir ensemble la responsabilité qui est la leur, les époux devront ne pas se prendre trop au sérieux, mais prendre le Seigneur au sérieux. Avec beaucoup d'amour et un peu d'humour, d'un jour à l'autre, comme de vrais enfants, ils attendront tout de leur *"Père céleste qui sait que vous avez besoin de tout cela"* (Mt 6, 32). Alors, dans un coeur en paix, libéré de toute angoisse, ils recevront la grâce d'exercer leurs responsabilités dans le couple et la famille. La famille n'est-elle pas l'oeuvre de la paternité de Dieu confiée aux hommes ? Humblement, avec ferveur, les époux vont recevoir jour après jour dans la prière, la grâce pour vivre ce cadeau d'amour reçu de Dieu :

> *C'est pourquoi je fléchis les genoux en présence du Père de qui toute paternité, au ciel et sur la terre, tire son nom* (Ep 3, 14-15).

Cette prière est celle de tous les enfants de Dieu, mais plus spécialement des époux chrétiens.

Aller boire à la source de la paternité qui est en Dieu, et y aller chaque jour avec un coeur d'enfant, dans une prière renouvelée par l'Esprit Saint (Celui qui vient crier en nous "Papa ! Abba !"), c'est bien la démarche profonde qui emplit de joie le coeur de tout baptisé.

Mais lorsque vient s'y ajouter la grâce du sacrement de mariage, quelle amplitude spirituelle et incarnée à la fois revêt cet abandon à l'amour du Père, de la part de ceux qui sont destinés par vocation à la procréation ! C'est avec ce coeur d'enfant que les époux peuvent voir se réaliser dans leur vie la promesse de l'Ecriture : *Vous entrerez par votre plénitude dans toute la plénitude de Dieu* (Ep 3, 19).

Suite à la rencontre d'un prêtre, un couple d'une cinquantaine d'années, déjà comblé dans sa vie, fit l'expérience d'une simplicité "en plus" dans son amour conjugal à travers la prière de couple :

> Matthieu : "Il y a trois ans, nous vous avons rencontré tous deux et vous nous avez demandé : "Priez-vous en couple et chaque jour" ? Nous avions répondu que non, ayant l'Eucharistie chaque dimanche et chacun notre forme de prière personnelle. Vous avez ajouté : "Alors tous les soirs, sans exception, dites un Notre Père et un Je vous salue

Marie, ensemble, la main dans la main, pour offrir votre journée à Dieu, ainsi que la nuit pour un bon repos. Et on en reparlera". Alors, voilà, je viens vous en reparler. Mon épouse avait trouvé votre proposition très bien, mais moi plutôt "enfantine". J'attendais une réponse plus valable à la question que nous vous avions posée. Cependant, j'ai tenu parole : nous l'avons fait. Eh bien, mon père, après plusieurs années, je dois vous dire que notre couple est transformé ! C'est dû en partie à ce temps si court mais fidèle ensemble devant Dieu et pour Dieu. C'est à cet abandon de nous-mêmes dans la main de Dieu que nous devons toute la simplicité que nous avons maintenant dans notre vie de couple..., et cela après trente ans de mariage. Je voulais vous en témoigner en m'excusant d'avoir jugé votre conseil un peu léger, et j'ose dire simpliste".

Fléchissant les genoux ensemble, en présence du Père de qui vient toute paternité, ce couple bien construit, avait reçu cette grâce de simplicité qui lui manquait, pour que le Seigneur puisse "tout" leur donner.

Au Coeur de l'amour, l'abandon

L'abandon est une démarche radicalement différente de l'analyse. Il ne s'agit pas pour les époux d'étudier les causes qui peuvent les empêcher de s'aimer. Il faut, non plus se regarder en "observateurs", mais s'accueillir d'un coeur ouvert et davantage encore, abandonné. L'amour réciproque devient de plus en plus beau, de plus en plus grand, à mesure que l'abandon à Dieu est pratiqué par l'un et l'autre. C'est alors que les époux vivent de la proximité de la présence divine, tels des enfants au coeur simple. Mais pour y parvenir, ils doivent souvent demander la guérison de leurs pensées compliquées, chargées des souvenirs du passé, comme des inquiétudes du lendemain. L'amour conjugal, comme tout amour, se vit au présent. Le passé et l'avenir en sont les deux obstacles, mais l'abandon, le remède. Et cet abandon est un don de Dieu.

Le mécanisme des relations humaines, démonté et mis à plat par les sciences modernes de la psychologie et de la sociologie, a pu révéler en partie aux couples leurs lacunes et leur blessures, mais n'a pas pu y remédier.

Le chemin de salut pour le couple ne sera donc pas d'abord dans l'analyse, mais dans l'ouverture du coeur, où a lieu, de façon indicible, la réparation des blessures et la croissance de l'amour.

Dans cette proximité de coeur, les époux reçoivent à la fois la révélation du handicap à l'amour et sa guérison immédiate, alors que l'analyse aurait laissé un "temps mort" entre les deux, avec le risque de tomber dans l'attentisme ou le reproche.

Dans la grâce de l'abandon, les époux se confient l'un à l'autre, tout en se confiant à Dieu. Avec la spontanéité de l'amour, ce pourra être un geste, ou un regard de tendresse, bref une attitude d'humilité, de compréhension et de compassion.

Mais à l'inverse, si l'un des deux époux entreprend seul une analyse de ses difficultés, cela peut entraîner dans le couple un déséquilibre. En effet, l'époux en difficulté en est resté au stade de l'observation, pendant que l'autre attend vainement de sa part un amour exprimé.

Un excès d'analyse nuit toujours à la spontanéité de l'amour, car chacun en reste alors à s'observer. Dans l'amour conjugal, il faut donc redemander pour les "grandes personnes" ce coeur d'enfant, indispensable tout autant pour "entrer dans le royaume" que pour s'engager dans le domaine de l'amour :

> *"Quiconque n'accueille pas le royaume de Dieu en petit enfant n'y entrera pas"* (Lc 18, 17).

Là encore, ce n'est pas la générosité qui est en cause. Le couple, en prenant d'abord le chemin du raisonnement, se met dans une ornière dans laquelle plus il s'entête, plus il va s'enfoncer. Il ne reste qu'une solution alors : que chacun lâche prise et revienne aux gestes de l'amour.

Quand un enfant, puni par sa maman, a de la peine à sécher ses larmes, il suffit qu'il relève la tête vers elle et comprenne qu'il est déjà pardonné, pour se jeter à nouveau dans ses bras et recevoir la joie d'y être consolé, donc aimé encore plus.

Dans les difficultés et les incompréhensions profondes de la vie, les époux doivent tomber dans les bras l'un de l'autre, et s'expliquer ensuite. Le processus contraire, trop souvent employé, crée des blocages, parce qu'on a voulu prendre ce chemin de grandeur (Ps 131, 1) où chacun veut parler avant l'autre, puisqu'il a tout compris... avec sa tête ! En fait, aucun des deux n'a compris. En prenant la parole, on a voulu mettre un préalable à l'amour. Or le seul préalable à l'amour, c'est l'amour. C'est là qu'il y a un acte de foi à faire, pour retrouver cette spontanéité d'un coeur d'enfant ! C'est ce qu'enseigne l'Evangile. Seule la Parole de Dieu peut donner le code du bonheur pour la vocation du mariage, (comme pour toute autre vocation) ! Ce qui nous est promis c'est la joie du Royaume. Mais elle n'est destinée qu'aux petits enfants : *"Laissez les petits enfants venir à moi, ne les empêchez pas; car c'est à leurs pareils qu'appartient le Royaume de Dieu"* (Lc 18, 16). Et celui qui veut encore du Royaume ne cherchera pas à l'inventer, mais à le recevoir de Jésus !

Comme un petit enfant contre sa mère (Ps 131, 2)

Cette disposition du coeur est don de l'Esprit Saint. Et ce don n'est reçu qu'en quittant l'aveuglement de l'orgueil pour vivre *la miséricordieuse tendresse du coeur de notre Dieu* (Lc 1, 78). L'homme, qui ne repose plus sur lui même, va pouvoir enfin reposer en Dieu : *"Celui qui demeure en moi et moi en lui, celui-là porte beaucoup de fruits"* (Jn 15, 5). Il n'y a pas d'amour vrai sans cette grâce de repos. Jean et André veulent rencontrer "l'Agneau de Dieu" dans son amour, et leur première question à Jésus est la bonne : *"Maître où demeures-tu ?"* (Jn 1, 38). Le couple peut lui aussi poser cette question à Jésus.

Comment "demeurer en Jésus" ? C'est l'oeuvre de l'Esprit Saint qui repose en nous, comme à la création du monde : *L'Esprit reposait et planait sur les eaux* (Gn 1, 2). Fidèle, il est toujours là pour nous donner le repos : "Dans le labeur, le repos" nous dit la séquence liturgique de la Pentecôte.

L'Esprit Saint va nous donner d'agir comme un petit enfant qui se laisse aimer, qui ne peut que se laisser aimer, car il n'a pas les moyens de *faire les prodiges qui le dépassent* (Ps 131, 1). Or, se laisser aimer est le point de départ de tout amour vrai, et c'est le plus difficile à vivre chaque jour. Il faut simplement accepter de se laisser aimer *comme un petit enfant contre sa Mère*. En ce sens, un couple témoigne que c'est grâce à la prière confiante qu'il est encore en vie : L'intervention de Dieu par Marie les a sauvés tous les deux. L'abandon était là au coeur de leur union, et la foi a été plus forte que l'épreuve :

> Hélène : "Je voudrais remercier le Seigneur parce qu'il a permis un moment d'épreuve pour nous faire grandir dans la foi. J'ai eu beaucoup de mal à porter ce lourd fardeau. Si le Seigneur n'avait pas été là, je ne serais pas en vie maintenant. A Marie notre mère du ciel, il faut tout confier comme des enfants. Si nous n'avions pas prié, notre

petite fille de sept ans ne serait pas là. Au coeur de la grande épreuve, j'invoquais le nom de Jésus, avec force, pour qu'il vienne sauver ma famille. Dieu ne peut pas laisser ses enfants se perdre. Cependant Il a permis l'épreuve. Il m'a demandé de porter mon mari, Jean, jusqu'à lui. Il a fallu dix ans pour cela. Parfois je me suis révoltée, mais j'ai toujours demandé pardon ensuite, et me suis reprise dans la prière. Une force m'était donnée, même si je ne m'en suis pas toujours rendu compte. Je suis venue ici pour confier Jean au Seigneur, et j'ai reçu la guérison complète. Je ne dormais plus, et le Seigneur m'a rendu le sommeil".

Ce sera avec ce coeur simple d'un enfant que les époux iront aussi au devant de leurs frères, jusque dans les plus grandes responsabilités d'Eglise qui leur seront confiées. Il vivront la même simplicité au coeur du monde, pour l'avoir apprise et reçue au coeur même de leur intimité conjugale. Ils seront alors facteur d'équilibre pour l'Eglise qu'ils aiment, pierres vivantes des communautés qui la composent.

> *Approchez-vous de lui, la pierre vivante, rejetée par les hommes, mais choisie, précieuse auprès de Dieu. Vous-mêmes, comme pierres vivantes, prêtez-vous à l'édification d'un édifice spirituel, pour un sacerdoce saint, en vue d'offrir des sacrifices spirituels, agréables à Dieu par Jésus-Christ* (I P 2, 4-5).

Reposé et appuyé fermement sur la pierre vivante qu'est le Christ, le couple sera vivant et fort. Un édifice n'est solide que lorsque les pierres reposent bien les unes sur les autres. Il faut que dans le couple, les époux se reposent l'un sur l'autre, avec une confiance absolue.

Les époux, avec ce coeur d'enfant, pourront ensemble se reposer en Dieu. Libérés alors de tout mauvais soucis, ils recevront la grâce de vivre la parole de Jésus lui-même :

> *"Ne vous inquiétez pas du lendemain ; demain s'inquiétera de lui-même. A chaque jour suffit sa peine"* (Mt 6, 34).

La chambre nuptiale et le lit conjugal sont faits pour que les époux puissent vivre ensemble, chaque nuit et sans inquiétude cette grâce de repos : c'est même pour eux un devoir.

Les époux chrétiens ne doivent jamais oublier ce repos "évangélique", et se le rappeler dans l'intimité de leur amour, quand l'un ou l'autre, encore soucieux, à la fin d'une journée épuisante, risque de s'endormir dans une tension néfaste. Alors l'intimité conjugale, au-delà de tout ce qui peut y être vécu de sensible selon le plan de

Dieu, apporte la paix d'un sommeil, où *Dieu comble son bien-aimé qui dort* (Ps 127, 2)...

L'amour d'un père

En nous invitant à être des petits enfants, Jésus vient nous révéler l'amour du Père. Il le fait avec des gestes de père de la terre : "

> *Prenant un petit enfant, il le plaça au milieu d'eux, et l'ayant pris dans ses bras il leur dit : "Quiconque accueille un des petits enfants tels que lui, à cause de mon nom, c'est moi qu'il accueille ; et quiconque m'accueille, ce n'est pas moi qu'il accueille mais celui qui ma envoyé"* (Mc 9, 36-37).

Celui qui l'a envoyé, c'est bien le Père, que Jésus nous apprendra à prier : *"Notre Père qui es aux cieux..."* Jésus nous invite à venir à lui et nous y allons. Mais ce sont d'abord des gestes de paternité qui viennent toucher notre coeur : *"Nul ne peut venir à moi, si le Père qui m'a envoyé ne l'attire"* (Jn 6, 44).

Entre Jésus et le Père il y a davantage qu'une proximité : une unité. Jésus dit à Philippe : *"Qui m'a vu a vu la Père... ne crois-tu pas que je suis dans le Père et que le Père est en moi ?"* (Jn 14, 9-10). Entre les époux qui s'aiment avec un coeur d'enfant, il y a davantage que la proximité du Seigneur dans leur vie : c'est Dieu lui-même qui est là présent, au milieu d'eux, et en eux. Car tous deux sont d'abord fils et fille d'un même Père. Dans la rencontre du Père à travers Jésus, se trouve pour les époux toute la grâce de la paternité, aussi bien dans l'intimité de leur amour congugal, que dans la prise en charge amoureuse des leurs enfants.

Bien des époux qui n'ont pas connu leur père selon la chair, ou si mal, doivent demander dans la prière que cette lacune soit comblée. Sinon, les époux vont souffrir quotidiennement d'un manque d'expression dans l'amour, faute de l'avoir reçu de la génération précédente. Ainsi le témoignage d'un époux orphelin :

> "Elevé à la DASS, je dois beaucoup à mes éducateurs et je les en remercie ; mais je n'ai jamais eu un père pour me tenir dans ses bras. En compagnie de mon épouse, les frères ont prié pour moi et j'ai reçu toute une autre confiance en moi-même. Maintenant je suis davantage certain que je vais pouvoir rendre heureuse mon épouse. Auparavant, je dois avouer que j'avais une timidité néfaste, en un mot un complexe. Maintenant je me sens davantage un homme et je

commence à voir ce que cela veut dire : protéger mon épouse. Maintenant, nous voulons un enfant."

Très souvent, le Seigneur guérit les blessures de l'enfance et donne en même temps la capacité de la paternité, et une simplicité nouvelle.

En effet, les époux, dans leur affection mutuelle, auront à pratiquer cette simplicité d'enfant, et c'est au coeur de cet abandon l'un envers l'autre, qu'ils assumeront la plus grande responsabilité que Dieu ait pu leur confier : la paternité. Par grâce, ils seront "pro-créateurs". Bien des époux ont perdu cette simplicité, ou ne l'ont jamais bien connue, peut-être parce qu'ils se sont abordés l'un l'autre, comme on le fait couramment dans la vie. En effet, quand on vous confie des responsabilités importantes dans le monde, ce n'est pas du tout ce chemin de petitesse que l'on prend : on vous juge plutôt sur vos capacités et vos diplômes et sur l'ambition que vous avez.

Dans le mariage, le Seigneur demande aux époux s'ils acceptent de se laisser aimer à la fois par Lui et leur conjoint, comme des enfants qui veulent bien faire la volonté du Père. Le sommet de l'amour, c'est de se laisser aimer par l'autre comme un enfant : c'est cela qui fortifie l'amour conjugal. Et c'est le point de départ de toute harmonie du couple. Beaucoup d'époux ont soif de cette harmonie conjugale, et c'est très légitime ; encore faut-il savoir qu'elle s'enracine dans la cette simplicité d'un coeur abandonné. Et puis, même s'ils se croient devenus adultes en amour, n'ont-ils pas toujours à revenir à l'esprit d'enfance, pour attendre ensemble l'inattendu ? Car l'amour ne saurait souffrir l'habitude ; le véritable amour est toujours à la recherche d'un "coeur nouveau".

La grâce de l'Incarnation

Dans le mystère de l'Incarnation, Dieu vient lui-même nous enseigner ce chemin de la petite enfance. La présentation de Jésus au Temple nous est une leçon pour la voie d'enfance : "Siméon vint au Temple, poussé par l'Esprit, et quand les parents apportèrent le petit enfant Jésus..., il le reçut dans ses bras, bénit Dieu et dit : *"... laisse ton serviteur s'en aller en paix..."* (Lc 2, 27-29). En recevant l'enfant Jésus, Siméon reçoit en même temps une grâce d'enfance et s'abandonne : la tension intérieure de son attente du Messie s'évanouit. Il peut partir...

Méditer le mystère de l'Incarnation donne ce coeur d'enfant indispensable aux époux. En effet, dans le mystère de Noël, Dieu se fait petit enfant pour qu'ils puissent l'accueillir. S'ils l'accueillent en "grandes personnes", le Seigneur fait fondre en eux l'esprit de supériorité, au moment où dans la contemplation, ils réalisent que c'est le Dieu de l'univers qui se donne à eux. Alors Jésus lui-même vient raviver leur coeur et leur donner la grâce d'abandon. Il leur communique l'esprit d'enfance. Charles de Foucauld l'avait compris en allant chercher cette grâce à Nazareth.

Mais en tenant leur propre enfant dans les bras, les époux vont encore recevoir une grâce qui leur est particulièrement réservée : celle de vivre le mystère de l'Incarnation de façon tangible. Comme Siméon a pu tenir l'enfant-Dieu dans ses bras, ils serrent sur leur coeur le bébé que Dieu leur a donné. Et ce tout-petit leur apprend à aimer, en leur enseignant la beauté d'un coeur d'enfant. L'Incarnation est ce mystère d'amour qui dépasse notre intelligence. De même les époux sont dépassés dans leur entendement, par cet échange d'amour avec l'enfant que Dieu leur a confié.

Comme Siméon, ils reçoivent cette paix profonde que le Seigneur donne à qui sait accueillir Jésus enfant. Et leur coeur ne peut être que plein de reconnaissance envers celui qui seul peut donner la communion d'un tel amour.

Mais ce mystère d'Incarnation ouvre aussi les époux à d'autres dimensions de l'amour. La première est "l'abandon avec un coeur d'enfant", la seconde est la responsabilité formidable de continuer Jésus incarné sur cette terre. Dieu a tout préparé pour nous dans son amour, de toute éternité, et en même temps Il en donne la responsabilité aux époux :

> Béni soit le Dieu et Père de notre Seigneur Jésus-Christ...
> Il nous a élus en lui, dès avant la fondation du monde
> (Ep 1, 3-4).

Au coeur du mystère de l'Incarnation, il y a la Sainte Famille et la sainte enfance de Jésus. Il n'y a pas d'Incarnation sans mariage, et il n'y a pas de mariage qui ne soit fait pour célébrer le mystère de l'Incarnation. L'Incarnation de Jésus, c'est Dieu fait homme; l'Incarnation, pour les époux, c'est Jésus continué sur terre dans l'enfant que Dieu leur a confié, et qu'ils ont porté sur les fonts baptismaux, pour en faire un fils du Père. En accueillant l'enfant, les époux retrouvent leur coeur d'enfant, indispensable à l'amour. Et ils le reçoivent pour vivre ce mariage mystique, où s'unit la divinité à notre humanité. Pour eux, chaque jour, ce sera Cana : avec Jésus et Marie, c'est l'Amour incarné, continué sur terre. *"Et le Verbe s'est fait chair"* (Jn 1, 14).

> *Comme un jeune homme épouse une vierge, ton bâtisseur t'épousera. Et c'est la joie de l'époux au sujet de l'épouse que ton Dieu éprouvera à ton sujet* (Is 62, 5).

Les époux font la joie de Dieu, en prenant la responsabilité d'unir, dans leur famille la terre au ciel, comme Jésus l'a déjà fait. Il a réalisé dans sa chair la prophétie d'Isaïe, en venant mettre fin à la "désolation" d'une terre stérile, qui n'a pas su accueillir l'amour de son Dieu :

> *"On ne te dira plus : 'Délaissée' et de ta terre on ne dira plus : "Désolation"* (Is 62, 4).

Ainsi le couple dans la double dimension de son intimité charnelle et spirituelle, vit-il ce mystère de Dieu venu dans la chair.

Au plus concret de leur amour, par la grâce de Dieu qui a sanctifié le mariage, les époux vivent la présence de Dieu la plus réelle et la plus profonde, à condition que leur coeur soit réellement tourné chaque jour vers Dieu. Si ce concret de l'amour n'était pas déjà rattaché à l'éternité, il manquerait une grâce d'Incarnation essentielle. Jésus est venu nous unir à l'amour du Père, dans notre vie de tous les jours.

Dans le mariage, il est très important de vivre cette grâce. Car toute dichotomie serait préjudiciable, et on n'aurait plus, au coeur du mariage, ce témoignage du Royaume qui est déjà là :

> *"Car voici, le Royaume de Dieu est au milieu de vous"* (Lc 17, 21).

De même que Jésus est venu nous partager sa divinité, les époux doivent faire du "divin" avec ce qui ne semble être que de "l'humain" :

> *Vous êtes ressuscités avec le Christ... Songez aux choses d'en haut, non à celles de la terre. Car vous êtes morts, et votre vie est désormais cachée avec le Christ en Dieu : quand le Christ sera manifesté, lui qui est votre vie, alors vous aussi vous serez manifestés avec lui pleins de gloire* (Col 3, 1-4).

La promesse est là pour l'éternité. Cependant, au coeur du couple Jésus n'attend pas la parousie pour se manifester. Déjà, à Cana, *Jésus manifesta sa gloire* (Jn 2, 11).

Certes, l'amour de Dieu envers nous est immense, et la contemplation de son amour pour nous est infiniment riche. Mais pour les époux, il y aura toujours une grâce toute particulière à méditer : le mystère de l'Incarnation. Que la fête de Noël soit une fête populaire n'est pas un hasard. Qu'elle soit également la fête des enfants n'a rien de surprenant. Célébrée par la famille, avec foi et avec ferveur, la fête de la Nativité est source de grâces indicibles. C'est le ciel qui se penche sur la terre ; c'est un moment privilégié où nous pouvons entrevoir dans le regard tout émerveillé de nos enfants que *leurs anges aux cieux voient constamment la face du Père qui est aux cieux* (Mt 18, 10).

Plus les époux méditent Jésus à Bethléem et à Nazareth, plus ils retrouvent cette présence divine dans le coeur de leurs enfants. Alors eux aussi en sont tout émerveillés; leur âme devient encore davantage prière. Le don de Dieu est là : c'est la prière dans la vie et au coeur de la vie familiale. A chacune de ses respirations, et à chaque battement de son coeur, Dieu est là. *Que tout ce qui respire loue le Seigneur, alléluia* (Ps 150, 6) ! La joie de Noël, c'est la joie du salut, c'est la joie de la famille qui reconnaît avoir tout reçu de Dieu :

> *Tout est de lui et par lui et pour lui. A lui soit la gloire éternellement ! Amen* (Rm 11, 36).

2 — LA VOIE D'ENFANCE

Sainte Thérèse de l'Enfant-Jesus nous a tout particulièrement enseigné ce chemin sûr de la sainteté.

On pourrait s'imaginer qu'un tel chemin de vie évangélique est réservé aux contemplatifs. C'est une erreur : ce n'est pas parce que des couples ont de grandes responsabilités familiales, ecclésiales ou sociales, qu'ils sont dispensés de la vie évangélique ! C'est même le contraire : ils sont appelés à la vivre, sous peine de n'avoir plus aucun témoignage à donner, ou pire encore, de perdre la foi. Ce XXème siècle aura été sans pitié pour la vérité de l'amour : ou bien c'est l'Evangile vécu, ou bien il n'y a plus de couples chrétiens.

Sainte Thérèse écrivait :

> "Je ne veux pas amasser de mérites pour le ciel, je veux travailler pour votre seul amour... Au soir de cette vie, je paraîtrai devant vous les mains vides car je ne vous demande pas de compter mes oeuvres".

> "Il est une science que Dieu ne connaît pas, c'est le calcul... Si le plus grand pécheur de la terre se repent au moment de la mort et expire dans un acte d'amour... Il ne compte plus que sa dernière prière et le reçoit sans tarder dans les bras de sa miséricorde."[1]

La famille est faite elle aussi pour cette confiance en Dieu sans limite.

La Bienveillance, fruit de l'Esprit

Avouons qu'il est souvent nécessaire d'être libéré de tout a priori, de tout préjugé, c'est-à-dire d'abord de penser du bien même de celui que l'on aime. La bienveillance n'est pas toujours naturelle.

Un coeur d'enfant est neuf, et n'a ni préjugé ni jugement envers celui qu'il rencontre. La mémoire d'une épreuve ou d'un échec passé n'est pas là pour faire barrage à sa soif d'aimer ou d'être aimé.

A la joie qui est demandée à tout instant : *Réjouissez-vous sans cesse dans le Seigneur...*, l'apôtre Paul ajoute la recommandation suivante : *que votre bienveillance soit connue de tous les hommes* (Ph 4, 5).

La bienveillance est de l'ordre de la "bénédiction". Celui qui a des pensées et des sentiments de bienveillance, dit du bien de l'autre et le bénit. C'est le préjugé favorable, qui engendre l'échange fraternel vrai et profond. Mais au contraire, la malveillance crée tout de suite un trouble, même si elle n'est pas exprimée en "malédiction". La bienveillance est fruit de l'Esprit. Elle suppose la confiance en l'autre : *le fruit de l'Esprit est Amour, joie, paix... confiance dans les autres* (Ga 5, 22).

---

1. Jean Daujat, *Thérèse de Lisieux, la grande amoureuse*, Téqui, p. 80.

La bienveillance met le frère en confiance, et lui fait retrouver son coeur d'enfant, s'il l'a perdu. Il peut alors donner le meilleur de lui-même, au-delà de la réflexion qui apporte toujours un retard à l'amour.

C'est pourquoi la véritable prière n'est pas "réflexion", mais "abandon", et c'est pourquoi aussi, la véritable fraternité ne sera jamais le résultat d'une démonstration mathématique, obligeant à aimer. La bienveillance fait grandir l'autre, lui redonne confiance, honore sa personne, et l'invite, sans le dire, à s'exprimer lui-même le premier.

La grâce de la spontanéité dans l'amour est la façon la plus belle qui soit d'aimer quelqu'un. En ouvrant ses bras à l'autre pour qu'il puisse faire le geste naturel et spontané dont il avait soif, les jugements tombent et l'autre peut exprimer ce qu'il a sur le coeur.

Dans la bienveillance, les époux veillent l'un sur l'autre et sur leurs enfants, selon le coeur de Dieu. C'est une vertu familiale indispensable.

Dans la simplicité du coeur, l'unité de la personne et du couple

C'est le geste du Père qui tend les bras à son enfant, et lui permet ainsi de se jeter à son cou. *Tel un berger, il fait paître son troupeau, de son bras il rassemble les agneaux, il les porte sur son sein...* (Is 40, 11). La paternité rassemble et unit toujours.

Ainsi ces époux ont-ils la joie d'être sur le bon chemin et d'y mettre aussi leurs grands enfants. Quelle grâce d'unité pour la famille ! Il y aura encore des faiblesses, et combien ! Mais Dieu est là comme un Père pour ses enfants :

Marie-Madeleine : "Nous avons eu une grande grâce de réconciliation dans notre couple, il y a un an. Nous nous sommes retrouvés dans la prière. Tous les soirs nous nous mettons à genoux devant une icône de la vierge Marie et de la petite Thérèse. Là, la main dans la main, nous prions le Seigneur, nous nous réconcilions sur tout ce qui nous déchire, nous pensons à nos cinq enfants dont les problèmes nous dépassent. Seul le soutien du Seigneur peut nous permettre de rester dans la paix. Il y a aussi des retombées très belles. Notre fille a refusé une IVG le lendemain du quinze août grâce à Mère de miséricorde. Elle a été merveilleuse dans l'acceptation et la prise de conscience qu'on pouvait avoir un enfant même à quarante et un ans"

Fernand : "Et le mari de notre fille a dit "oui". Ils veulent appeler l'enfant "Dieudonné". Quant à nous, tout n'est pas encore parfait dans notre couple. Il y a quinze jours, j'ai eu des paroles très dures avec mon épouse, mais je sais maintenant demander pardon, ce que je ne pouvais pas faire avant".

Marie-Madeleine : "Le fait de demander pardon est une merveille parce qu'après c'est bien meilleur qu'avant".

Quand le mari, sans perdre ses responsabilités, retrouve son cœur d'enfant, quelle grâce pour son épouse !

D'instinct, dans sa fragilité, le cœur de l'homme est "distrait" et "dispersé". Il retrouve son unité dans l'amour de son Dieu quand il le reconnaît comme un Père. Trop souvent, des chrétiens vont rechercher l'unité de leur vie dans des méthodes ou des idées.

L'enfant lui grandit dans la confiance en lui-même quand il tient la main de son père. Le chrétien, qui se souvient que *tous ceux qu'anime l'Esprit de Dieu sont fils de Dieu* (Rm 8,14) laissera faire en lui l'Esprit Saint. Il quittera délibérément toutes les techniques de libération qui peuvent avoir un premier résultat favorable, mais qui lâchent l'homme au seuil de sa libération profonde, tout en accentuant encore sa soif de guérison. Et la déception de ne pas parvenir à cet abandon tant désiré sera plus grande encore à cause de l'illusion d'une promesse mensongère.

L'Esprit en personne se joint à notre esprit pour attester que nous sommes enfants de Dieu (Rm 8, 16). *Vous n'avez donc pas reçu un esprit d'esclave* (v 15). Notre libération profonde s'accomplit quand nous devenons enfants de Dieu, et non autrement.

Ainsi, deux époux mariés depuis une dizaine d'années en étaient arrivés à ne plus pouvoir se rencontrer dans leur intimité, et ils en étaient d'autant plus déchirés qu'ils s'aimaient beaucoup. A vrai dire, jamais ils n'avaient pu trouver cette harmonie et cela, dès le départ. Percevant un manque d'équilibre et de liberté dans leur corps, ils allèrent vers le yoga. Le drame ne fit qu'empirer jusqu'au moment où, sans aucune infidélité, ils envisagèrent de se séparer, tellement leur rencontre dans l'intimité était devenue insupportable. Alors le mari fit une retraite pour demander à Dieu la lumière, pendant que son épouse partait à l'autre bout de la France faire une session de plus : du yoga pendant six jours. Le mari fut touché par la grâce de Dieu et renonça à cette pratique néfaste. Il comprit que le self-contrôle est radicalement opposé à l'abandon conjugal en amour. Restait son épouse : par la grâce de Dieu, elle accepta de venir à la retraite suivante avec son époux, six mois après. Et elle réalisa aussi sa bévue.

Elle qui était prête à devenir professeur de yoga, accepta que l'on prie pour elle : instantanément son corps se détendit. Elle se jeta dans les bras de son époux : le couple était sauvé. Enfin, quelques jours après, ils témoignaient de leur amour conjugal devenu possible. A partir d'un petit handicap qui arrive assez souvent chez les jeunes époux, ils s'étaient enterrés dans la technique corporelle pendant dix années. En une soirée, ils étaient libérés de cet esclavage, et dans une prière d'abandon à Dieu recevaient du même coup la grâce de s'abandonner librement dans les bras l'un de l'autre. C'était enfin la liberté et le bonheur de s'aimer. Seul Dieu pouvait le leur donner.

C'est par la vie dans l'Esprit que nous devenons de "grandes personnes" dans la foi. Tel est le chemin évangélique que le monde ne connaît pas, chemin absolument indispensable à la vie du couple et à sa fidélité. Tous les jeunes qui pensent au mariage, hésitent souvent pour n'avoir pas contemplé la beauté du couple à la lumière de l'Evangile. Mais déjà les ténèbres s'en vont...

Alors, quelle espérance pour demain que tous ces jeunes de vingt ans, à la recherche d'une profondeur spirituelle digne des grands saints ! Ceux d'entre eux qui seront appelés au sacrement de mariage vont faire la beauté de l'Eglise de demain, mais déjà de celle d'aujourd'hui, avec toutes ces "petites églises", que sont les foyers chrétiens, chez lesquels on ne peut entrer qu'avec le respect dû au sacré. Dans l'alliance de leur amour, sans cesse, ils se rapprochent de la nouvelle et l'éternelle alliance que nous célébrons à l'Eucharistie, et adorons au tabernacle. Mais ils la vivent déjà, cette alliance définitive.

C'est un amour d'époux qui devient liturgie : un même mystère d'alliance que dans la Sainte Eucharistie. C'est le plus beau témoignage chrétien, digne de Vatican II, et de la nouvelle Pentecôte pour l'Eglise annoncée par Jean XXIII : car l'Esprit Saint est là aussi pour unir les époux en un seul corps, tout comme l'amour du Père le réalise à chaque messe pour l'Eglise, qui est le corps du Christ.

La Providence

La bienveillance donne des pensées d'indulgence et d'ouverture de coeur. Les pensées sont déjà une démarche active où l'on pressent l'amour. Ainsi, dans une famille pensera-t-on "bien" les uns aux autres.

Dieu aussi "pense bien" à nous. C'est la Providence. Et on ne peut y croire sans un coeur d'enfant.

Dieu est un Père qui sait ce dont ses enfants ont besoin, mais Il attend cependant qu'on le Lui demande. C'est alors de notre part un acte de confiance, c'est-à-dire un acte d'amour. Chacun est appelé à pouvoir dire chaque jour avec ce couple : "on a demandé un tas de choses et le Seigneur nous a écoutés". Or c'est la Parole de Dieu qui nous apprend à prier avec ce coeur d'enfant, dans la certitude et la joie d'être écoutés. L'exaucement viendra ensuite, plus tard, selon le coeur de Dieu.

> *Nous avons en Dieu cette assurance que si nous demandons quelque chose selon sa volonté, il nous écoute. Et si nous savons qu'il nous écoute en tout ce que nous lui demandons, nous savons que nous possédons ce que nous lui avons demandé* (1 Jn 5, 14-15) :

Jeannine : "Nous sommes mariés depuis dix-huit ans et nous vivons depuis sept mois dans une communauté. Le Seigneur nous a montré là que nous sommes très pauvres et très blessés. Je ne parlerai que de deux grâces reçues pendant cette retraite, mais c'est fou ce que nous en avons reçu. On voulait demander deux petites choses, et pendant la prière des frères nous nous sommes dit : "Demandons, demandons", et le Seigneur nous a écoutés. La première grâce, c'était la confiance. La deuxième est merveilleuse aussi : je vivais des sécheresses terribles dans l'adoration. Le père Tardif a fait un enseignement sur "L'Eucharistie, sacrement de guérison". Je trouvais cela très beau, je trouvais que certaines personnes avaient bien de la chance d'être guéries, moi je n'avais rien. Et puis hier, en tendant mes mains pour recevoir le corps du Christ, je l'ai regardé comme jamais je ne l'ai regardé, j'ai reçu alors une grâce immense de guérison. J'ai vraiment perçu que le Seigneur entrait profondément en moi, et allait guérir beaucoup de choses".

Daniel : "Ce témoignage est effectivement un témoignage de couple. Ce n'est pas seulement quelque chose qui concerne ma femme, je pense que toutes les grâces reçues par l'un ou par l'autre vont rejaillir sur nous deux, de multiples manières".

Le couple a su se présenter devant Dieu les mains vides. La timidité cependant ne leur faisait envisager au point de départ que "deux petites choses" à demander. Et puis, la prière de la communauté des frères a touché leur coeur, les a mis en confiance, et ils ont pu demander beaucoup, comme des enfants.

La bienveillance, c'était la confiance, par la pensée. Croire en la Providence divine, c'est la confiance en actes, la confiance en Dieu, qui est un Père aimant et fidèle.

De siècle en siècle, les générations chrétiennes apprennent à faire confiance en la Providence. La famille n'est vraiment chrétienne que si elle le vit au niveau spirituel, mais également au niveau matériel.

C'est un héritage à transmettre et qui vaut son pesant d'or : il est une source inégalable de paix dans les familles. Il devient certain alors que l'équilibre à l'intérieur de la famille ne repose plus sur l'argent mais sur l'amour. Les jeunes ont besoin d'y être éduqués, autant que d'apprendre le goût du travail. Pour une part, j'en reçus une leçon magistrale en famille :

"A vingt ans, grand séminariste, j'avais mis mes bras au service d'un oncle agriculteur, qui n'avait qu'une fille et mon grand père âgé de quatre-vingts ans pour faire la moisson. L'été avait été trés pluvieux. Nous étions au 15 septembre, date de la rentrée au séminaire, et la moisson à demi-faite allait pourrir dans les champs. Au moment de partir, une grande tristesse s'empara de moi. J'en dis quelques mots : "Que c'est dommage, j'aurais aimé rester.., impossible". C'est alors que mon grand-père me regarda dans les yeux et me dit : "Mon petit, souviens toi bien qu'en 1912, nous avons terminé la moisson pour la Toussaint (autant dire que c'était du fumier !). Eh bien, cette année-là, il n'a pas manqué de pain un seul jour à la maison pour nourrir ta maman et tes oncles et tantes. Et sans allocations familiales ! Alors, ne t'inquiète plus ! pars vite au séminaire !" Soulagé d'un tel fardeau, j'enfourchai la bicyclette et fis les 120 kilomètres qui me séparaient de là, pour retrouver la philosophie et la théologie. Mais heureusement que j'avais pris cette leçon d'Evangile au passage, car ce n'est pas la théologie d'abord qui fait les bons prêtres, mais l'Evangile vécu.

Et il le connaissait son Evangile, le grand-père : *"Ne vous inquiétez pas pour votre vie de ce que vous mangerez... Regardez les oiseaux du ciel : ils ne sèment ni ne moissonnent ni ne recueillent en des greniers, et votre Père céleste les nourrit ! Ne valez-vous pas plus qu'eux ?"* (Mt 6 25-26).

Quel héritage pour ses enfants, ses petits-enfants et ses arrière-petits-enfants ! Quelle audace et quelle assurance dans cette confiance en Dieu".

Notre XXème siècle, avec ses structures de solidarité, comme la sécurité sociale et la retraite-vieillesse, a pu en partie occulter la Providence évangélique. Les communautés nouvelles vivent beaucoup cette providence enseignée par Jésus. Les familles, même si elles n'ont pas cet appel particulier et absolu, doivent vivre à leur degré ce même abandon à Dieu, qui finalement n'est vrai que s'il est tangible et engageant. C'est là que tombent de soi les rivalités en famille, faites de désir de suprématie et d'ambition. Combien de sujets de discorde dans les familles à cause de l'argent ! Et cela parce que la famille ne reposait pas d'abord sur la Providence, mais sur l'appât du gain.

Plongés dans une telle grâce d'abandon, comment les couples pourraient-ils ne pas se pardonner tout de suite l'un l'autre, s'il y a quelque sujet de mésentente.

3 — AU COEUR DU ROYAUME, LA FAMILLE

Une vie changée

Jésus termine son enseignement sur la Providence ainsi :

"Cherchez d'abord son Royaume et sa justice... à chaque jour suffit sa peine" (Mt 6, 33-34).

Quand la famille décide de centrer sa vie sur le Royaume de Dieu, c'est un bouleversement complet : c'est la conversion.

Il semble que Jésus pose cette question aux couples qui désirent faire leur unité : "Le cherchez-vous vraiment le Royaume ?" Si tous deux répondent "oui", ce sera une unité autrement profonde que celle des époux qui se retrouvent dans un même goût pour la musique ou pour le sport, par exemple ! C'est d'abord la soif du Royaume qui doit faire l'unité profonde des époux chrétiens. De là découleront leurs engagements chrétiens. Dans le cas contraire, leur vie de dévouement serait dispersée, et parfois même leur couple mis en danger.

Trop souvent, ce n'est plus le Royaume que l'on cherche, mais celui qui est fait pour l'habiter : l'homme. Or, toute recherche de l'homme est dispersante, toute recherche de Dieu est unifiante. Il est même une recherche du bien-être personnel qui n'est pas évangélique : elle est radicalement opposée au Royaume, elle ruine le couple et l'évangélisation. *"Cherchez d'abord le Royaume de Dieu..., cela vous sera donné par surcroît"* (Mt 6, 33).

Voilà que tout est clarifié et que la vie se simplifie. Chacun est bien à sa place, et les désirs profonds de l'homme sont remis dans l'ordre. Autour de cette joie commune à travailler à la construction du Royaume, la famille chrétienne se trouve merveilleusement unifiée. Et sa vie devient par elle-même une évangélisation.

En effet, évangéliser se résume à proposer aux hommes la réponse à la soif que Dieu a mise dans leur coeur, c'est-à-dire la soif de Dieu Lui-même. Le bon évangéliste annonce : "Jésus t'aime" ! Et de fait, en retour, "être chrétien", c'est d'abord aimer Dieu, et aimer son prochain. Ecoutons le pape Jean-Paul II nous le dire :

> "L'homme est aimé de Dieu ! Telle est l'annonce si simple et si bouleversante que l'Eglise doit donner à l'homme, la parole et la vie de chaque chrétien peuvent et doivent faire retentir ce message : Dieu t'aime. Le Christ est venu pour toi, pour toi le Christ est *"le Chemin, la Vérité et la Vie"* (Jn 14, 6)"[1].

Alors, lorsque un couple donne le témoignage de son amour, quelle grâce puissante c'est pour l'évangélisation ! Dans le domaine professionnel et social, le témoignage du couple aura tout autant sa raison d'être que le témoignage personnel. Trop de chrétiens l'oublient.

C'est très juste et très évangélique que le chrétien témoigne d'abord par sa vie. Le couple chrétien, par son style de vie, son emploi du temps, ses relations naturelles, va déjà évangéliser tout alentour avant d'avoir pris la parole. La vie du couple, centrée sur le Royaume, est "vertébrée", elle a une ligne directrice et une sérénité qui font envie tout alentour. Mais parce qu'elle est faite d'humilité, elle n'éclabousse jamais les couples en recherche de la vraie vie. C'est donc la vie toute simple de la famille qui porte le témoignage au jour le jour. Et c'est ce qui touche.

J'ai vu par exemple, un couple ne pouvant pas avoir d'enfants, en adopter six, plus une handicapée et un bébé mongolien. Un autre couple a adopté deux bébés mongoliens et un petit asiatique, en plus

---

1. *Les fidèles laïcs*, 1988, n°34.

de leurs quatre autres. Quand on rentre dans ces foyers, on "sent le Royaume", le Royaume des tout-petits. Oh ! les parents ne sont pas devenus inintelligents, en choisissant le Royaume. Ils font tout ce qu'il faut pour gagner leur vie. Mais ils ont été "intelligents" jusqu'au bout : "

Ne vous amassez point des trésors sur la terre, où la mite et le ver consument, où les voleurs percent et cambriolent. Mais amassez-vous des trésors dans le ciel..." (Mt 6, 19-20).

Comme ils sont "intelligents", et par conséquent incapables de "faire des mauvaises affaires", ils ont même fait la meilleure de toutes : l'acquisition du Royaume, du "Royaume des cieux". Contrairement à l'insensé de l'Evangile, ils vont continuer à s'enrichir d'une richesse que personne ne pourra leur ravir, chaque jour qui passe. En se dévouant auprès de leurs enfants en difficulté, ils *s'enrichissent en vue de Dieu* (Lc 12, 21).

Sous la conduite de l'Esprit

Le maître d'oeuvre de cette vie renouvelée pour le couple, c'est l'Esprit Saint. Une très ancienne tradition voulait que jamais un mariage ne soit célébré sans invoquer l'Esprit Saint. Et c'était la prière de l'Eglise à la Pentecôte : le *Veni Creator Spiritus* ("Viens Esprit Créateur"). Les époux, c'est certain, veulent vivre l'amour selon leur promesse réciproque de fidélité pour la vie. Mais comment y parvenir sans Celui qui a créé l'amour ? D'où leur invocation à l'Esprit Saint "Créateur", pour qu'Il descende sur ces époux au moment où, en tant que ministres du sacrement, ils se donnaient le mariage. Mais cette tradition a-t-elle persisté dans nos paroisses ?

Donc, mettons l'Esprit Saint au point de départ et invoquons-Le chaque jour. C'est Lui qui purifie, c'est Lui qui sanctifie, c'est Lui qui donne le dialogue aux époux. C'est Lui qui leur donne le bon choix dans toutes les alternatives. Il leur souffle alors à l'oreille (et au coeur) de choisir le Royaume, pour avoir aussi *tout le reste par surcroît.*

Qui douterait que ce ne soit le bon choix ? Vraiment les chrétiens sont astucieux, un peu à la manière de *Salomon qui avait choisi la sagesse*, et à qui Dieu a donné tout le reste en récompense (cf. 1 R 10, 23). C'est vrai que l'Esprit Saint donne toujours le bon choix.

Un couple arrivé à l'âge de la retraite témoigne :

> Pierre et Bénédicte : "Nous avions la capacité de rejoindre au loin d'autres frères et soeurs qui vivaient la même spiritualité que nous. Mais nous avons prié et demandé conseil aux frères dans la prière. Il en est ressorti que le Seigneur nous promettait des frères et des soeurs pour la prière, dans cette région deshéritée où nous étions venus habiter. Nous pouvons témoigner : trois ans après, le Seigneur nous a envoyé une quinzaine de frères et soeurs, et ce groupe de prière est devenu comme une petite fraternité nouvelle, une de plus pour le Royaume de Dieu. Suite à l'effusion de l'Esprit qui avait déjà transformé toute notre vie, nous avons vécu ce que cela veut dire : vivre sous la conduite de l'Esprit. Merci Seigneur !"

L'Esprit donne aussi ce coeur d'action de grâces, jusqu'à l'exultation, pour les familles qui savent se réjouir des dons de Dieu et ne pas oublier le Donateur de vie qu'Il est lui-même.

Oui, qu'il fait bon aller s'asseoir en famille à la table du Royaume qu'est l'Eucharistie, et prolonger cette présence de Jésus lui-même à la table de famille ! On comprend mieux pourquoi bien des foyers chrétiens ne prennent jamais un repas sans "bénir" et sans "rendre grâces". C'est le moment aussi d'un "merci" au Seigneur pour tous ses dons, qui nous préserve de toute suffisance ou ingratitude, en nous gardant un coeur de pauvre, selon la béatitude :

"Bienheureux les pauvres en esprit, le Royaume des cieux est à eux" (Mt 5).

L'Esprit Saint est le Père des pauvres, et souvenons-nous qu'un coeur d'enfant vit également d'innocence. Pour le couple qui veut avoir ce coeur d'enfant, il est une autre béatitude tout particulièrement conjugale :

"Bienheureux les coeurs purs, ils verront Dieu" (Mt 5).

La vie conjugale est faite pour cette pureté de l'âme, de l'esprit et du corps. Même si elle est vécue dans l'intimité, elle n'échappe à personne..., elle transparaît dans la vie. Cette béatitude donne au couple la grâce de "voir Dieu", d'une certaine façon, dès cette terre. Nous savons combien ceux qui ont pu seulement entrevoir un "coin de ciel" en sont marqués dans leur regard : c'est le cas, par exemple, des bénéficiaires des apparitions qui rayonnent lumière et pureté. Mais pour nous, ici sur la terre, dans notre vie spirituelle, le voile qui nous sépare de l'éternité ne se déchire souvent que le temps d'un éclair, et ce n'est alors que pour les coeurs simples.

Ainsi les couples sont-ils appelés à contempler dans les yeux l'un de l'autre, un coin de Ciel, pour le transmettre à leurs enfants et au monde. Mais il leur faut d'abord avoir le coeur pur. C'est pourquoi la beauté du mariage repose sur la chasteté. C'est elle qui va faire la révolution de l'amour pour la seconde évangélisation.

L'Esprit Saint est obligatoirement le maître-d'oeuvre de cette nouvelle évangélisation, dont le pape Jean-Paul II et nos évêques ne cessent de nous rappeler l'urgence. Cela est vrai pour tous par la grâce même du Baptême et de la Confirmation. Mais à partir du jour du sacrement de Mariage, c'est en couple que les deux baptisés qui se sont unis devant Dieu, doivent se laisser conduire par l'Esprit. Quelle grâce de concertation et d'unité ! Que d'erreurs, de dissensions et de blessures évitées ! Mais il faudra encore à chacun la docilité d'un coeur d'enfant soumis à l'Esprit Saint.

C'est si simple d'aimer !

Les religieux, pour mieux vivre la grâce de leur baptême, s'engagent par les trois voeux. Pourquoi les couples ne vivraient-ils pas eux-aussi, sous la conduite de l'Esprit Saint, une forme de "pauvreté, de chasteté et d'obéissance" ? Qui pourrait le leur refuser ? En effet, c'est la grâce des baptisés d'être nés pour témoigner au coeur du monde d'une vie radicalement nouvelle. Car le coeur de tout homme, pour passer des ténèbres à *l'admirable lumière* (1 P 2, 9), qui est en Dieu. Dieu a besoin du témoignage d'un coeur simple selon l'Evangile.

Simple est le mariage, comme tout l'Evangile. Voir les choses autrement, ce serait en faire l'apanage des riches, et former une Eglise des "purs"... Ce serait de l'élitisme, c'est-à-dire réserver le mariage à une élite ! En réalité, les époux qui suivent l'Evangile et ses exigences ne peuvent jamais tomber dans ce travers qu'est l'élitisme.

Et ceux qui le leur reprochent parfois seront aussi ceux qui essaient de trouver par là un alibi pour se contenter d'un amour au rabais. En fait, le mariage est aussi simple que notre Dieu est simple, Lui qui est un. Mais Il l'est aussi en trois personnes, parce qu'Il est amour. Les témoignages de ce livre redisent cette grâce de la simplicité, par où passe la vérité : *amour et vérité se rencontrent* (Ps 85, 11). Nous constatons maintenant avec quelle simplicité les époux s'offrent à l'amour du Seigneur, confiants dans la Providence, et rayonnants d'un amour profond; témoignages vivants au coeur d'un monde devenu aussi triste que compliqué. Oui, mais..., il fallait commencer par tout donner.

Serait-ce un idéal trop élevé ? Oui certainement ! pour ceux qui ne croient pas vraiment à la Parole de Dieu, et à la grâce qui, toujours, l'accompagne. Mais pour le couple, qui dans la simplicité du don, a goûté à cette flamme intérieure, quelle espérance ! Et quelle certitude même ! C'est celle de la foi ! Et toutes deux, la foi et l'espérance, sont faites pour l'amour !

La grâce du mariage est faite pour les coeurs simples, les coeurs d'enfants à qui appartient le Royaume. Ces coeurs simples seront les artisans de la seconde évangélisation. Et ceux qui répondront à leur appel seront ceux qui auront accepté d'abord la conversion d'un coeur simplifié.

Ces artisans, ce seront encore des familles tout entières, qui respireront la simplicité évangélique et formeront le peuple nouveau de Dieu, selon la vision prophétique de Vatican II :

> "Alors, la famille chrétienne, parce qu'elle est issue d'un mariage, image et participation de l'alliance d'amour qui unit le Christ et l'Eglise, manifestera à tous les hommes la présence vivante du Sauveur dans le monde et la véritable nature de l'Eglise, tant par l'amour des époux, leur fécondité généreuse, l'unité et la fidélité du foyer, que par la coopé- ration amicale[1] de tous ses membres."[2]

Dans sa densité et sa limpidité, quel magnifique résumé de la vocation du couple et de la famille, au sein de l'Eglise et pour le monde ! Pour aimer, il faut un coeur simple. Pour croire en l'amour et pour en témoigner, également. Mais tout commence par cette découverte qui transforme une vie : "C'est si simple d'aimer".

---

1. Des groupements de familles existent tels que l'AFC, Association de Familles Catholiques, 28, Place saint Georges, 75009 Paris.
2. *Gaudium et Spes, La dignité du mariage et de la famille*, n°48, paragraphe 4.

Conclusion :
Mais qui donc nous fera croire en l'amour ?

LA GRÂCE DU MARIAGE
AU SEUIL DE LA SECONDE ÉVANGÉLISATION

Au seuil de la seconde évangélisation, l'Eglise cherche des **témoins de l'amour**, qui s'y donnent complètement. Par la grâce du sacrement de mariage, les "fidèles laïcs" ont reçu cette mission toute particulière. Leur témoignage de prière et de vie, reflet de la vérité de la Parole de Dieu, et de leur union avec Dieu et en Dieu, va toucher et convertir un monde en recherche de l'amour et du sens de la vie. Il est certain que l'amour doit prendre toute la vie, sinon, il n'est déjà plus l'amour. Mais pour cela, il faut faire davantage encore : y croire.

On cherche encore à s'aimer sur notre terre, mais avouons qu'on ne "croit" plus vraiment en l'amour.

"S'aimer" et "croire en l'amour", ce sont deux réalités bien différentes l'une de l'autre. Et c'est dans les faits que la différence va très vite apparaître. "S'aimer" demeure relativement facile : c'est un mouvement instinctif du coeur. Et cet élan du coeur est toujours nécessaire pour qu'il y ait un véritable amour.

Mais choisir de faire en plus un acte de foi en l'amour entraîne une exigence de fidélité et d'absolu, transformant la vie de fond en comble.

L'apôtre Paul dira par exemple : *Pour moi, la vie c'est le Christ* (Ph 1, 21).

C'est le résultat de sa conversion : l'amour du Christ est entré dans sa vie, et Jésus est devenu sa vie. Tout le reste est quantité négligeable : *Je considère tout comme désavantageux... tout comme déchets, afin de gagner le Christ* (Ph 3, 8).

Par contre, on peut continuer à vivre sa vie, et rester extérieur au Christ. On aimera Dieu, certes, on cherchera à le rencontrer, avec coeur même, du moins à certains jours,... car il y a aussi autre chose à faire dans la vie !

Dans le cas de Paul, la foi est devenue, pour ainsi dire "totalisante". C'est la foi en l'amour, et en l'amour que Dieu a pour nous :

Il m'a aimé et s'est livré pour moi (Ga 2, 20).

Cependant, nous sommes incapables de vivre cet absolu dans la fidélité sans avoir recours à la miséricorde divine. Elle seule nous en donne la capacité. En fait lorsqu'il n'y a pas d'engagement absolu, l'amour demeure fragile, tel un sentiment humain dans sa précarité, et son inconstance , avec la déception qui en découle, trop souvent. Cet engagement fidèle, et durable, Dieu l'attend de tous, et ne se lasse pas d'interpeller son peuple, car il en va de son bonheur : *Que te ferai-je, Ephraïm ? Que te ferai-je, Juda ? Car votre amour est comme la nuée du matin, comme la rosée qui tôt se dissipe* (Os 6, 4).

Plus que de nous aimer, nous sommes donc faits pour **"croire en l'amour"**. La clef de l'amour solide et durable est là.

Entre les deux, il y a un abîme. Et il ne se franchit que par la conversion du coeur. Répondre délibérément à l'appel de Dieu dans l'acte de "consécration" de soi-même : voilà le pas de géant au-dessus de cet abîme. Celui ou celle qui a pu répondre "oui" quitte la peur en mettant fin à un amour qui ne s'était pas encore "livré". Il plonge dans un abîme de vie, celui de l'amour infini, de l'amour miséricordieux de Dieu.

Ainsi le chrétien honore-t-il la grâce de son baptême, qui est une consécration. Il en va de même de celui qui offre sa vie dans une communauté ou bien encore du prêtre qui se donne à l'Eglise dans le célibat consacré.

Les fiancés, au jour de leur sacrement de Mariage, s'engagent eux-aussi dans une consécration qui leur donne non seulement la grâce de s'aimer, mais de croire en l'amour, envers et contre tout. Les fiançailles ont été un apprentissage de fidélité absolue, comme un noviciat nécessaire à ce pas de géant, fruit de l'appel de Dieu.

Le jour du mariage, ils se promettent fidélité, c'est-à-dire de croire en l'amour, toujours. Croire en l'amour de l'autre, ce sera un acte de foi concret et tangible, comparable à cet autre acte de foi, qui consiste à croire en l'amour de Dieu pour chacun, personnellement. Ces deux amours se trouvent confondus dans la profondeur spirituelle du couple.

Si tous les hommes sont appelés à *s'aimer les uns les autres*, les baptisés auront plus particulièrement, au sein du monde, la mission de "croire en l'amour". Car celui qui croit en Dieu, croit toujours en l'amour, puisque *Dieu est Amour* (1 Jn 4, 16).

Dès lors l'amour sera transformé par la foi, dynamisé par elle et enraciné dans la fidélité par la confiance en Celui qui ne peut ni se tromper, ni nous tromper.

Notre Dieu est Celui qui a **fait alliance** avec les hommes en leur manifestant un amour indéfectible. Evangéliser, c'est révéler aux hommes que Dieu ne les a pas *abandonnés* (Is 41, 17). Au contraire, il a conclu avec eux une alliance, qui trouve son accomplissement dans "la nouvelle et éternelle alliance" réalisée par Jésus lui-même, *en versant son sang pour la multitude en rémission des péchés* (Mt 26, 28). Cette alliance, se réalise dans les deux grands sacrements de l'Eucharistie et du Mariage.

Si la grâce du mariage n'est plus vécue dans cette fidélité absolue, comment l'évangélisation sera-t-elle donc pour la fin de notre XXème siècle ?

Affirmons-le bien fort : il n'y aura pas de seconde évangélisation sans la conversion de tous et des couples en particulier. Ceux-ci se trouvent en première ligne d'un combat contre les forces du mal, qui veulent la ruine de l'humanité, chef-d'oeuvre de notre Créateur. Mais le Christ est déjà vainqueur en sa résurrection. Il nous reste à chacun, aux différents degrés de notre consécration, à nous approprier cette victoire définitive du Christ, par un engagement absolu allant jusqu'au don de notre vie.

A l'approche du troisième millénaire, ce combat se fait particulièrement incisif. Nous sommes provoqués à entrer dans ce champ de bataille. Impossible de nous tenir inactifs, sur la touche. Dans le cas contraire, ce serait nous-mêmes signer l'échec à l'avance. Jamais peut-être, il n'y eut pareil enjeu sur le mariage, creuset de l'amour, attaqué au plus haut point par l'Adversaire. Mais Dieu est là, fidèle, qui travaille au salut du monde, en prenant soin de son Eglise.

Comme le dit si bien le prophète Isaïe : *Sur tes remparts, Jérusalem, j'ai posté des veilleurs, de jour et de nuit, jamais ils ne se tairont* (Is 62, 6). Que chacun monte à son créneau ! Baptisés, prêtres, religieuses, et couples dans le mariage. Ce n'est pas le moment de se taire !...

> *Vous qui vous rappelez au souvenir du Seigneur, pas de repos pour vous !* (v 6).

Le Seigneur ne nous prend pas par surprise : nous sommes tous prévenus. Mais le prophète nous donne, aussitôt après, l'assurance d'être écoutés dans l'intercession :

> *Ne lui accordez pas de repos qu'il n'ait établi Jérusalem et fait d'elle une louange au milieu du pays. Le Seigneur l'a juré par sa droite et par son bras puissant...* (v 7 et 8).

Comptons résolument sur la grâce de Dieu. Avec elle, nous sortons définitivement du sentier battu des peurs qui empêchent de s'engager, et des constats d'échec qui paralysent. Loin des analyses prétendûment réalistes, mais dépourvues de foi, attendons-nous aux merveilles de Dieu pour les couples assoiffés d'amour. Le bonheur du couple est "possible à Dieu", même et surtout s'il dépasse les capacités humaines. *Y-a-t-il rien de trop merveilleux pour Dieu ?* (Gn 18, 14).

Croire en la **grâce du sacrement de mariage** va sauver le mariage. Le mariage va sauver la seconde évangélisation. Et la seconde évangélisation, demandée par le Pape Jean-Paul II, va sauver le monde. Certes, les clercs et les consacrés dans le célibat auront également leur vie à offrir comme tout baptisé. Mais l'offrande des couples chrétiens en sacrifice d'amour l'un pour l'autre, et ensemble au Seigneur, dans une communion indicible, constituera la pièce maîtresse voulue par Dieu lui-même, déjà dans sa création, et plus encore dans sa rédemption.

> *Je vous exhorte donc, frères par la miséricorde de Dieu, à*
> *offrir vos personnes en hostie vivante, sainte, agréable à*
> *Dieu : c'est là le culte spirituel que vous avez à rendre. Et*
> *ne vous modelez pas sur le monde présent...*(Rm 12, 1-2).

Qu'en est-il de l'avenir du couple chrétien ? Saint Paul vient de nous en tracer les grandes lignes : ne pas se modeler sur le monde présent et s'offrir en hostie vivante. C'est ainsi qu'il nous faut "croire" en l'amour et sans cesse revenir à la source du véritable amour.

Mais comment y parvenir ? quel chemin prendre ?

- C'est un don, parce que la foi est un don de Dieu.

- Et c'est un choix aussi, parce que l'homme est libre de faire son bonheur ou son malheur.

C'est un don : il faut donc le demander,

C'est un choix : il faut donc aussi le décider.

L'Eglise est attendue dans le témoignage au coeur du monde. Jamais les yeux des hommes qui déclarent même ne pas s'intéresser à la foi, n'ont été braqués à ce point sur sa hiérarchie, comme sur le dernier de ses fidèles. Cela révèle bien l'urgence du temps que nous vivons. Mais c'est aussi un temps d'épreuve accrue. Puisse la parole du livre de la Sagesse se réaliser dans les années qui viennent :

> *Dieu en effet les a mis à l'épreuve et Il les a trouvés dignes*
> *de Lui ; comme l'or au creuset, Il les a éprouvés, comme un*
> *parfait holocauste, il les a agréés. Au temps de leur visite,*
> *ils resplendiront...*

> *Ceux qui mettent en Lui leur confiance comprendront la*
> *vérité et ceux qui sont fidèles demeureront auprès de lui,*
> *dans l'amour, car la grâce et la miséricorde sont pour ses*
> *saints et sa vérité pour ses élus* (Sg 3, 5-9).

C'est dans l'épreuve que l'homme prouve son amitié par la fidélité. C'est dans l'épreuve que les époux se prouvent au plus fort leur amour. C'est dans l'épreuve que l'Eglise a toujours vécu son témoignage au coeur des hommes. Quelle mission formidable !

Alors bien sûr, au coeur même de l'épreuve, *des robes blanches* pour les époux dans leur "consécration", parce que compagnons de l'Agneau, eux aussi, *rachetés d'entre les hommes comme prémices pour Dieu et pour l'Agneau* ; et martyrs également, s'il le faut, pour la vérité. *Jamais leur bouche ne connut le mensonge : ils sont immaculés* (Ap 14, 4-5).

Des robes blanches, celles de la chasteté, (qui n'est pas continence) et de la fidélité, pour les époux donc, comme pour les âmes consacrées. Mais il faut y mettre le prix ! Voici venir un temps où l'amour bafoué ne sera sauvé que par les martyrs de l'amour, des témoins fidèles dans le renoncement et le sacrifice, capables de mettre leurs pas dans ceux de l'Agneau qui les précéde dans sa victoire :

> *Un des vieillards prit alors la parole et me dit : "Ces gens vêtus de robes blanches, qui sont-ils et d'où viennent-ils ?" Et moi de répondre : "Monseigneur, c'est toi qui le sais". Il reprit : "Ce sont ceux qui viennent de la grande épreuve : ils ont lavé leurs robes et les ont blanchies dans le sang de l'Agneau"* (Ap 7, 13-14).

Ardue, la grâce du mariage ? Oui, certainement. Mais ardue tout d'abord, la grâce de tout baptisé. Mais combien belle et passionnante, et, elle seule, capable de saisir tout l'être, fait pour se donner et se livrer à l'amour. L'enthousiasme de l'amour est là. Il va jusque là. Il désire aller jusque là, il n'a pas d'apaisement à sa soif qu'il ne soit parvenu au but. Et c'est bon comme cela. C'est même très bon. *Dieu vit que cela était très bon* (Gn 1, 31) à la fin du sixième jour et il se reposa.

Dans la création, quand le couple est là, tout est accompli. L'Agneau est immolé sur la croix, là encore, *"tout est accompli"* (Jn 19, 30). Les invités aux noces de l'Agneau ont déjà répondu "oui". Une fois encore, tout est accompli. Il n'est plus que d'en vivre.

Enfin, par la grâce de Dieu, que d'époux avec leur famille vont pouvoir vivre et revivre ! Et cela, pour avoir fait le bon choix : celui de croire en l'amour, de toujours accepter la miséricorde, et de courir au devant de Jésus pour vivre avec lui déjà, et sans plus attendre, **les Noces de l'Agneau.**

Sigloy,
Pentecôte 1990.

INDEX

I - L'AMOUR CONJUGAL EST

III - LES OBSTACLES A L'AMOUR CONJUGAL

* le tout, suscité par l'adversaire de l'amour
- le démon 32, **56**, 98, 124, 143, 187, 195, 215, 227, 2994.

IV - LA CROISSANCE DU COUPLE
DE FIDÉLITÉ EN FIDELITÉ

* des ténèbres 91, **211, 212**, 294.
- et de l'aveuglement 21, 23, 31, 36, 53, 97, 98, 99, 110, 212, 236.
- à la lumière 91, 97, 211, 212, 225, 264.
* marcher dans la lumière **211**.
- faire la vérité 12, 14, **17**, 21, 37, **69, 70**, 91, 92, 109, 151, 156, 160, 212, 216, 249,
 297, 302.
- et la transparence 72, 85, 213, 225.
* la découverte du péché 70, 92, 94, 128, 139, 143, 156, 172, 213, 299.
- la conversion 27, 31, 37, 47, 48, 68, 94, 108, 124, 135, 196, 230, 252, 259, 266, 290, 297.
- la repentance 156, 157, 159, 194, 213, 224.
- la pauvreté 149, 245.
- et l'aveu 70, 225.
* la compassion de Dieu 43, **61** à **68, 121, 122.**
- le pardon donné 9, 24, 27, **34, 45** à **58,** 62, 63, 68, **101,** 105, 172, 215, **225,** 244.
- la guérison 25, 75, 76, 113, 116, 224, 266, 275, 278.
- la libération 42, 50, 51, 76, 85, 130, **159, 160**, 188, 189, 192, **194, 195, 230**, 235, 237, 264, 267, 274, 286, 301.
- Jésus sauveur 66, 196, 216.
* le combat spirituel 29, **191, 192**, 269, 302.
- le jeûne 81.
- le renoncement 181, **190**, 202, 245, **250, 251, 263, 265**, 302.
- le choix à faire 143, 194, 196, 254, 263, 292, 297, 301, 302.
- pour la fidélité 9, 84, 186, 236, 237, **243** à **252**, 298.
* la victoire 59, 65, 187, 302.
- la vie 57, **141, 142**, 143, 162, 207, 208, **232**, 247, 297, 302.
- le royaume 48, 187, 261 à 264, 276, 282, 290.
- construire dans l'unité 23, 38, 85, 168, 178, 183, **244, 245, 246**, 267, 273, 291.
* la vocation 132, 259, 260, 267.
- le ministère de la réconciliation **259** à **270**.
- le témoignage 45, 69, 101, 17ç, 180, **243** à **250**, 291, 295, 297, 302.
- évangéliser 48, 52, 57, 124, 137, **207, 243, 245, 246**, 261, 295, 297, 299, 302.
- les prophètes 69, **110**, 111, 151.
- la sainteté **9, 11, 12**, 27, 28, 162, **254**, 268, **269, 283**.

TABLE DES MATIÈRES

Chapitre III
AU COEUR DE LA NUIT, L'ESPÉRANCE

Chapitre IV
UN COEUR VULNÉRABLE POUR AIMER

Chapitre V
APPELÉS À L'UNITÉ DANS L'AMOUR

Chapitre VIII
C'EST SI SIMPLE D'AIMER

*Achevé d'imprimer en juillet 1990 sur presse CAMERON
dans les ateliers de la S.E.P.C. à Saint-Amand-Montrond (Cher)*

N° d'impression : 1640 — Dépôt légal : juillet 1990 — Imprimé en France